Sur la terre comme au ciel

Jardins d'Occident à la fin du Moyen Âge

Cette exposition a été organisée
par la Réunion des musées nationaux et le musée
national du Moyen Âge – thermes de Cluny

Coordination au département des expositions
de la Réunion des musées nationaux :
Marion Mangon, chef de projet, assistée d'Émilie Augier
Marion Tenbusch, coordinatrice du mouvement des œuvres

La présentation de l'exposition a été conçue et réalisée
par Pylône architectes.

En couverture :
Le verger* de Déduit (détail du cat. 27)
Londres, The British Library

ISBN : 2-7118-4448-X
© Éditions de la Réunion des musées nationaux, 2002
49, rue Étienne-Marcel 75001 Paris

Sur la terre comme au ciel

Jardins d'Occident à la fin du Moyen Âge

Paris, musée national du Moyen Âge – thermes de Cluny
6 juin-16 septembre 2002

 Réunion
des Musées
Nationaux

Commissaire de l'exposition :

ÉLISABETH ANTOINE

conservateur au musée national du Moyen Âge – thermes de Cluny

Directeur du musée national du Moyen Âge – thermes de Cluny :

VIVIANE HUCHARD

conservateur général

Le catalogue a été rédigé par :

ÉLISABETH ANTOINE

Conservateur au musée national du Moyen Âge – thermes de Cluny

PASCALE BOURGAIN

Professeur à l'École nationale des chartes

DOMINIQUE CARRU

Archéologue départemental au Service archéologique de Vaucluse

JOHN CHERRY

Conservateur du département Medieval and Later Antiquities au British Museum

JOHN CLARK

Conservateur au Museum of London

HAZEL FORSYTH

Conservateur au Museum of London

MARIE-THÉRÈSE GOUSSET

Ingénieur de recherche au Centre de recherche sur les manuscrits enluminés, Bibliothèque nationale de France

PATRICE KORPIUN

Archéologue au Service archéologique de la Ville de Valenciennes

MARKUS MULLER

Directeur du Graphikmuseum Pablo Picasso Munster

Remerciements

Je voudrais exprimer ma profonde gratitude à tous ceux qui ont permis et soutenu cette entreprise.

Ce projet n'aurait pu voir le jour sans le soutien de Mme Viviane Huchard, directeur du musée national du Moyen Âge, que je remercie de la confiance dont elle m'a honorée. Je voudrais dire aussi ma gratitude à Mme Françoise Cachin, directrice honoraire des Musées de France, et à Mme Francine Mariani-Ducray, directrice des Musées de France.

Mes remerciements s'adressent également à M. Philippe Durey, administrateur général de la Réunion des musées nationaux, pour son indéfectible soutien à cette entreprise et à la réalisation du catalogue.

Les recherches menées sur le sujet et la rédaction du catalogue ont pu être approfondies grâce à des bourses de recherche de l'École française de Rome et du Getty Grant Program, dont je tiens à remercier les directeurs, M. André Vauchez et Mme Deborah Marrow.

Mes remerciements vont également aux spécialistes qui m'ont fait l'honneur de participer à la rédaction de ce catalogue : Pascale Bourgain, Dominique Carru, John Cherry, John Clark, Hazel Forsyth, Patrice Korpiun, Markus Muller et tout spécialement Marie-Thérèse Gousset qui, de surcroît, a accepté, avec une patience et une générosité inébranlables, de vérifier bien des identifications de plantes de mes propres notices.

À l'issue de ces années de préparation, j'ai grand plaisir à remercier tous les chercheurs et collègues français et étrangers qui m'ont apporté avec bienveillance conseils et informations, ainsi que les amis qui m'ont aidé à réaliser cette exposition : Tracey Albainy, Pierre Aquilon, François Avril, Carolyne Ayçaguer, Françoise Barbe, Peter Barnet, Kurt Barstow, Alexandra Bennett Huff, Sandrine Berthelot, Holm Bevers, Monique Blanc, Jocelyn Bouquillard, Bernard Bousmanne, Marie-Élisabeth Boutroue, Anna Braghieri, Charissa Bremer-David, Michelle Brown, Denis Bruna, Greg Buzwell, Fanny Caroff, Marion Charlet, Paul Christianson, Michel Colardelle, Kathrin Colburn, Claire Constans, Antoine Coron, Christiane Coulet, Natalie Coural, France Dijoud, Katherine Dimitroff, Père Mario Dossi, Barbara Drake-Boehm, Jean-François Dubost, Denis Escudier, Nicole Fleurier, Michel Fleury (†), Umberto Fornasari, Pierre-Gilles Girault, Pierre-Henri Godet, Antoine Gournay, Sophie Guillot de Suduiraut, Pamela Hatchfield, Pascale Heurtel, Margaret Honda, Anny Huyghe, Kathleen Johnson, Norbert Jopek, Ann Kelders, Roland Krischel, Jacqueline Labaste, Marie-Pierre Laffitte, Gisèle Lambert, Sylvia Landsberg, Hans-Peter Lanz, David Lavergne, Éric Le Goff, Albert Lemeunier, Pierre-Yves Le Pogam, Guy-Michel Leproux, Paule et Roger Lerou, Christine Lorre, Jean-Michel Massing, Jeannine Matzen, Karen Meyer-Roux, Esther Moensch, Marie-Renée Morin, Elizabeth Morrison, Danielle Muzerelle, Heidi De Nijn, Sabine Nemery de Bellevaux, Catherine Nicoletta, Christina Nielsen, Marie-Dominique Nobécourt-Mutarelli, Barbara O'Connor, Bénédicte Ottinger, Siegrid Pallnert, Stella Panayatova, Christian Peligry, Pamela Porter, Claudia Rabel, Barbara Raster, Fabienne Ravoire, Marie-Catherine Rey, Gilles Riou, Marie-Pierre Salé, Alexa Sekyra, Françoise Serre, Salvatore Settis, Danielle De Smet, Richard Song, Alain Soret, Dana Stehlikova, Patricia Stirnemann, Kinga Szczepkowska-Naliwajek, Élisabeth Taburet-Delahaye, Arnaud Tixador, Carol Togneri, Thijs Tromp, Ginette Vagenheim, Henk Van Os, Michel Van Praet, Jean Vilbas, William Voelkle, Joan Weinstein, Lauren Whitley, Paul Williamson.

Ma reconnaissance va tout particulièrement à mes parents, Marie-Élisabeth et Michel Antoine, et à mes fidèles amis Élisabeth Clavé et Pierre-Yves Le Pogam, qui n'ont pas ménagé leur peine à mes côtés.

Au musée, j'ai bénéficié de l'aide efficace de : Christelle Cagny, Élisabeth Clavé, Alain Decouche, Xavier Dectot, Christine Duvauchelle, Julia Fritsch, Marie-Christine Gérand, Jean-Louis Jasawant-Ghiraou, Marie-Odile Klipfel, Sophie Lagabrielle, Élisabeth Ledanois, Jocelyne Lespine, Jean-Jacques Ly Van Tu, et toute l'équipe d'accueil et de surveillance, Jeannine Mercier, Katia Mollet, Annick Moulin, Michel Pascal, Claudine Schirlin, Jean-Christophe Ton-That.

Dans le cadre de stages, plusieurs étudiants – Laurent Abry, Cécile Colonna, Bénédicte Duthion, Claire Folscheid, Irène Macquart-Moulin, Gisela Mir-Viader, Lars Schneider, Catherine Sparta, Thomas Spencer, Nadège Stiver, Marion Veyssière – ont apporté leur enthousiasme et leur élan à la préparation de l'exposition et du catalogue ; qu'ils soient remerciés de leur dévouement.

Je remercie aussi chaleureusement l'Association pour le rayonnement du musée du Moyen Âge (ARMMA) et son président Christian Giacomotto pour le soutien précieux qu'ils ont apporté à cette entreprise.

Ma reconnaissance va également à tous ceux qui, à la Réunion des musées nationaux, ont apporté une contribution essentielle à la réalisation de cette exposition et de son catalogue, notamment : Juliette Armand, Anne Behr, Jacques Bertaudon et l'équipe de la librairie, Béatrice de Boisséson, Bénédicte Boissonnas, Nathalie Dubrulle, Chantal Durand, Ysabel Escriva, Béatrice Foulon, Josseline Grimoin, Dominique Iopollo et l'équipe d'accueil, Sophie Laporte, Florence Le Moing, Catherine Leroyer, Alain Madeleine-Perdrillat, Jean Naudin, Marion Tenbusch, Virginie Thomas, Cécile Vignot, et plus particulièrement Marion Mangon et Émilie Augier qui ont coordonné le dossier de l'exposition. La collaboration de Denise Bellaïche pour l'iconographie et d'Anne Sautier-Greening pour la traduction du catalogue a été précieuse.

Que Frédéric Célestin, qui a assuré avec talent et efficacité la conception du catalogue, en soit vivement remercié, ainsi que Jean-Paul Boulanger et Margo Renisio (Pylône architectes), qui ont apporté une compétence et une sensibilité remarquables dans la réalisation de la scénographie de l'exposition.

Que tous trouvent ici l'expression de ma profonde et amicale gratitude.

ÉLISABETH ANTOINE

Que toutes les personnes qui, tout en souhaitant garder l'anonymat, ont permis par leur généreux concours la réalisation de cette exposition trouvent ici l'expression de notre gratitude.
Notre reconnaissance toute particulière va aux collaborateurs de la Bibliothèque nationale de France qui ont accepté de nous confier de nombreux et très précieux ouvrages faisant partie de leurs collections et sans lesquels cette exposition n'aurait pu voir le jour.

Nos remerciements s'adressent également aux responsables des collections suivantes :

ALLEMAGNE

Berlin
Staatliche Museen zu Berlin, Preussischer Kulturbesitz, Kupferstichkabinett
Cologne
Museum für Angewandte Kunst
Wallraf-Richartz-Museum — Fondation Corboud et Sammlung Ludwig

BELGIQUE

Bruxelles
Bibliothèque royale de Belgique
Liège
Musée d'Art religieux et d'Art mosan
Malines
Stedelijke Musea, collection Gasthuiszusters
Tournai
Bibliothèque de la Ville

ÉTATS-UNIS

Boston
The Museum of Fine Arts
New York
The Metropolitan Museum of Art
The Pierpont Morgan Library

FRANCE

Amiens
Bibliothèques d'Amiens — Métropole
Avignon
Musée du Petit Palais
Service archéologique de Vaucluse
Caen
Musée de Normandie
Colmar
Bibliothèque de la Ville
Musée d'Unterlinden
Écouen
Musée national de la Renaissance
Grenoble
Bibliothèque municipale

Mâcon
Bibliothèque municipale
Paris
Bibliothèque de l'Arsenal
Bibliothèque Mazarine
Bibliothèque du Muséum national d'Histoire naturelle
Bibliothèque nationale de France
     département des Manuscrits
     département des Estampes
     réserve des Livres rares et précieux
Bibliothèque Sainte-Geneviève
Commission du Vieux Paris
Musée des Arts décoratifs
Petit Palais – musée des Beaux-Arts de la Ville de Paris
Rouen
Bibliothèque municipale
Senlis
Musée d'Art et d'Archéologie
Saint-Germain-en-Laye
Bibliothèque municipale
Valenciennes
Service archéologique de la Ville
Versailles
Musée national des Châteaux de Versailles et de Trianon

GRANDE-BRETAGNE

Cambridge
The Syndics of the Fitzwilliam Museum
Londres
The Museum of London
The British Library
The British Museum

ITALIE

Plaisance
Galleria Alberoni, Opera Pia Alberoni

SUISSE

Zurich
Musée national suisse

Avertissement

La bibliographie des notices est volontairement sélective et succincte : ont été retenues les références les plus utiles du point de vue de l'histoire des jardins, et, du point de vue de l'histoire de l'art, celles qui étaient les plus récentes et les plus complètes, permettant de retrouver les références précédentes pour une étude approfondie de l'œuvre.

Le lecteur trouvera rassemblées à la fin du volume la bibliographie développée des ouvrages cités ainsi que les références de livres et de publications historiques ayant trait aux jardins du Moyen Âge.

Les termes suivis d'un astérisque sont expliqués dans le glossaire à la fin du volume.

Les citations des textes bibliques dans les notices viennent de la *Traduction œcuménique de la Bible* (TOB).

Les dimensions des objets sont exprimées en centimètres.

Abréviations utilisées

L. : Lehrs (M.), *Geschichte und kritischer Katalog des deutschen, niederländischen und französischen Kupferstichs im XV. Jahrhundert*, Vienne, 1908-1934, 9 vol. + pl.

PL : Patrologie latine : abbé J.-P. Migne (éd.), *Patrologiae cursus completus [...] Series prima in qua prodeunt patres, doctores, scriptoresque Ecclesiae latinae a Tertulliano ad Gregorium Magnum*, Paris, 1844-1864, 217 vol.

SC : « Sources chrétiennes », coll. dirigée par H. de Lubac et J. Daniélou, Paris, 1942-

Que toutes les personnes qui, tout en souhaitant garder l'anonymat, ont permis par leur généreux concours la réalisation de cette exposition trouvent ici l'expression de notre gratitude.

Notre reconnaissance toute particulière va aux collaborateurs de la Bibliothèque nationale de France qui ont accepté de nous confier de nombreux et très précieux ouvrages faisant partie de leurs collections et sans lesquels cette exposition n'aurait pu voir le jour.

Nos remerciements s'adressent également aux responsables des collections suivantes :

ALLEMAGNE

Berlin
Staatliche Museen zu Berlin, Preussischer Kulturbesitz, Kupferstichkabinett
Cologne
Museum für Angewandte Kunst
Wallraf-Richartz-Museum – Fondation Corboud et Sammlung Ludwig

BELGIQUE

Bruxelles
Bibliothèque royale de Belgique
Liège
Musée d'Art religieux et d'Art mosan
Malines
Stedelijke Musea, collection Gasthuiszusters
Tournai
Bibliothèque de la Ville

ÉTATS-UNIS

Boston
The Museum of Fine Arts
New York
The Metropolitan Museum of Art
The Pierpont Morgan Library

FRANCE

Amiens
Bibliothèques d'Amiens – Métropole
Avignon
Musée du Petit Palais
Service archéologique de Vaucluse
Caen
Musée de Normandie
Colmar
Bibliothèque de la Ville
Musée d'Unterlinden
Écouen
Musée national de la Renaissance
Grenoble
Bibliothèque municipale

Mâcon
Bibliothèque municipale
Paris
Bibliothèque de l'Arsenal
Bibliothèque Mazarine
Bibliothèque du Muséum national d'Histoire naturelle
Bibliothèque nationale de France
       département des Manuscrits
       département des Estampes
       réserve des Livres rares et précieux
Bibliothèque Sainte-Geneviève
Commission du Vieux Paris
Musée des Arts décoratifs
Petit Palais – musée des Beaux-Arts de la Ville de Paris
Rouen
Bibliothèque municipale
Senlis
Musée d'Art et d'Archéologie
Saint-Germain-en-Laye
Bibliothèque municipale
Valenciennes
Service archéologique de la Ville
Versailles
Musée national des Châteaux de Versailles et de Trianon

GRANDE-BRETAGNE

Cambridge
The Syndics of the Fitzwilliam Museum
Londres
The Museum of London
The British Library
The British Museum

ITALIE

Plaisance
Galleria Alberoni, Opera Pia Alberoni

SUISSE

Zurich
Musée national suisse

Avertissement

La bibliographie des notices est volontairement sélective et succincte : ont été retenues les références les plus utiles du point de vue de l'histoire des jardins, et, du point de vue de l'histoire de l'art, celles qui étaient les plus récentes et les plus complètes, permettant de retrouver les références précédentes pour une étude approfondie de l'œuvre.

Le lecteur trouvera rassemblées à la fin du volume la bibliographie développée des ouvrages cités ainsi que les références de livres et de publications historiques ayant trait aux jardins du Moyen Âge.

Les termes suivis d'un astérisque sont expliqués dans le glossaire à la fin du volume.

Les citations des textes bibliques dans les notices viennent de la *Traduction œcuménique de la Bible* (TOB).

Les dimensions des objets sont exprimées en centimètres.

Abréviations utilisées

L. : Lehrs (M.), *Geschichte und kritischer Katalog des deutschen, niederländischen und französischen Kupferstichs im XV. Jahrhundert*, Vienne, 1908-1934, 9 vol. + pl.

PL : Patrologie latine : abbé J.-P. Migne (éd.), *Patrologiae cursus completus [...] Series prima in qua prodeunt patres, doctores, scriptoresque Ecclesiae latinae a Tertulliano ad Gregorium Magnum*, Paris, 1844-1864, 217 vol.

SC : « Sources chrétiennes », coll. dirigée par H. de Lubac et J. Daniélou, Paris, 1942-

Sommaire

Préface

Le pari lancé, en 1999, de traiter les espaces verts autour de l'hôtel de Cluny n'avait pas pour seul but de faire naître un environnement contemporain «teinté de Moyen Âge», de créer par ce jardin un prolongement de la remarquable architecture flamboyante de l'hôtel, mais aussi et plutôt d'enrichir la connaissance et la perception de cette époque si riche et de faire vivre le lien entre les formidables collections du musée et leur milieu historique.

Les recherches patiemment entreprises par Élisabeth Antoine, conservateur au musée, les rencontres avec les architectes-paysagistes choisis, Arnaud Maurières et Éric Ossart, la lecture des sources littéraires, des documents historiques ou archéologiques, l'enquête sur les représentations de jardins médiévaux, l'étude renouvelée des œuvres du musée national du Moyen Âge, ont fourni une moisson de réponses et suscité de nouvelles questions.

Par ailleurs, un retour d'intérêt pour les jardins, historiques ou de création, suscitait une saine curiosité des chercheurs comme du public.

Première en France sur le sujet, l'exposition *Sur la terre comme au ciel. Jardins d'Occident à la fin du Moyen Âge* propose une réflexion, nourrie des exemples les plus prestigieux comme les plus modestes, venus des grands musées et bibliothèques du monde, sur la forme symbolique et concrète du jardin dans l'imaginaire et la réalité du Moyen Âge.

Les visiteurs, les flâneurs, les amateurs de jardins trouveront, à coup sûr, leur chemin et leur plaisir à travers le parcours proposé par le commissaire de l'exposition, Élisabeth Antoine, mis en œuvre par l'agence Pylône architectes et réalisé grâce à la Réunion des musées nationaux et au musée national du Moyen Âge.

> «Je crus être
> véritablement dans le paradis terrestre,
> l'endroit était si délicieux
> qu'il paraissait être de nature céleste.»

(Guillaume de Lorris et Jean de Meun,
Roman de la Rose, vers 633 à 636)

VIVIANE HUCHARD
Directrice du musée national du Moyen Âge

Entre choux et roses : que sont ces jardins devenus ?

L'histoire des jardins du Moyen Âge, voire leur existence même, est méconnue en France : les ouvrages historiques consacrés aux jardins en Europe débutent généralement avec les fastes de la Renaissance italienne, rejetant les jardins du Moyen Âge dans la géhenne des ténèbres gothiques ou, pire encore, dans l'existence purement virtuelle de la symbolique.

De fait, l'amateur de jardins qui voudrait se promener aujourd'hui dans un jardin médiéval, parcourir par exemple les allées du «Grand Jardin» du Louvre en mettant ses pas dans ceux de Charles V, serait bien en peine : pas un seul des jardins créés au Moyen Âge ne nous est connu aujourd'hui sous son apparence d'origine. La forme à la fois éphémère et en perpétuel devenir du jardin revêt ici un caractère particulièrement frappant et, paraphrasant Rutebeuf, le promeneur déçu s'exclamerait volontiers : «Que sont ces jardins devenus?»

Les investigations archéologiques n'apportent guère de consolation à ces disparitions. L'intérêt pour l'archéologie des jardins est tout récent en France, et cette discipline balbutiante ne s'est pas encore pratiquée sur un site médiéval. À l'exception du Plessis-Grimoult où, sur un prieuré du XIIe siècle, a été mise au jour une fortification miniature interprétée comme un *hortus conclusus* (voir cat. 11), les fouilles n'ont pas été menées dans la perspective de l'étude des jardins et il est d'ailleurs fort probable que certains vestiges de jardins ont été ignorés ou mal interprétés, tant l'existence de jardins médiévaux était une réalité *a priori* niée.

La récente mode des jardins en France, conjuguée à la vague «new age» et à la vogue de l'aromathérapie, a pourtant remis au goût du jour les jardins du Moyen Âge : autour des recettes de santé de la bonne Hildegarde de Bingen, transformée pour les besoins du commerce en aromathérapeute féministe, s'est faite l'assimilation entre jardin médiéval, jardin monastique et jardin de simples. Dans cette perspective, les «beaux livres» se multiplient, illustrés de photographies de jardins actuels s'inspirant plus ou moins directement de jardins médiévaux. La réalité des jardins du Moyen Âge est pourtant plus complexe, mais il n'y a pas eu en France d'historien de l'art qui ait, comme John H. Harvey en Angleterre, au gré de ses recherches sur l'architecture, dépouillé les comptes de bâtiments et fait ainsi ressurgir un univers inconnu, celui des jardins royaux depuis le XIIIe siècle, de leurs jardiniers et de leurs plantes, aboutissant même à l'établissement de listes précises de plantes utilisées dans des jardins anglais aux XIVe, XVe et XVIe siècles.

La méthode est pourtant fructueuse, et c'est celle qui a guidé ce projet d'exposition. Elle en explique le parti pris, centré sur les derniers siècles du Moyen Âge : les jardins que nous commençons à connaître sont ceux des XIVe et XVe siècles, période pour laquelle les comptes ont été conservés, alors qu'ils sont beaucoup plus rares auparavant. C'est aussi le temps du développement du monde urbain et de ses crises, où, en miroir, se constitue l'identité du jardin; société urbaine et société rurale se différencient, et la société urbaine rêve, déjà, d'un retour à la nature, une nature dominée, refuge nostalgique aux malheurs du temps. À travers les sources écrites, l'accent a été mis sur les jardins princiers ou de «moyennes personnes», selon l'expression de Pierre de Crescens (cat. 49, 53, 82, 91, 92 et 93), jardins de châteaux ou jardins urbains, et non sur les jardins monastiques. Ont été utilisées les sources imprimées, comptes et inventaires princiers publiés par les érudits du XIXe siècle et du début du XXe; des sources riches sur le sujet dorment encore certainement dans les archives, et des fouilles archéologiques dans ce domaine inexploré amèneraient des découvertes : puisse cette exposition susciter d'autres recherches sur des sources inédites.

Comment compléter visuellement les informations concrètes et pratiques apportées par les mentions de travaux de jardinage dans les archives? Mis à part le fameux plan, ou plutôt modèle, de l'abbaye de Saint-Gall (IXe siècle), nous ne connaissons aucun plan de jardin réalisé au Moyen Âge : il n'existe pas de plan des jardins royaux de l'hôtel Saint-Pol, ou de ceux de Marguerite de Flandre à Rouvres ou à Germolles. En réalité, ce problème de sources graphiques n'est pas propre aux jardins, c'est celui, plus général, de la perception de l'architecture ou du bâtiment au Moyen Âge, pour lesquels on connaît, à partir du XIIIe siècle, des dessins d'élévation, mais pratiquement pas de plans au sol, à quelques très rares exceptions près. Si nous conservions un plan médiéval du Louvre de Charles V, nous connaîtrions sans aucun doute le tracé des jardins dans lesquels le roi aimait à se tenir. Comme tel n'est pas le cas, il faut, à partir de mentions dispersées, se livrer à un patient travail de reconstitution.

Aux structures qui apparaissent de manière récurrente dans les sources factuelles que sont les comptes, correspondent celles qui sont évoquées dans la littérature et sont fidèlement illustrées dans la peinture du XVe siècle. L'adéquation parfaite entre sources écrites et sources iconographiques explique la part importante prise par les manuscrits enluminés dans cette exposition (près de la moitié des œuvres exposées).

Pour utiliser sans arrière-pensée le témoignage indirect de la peinture du XVe siècle, restait à surmonter l'«obstacle» de la symbolique : les jardins figurés dans la peinture le sont presque toujours dans un contexte religieux (jardins de paradis, *Vierge à l'Enfant*) ou courtois (jardins d'amour, *Roman de la Rose*). La signification symbolique de l'ensemble suffit-elle pour autant à nier la réalité matérielle de chacun des éléments représentés? Un tel doute existentiel n'a jamais atteint les représentations d'intérieur dans la peinture des primitifs flamands. Prenons par exemple le fameux *Triptyque de Mérode* (New York, The Cloisters Museum), un morceau de bravoure dans les analyses de Meyer Schapiro, puis d'Erwin Panofsky, sur le réalisme symbolique mis en œuvre par les primitifs flamands. Que l'on suive ou non leurs interprétations, personne ne s'est jamais risqué à prétendre que, en raison de leur caractère symbolique, les objets représentés dans l'intérieur où prend place l'Annonciation, n'avaient aucune existence réelle. Qui irait douter en effet de l'existence de bassins et de chandeliers de laiton, de porteserviettes en bois, de linge de lin, de fenêtres aux vitraux armoriés et aux volets de bois, de faïences italiennes, de manuscrits avec leur étui en tissu ou en cuir, de bancs et de tables en bois sculptés dans des intérieurs flamands, quand on en conserve aujourd'hui encore tant d'exemples similaires dans les musées? Pourquoi, dès lors, ne pas croire de la même manière au témoignage apporté par la peinture flamande sur les jardins du XVᵉ siècle? Le réalisme symbolique s'est-il arrêté à la porte des jardins?

Je pense plutôt que, dans la représentation des jardins comme dans celle des intérieurs, le symbolisme de l'ensemble s'appuie sur le réalisme des différents éléments. Le symbolisme d'une représentation de la Vierge dans un jardin clos ne remet pas en cause l'existence bien réelle des tonnelles de verdure, de la banquette* d'herbe et des carrés de violettes ou d'œillets qui l'entourent.

La peinture du XIVᵉ siècle, avec sa figuration abstraite de l'espace, met en scène des idées de jardin et non les jardins eux-mêmes, lorsqu'elle illustre le *Roman de la Rose* ou toute œuvre ayant trait au jardin. C'est à partir du XVᵉ siècle que l'on peut mettre en correspondance représentations figurées et sources écrites. Cependant, entre le XIIIᵉ siècle et le début, voire le milieu, du XVIᵉ siècle, les caractéristiques essentielles des jardins n'ont guère changé, et les peintures du XVᵉ siècle correspondent aux éléments décrits dans les comptes un siècle plus tôt.

Présents dans la peinture flamande et germanique, les jardins sont plus discrets dans la peinture italienne de la même période : ils apparaissent en arrière-plan, par l'ouverture d'une porte ou d'une fenêtre; dans ces échappées, on reconnaît une organisation et des structures identiques à celles des jardins nordiques (tonnelles et pavillons de verdure, banquette de gazon, arbres taillés en plateau*), à quelques nuances près : une part plus importante de la pierre dans les structures et, parfois, un esprit déjà renaissant dans les décors de fontaines ou la présence de sculptures. Sur le sujet du jardin d'agrément, c'est le traité d'un Italien, Pierre de Crescens, qui fait autorité et en définit durablement les structures.

En réalité, de la confrontation entre témoignages écrits et figurés, qu'ils proviennent de France, d'Angleterre, d'Italie, des Pays-Bas ou de l'espace germanique, se dégage un vocabulaire commun des jardins d'agrément, une *koinè* des jardins d'Occident à la fin du Moyen Âge. C'est cet univers commun que nous avons voulu présenter à travers l'exposition, laissant de côté les jardins du sud de l'Italie ou de l'Espagne andalouse, influencés par une autre culture des jardins, celle de l'islam. Les œuvres exposées illustrent des jardins du XVᵉ siècle, et non un jardin précis. Sur certaines enluminures cependant, l'analyse permet de proposer une identification : le parc d'Hesdin dans le cas de l'*Épître d'Othéa* illustrée par l'atelier de Jean Miélot (fig. N), un des jardins de René d'Anjou dans la *Théséide* attribuée à Barthélemy d'Eyck (fig. L); malheureusement, ces œuvres n'ont pu être présentées pour des raisons de conservation. Pour les mêmes raisons, d'autres œuvres, bien qu'essentielles sur le sujet, sont absentes de l'exposition, comme la merveilleuse *Vierge au jardinet de paradis* rhénane (fig. B), emblématique de la richesse symbolique du thème du jardin clos.

Le parcours de l'exposition, que suit le catalogue, a été organisé de manière thématique, figurant en trois volets successifs la présence du jardin dans la vie de l'homme médiéval, de la pensée du sacré à l'expérience du réel.

Le jardin médiéval ne peut être compris sans un retour à ses fondements profondément religieux, au thème du Paradis perdu, aux textes fondateurs de la Genèse et du Cantique des cantiques, qui définissent le jardin par sa clôture. Autour de ces textes naissent les figures du jardin comme image de l'âme, de l'Église ou de la Vierge. L'âme dévote aspire au retour au Paradis, à l'harmonie retrouvée avec le monde, car le Paradis véritable, c'est la présence de Dieu.

Une deuxième facette du jardin médiéval est celle du jardin d'amour, amour profane cette fois, tant chanté par la littérature courtoise. Le *Roman de la Rose*, où «tout l'art d'aimer est enclos», est l'œuvre emblématique de cette quête hédoniste du Paradis sur terre. Enfin la réalité des jardins, telle que nous la montrent les objets archéologiques et les représentations figurées, est abordée dans un troisième temps. À travers cette dernière étape du parcours, on verra comment les structures symboliques, religieuses ou profanes, ont profondément marqué la réalité des jardins, lieux d'intimité et de retrait, où l'homme cherche à recréer l'harmonie avec lui-même et avec le monde.

Le jardin est, à la fin du Moyen Âge, présent dans tous les aspects de la vie, ainsi que l'attestent les titres d'ouvrages : vie religieuse, avec les traités de dévotion comme le *Jardin de l'âme dévote* du cardinal Pierre d'Ailly, vie littéraire, comme en témoigne l'anthologie de poésie courtoise rassemblée sous le nom de *Jardin de plaisance* ; et vie quotidienne avec les manuels d'hygiène intitulés *Jardin de santé*. Ces trois jardins ne sont jamais bien éloignés l'un de l'autre, les plantes qui les constituent le prouvent : souvent utilitaires, elles ont aussi une signification religieuse et/ou amoureuse. Le plus bel exemple en est la rose, reine des jardins du Moyen Âge, qui, paradoxalement, est à la fois le symbole de la Vierge ou des martyrs et celui de la femme aimée, telle l'héroïne du *Roman de la Rose*. Cette fleur aux connotations symboliques si chargées n'en est pas moins utilisée dans la vie quotidienne ; selon le *Rosarius*, poème anonyme de la première moitié du XIVe siècle :

«Se cervel est déconforté
Par rose est réconforté.
Pour ce la vertueuse rose
Chascun met en son chief et pose.
Met chapiau de rose en ton chief
La douleur oste et le meschief. »
(*Rosarius*, vers 21 à 26)

C'est un rosier que l'on plante sur la tombe de Tristan : il s'inclinera vers la vigne plantée sur celle d'Iseut, pour s'y enlacer dans l'éternité ; rose mystique et vigne christique se rejoignent aussi dans le langage amoureux. En vérité, le jardin au Moyen Âge est le lieu d'une quête, celle de la réconciliation entre l'amour de soi et l'amour de Dieu.

ÉLISABETH ANTOINE

Le paradis perdu : le jardin d'Éden

Le jardin de l'âme

Pascale Bourgain

Le plus aimé des paysages

«Votre âme est un paysage choisi.» Au Moyen Âge, le paysage choisi serait sans nul doute un jardin. Bien loin de la perception moderne des beautés de la nature, la pensée biblique et son héritière, la pensée chrétienne, perçoivent presque tous les paysages de façon négative : la mer, lieu de danger et d'exil, où guettent les forces du mal; la forêt, lieu du désordre et de l'inorganisé, auquel la pensée néoplatonicienne assimile le magma originel d'où émergea un jour l'ordre d'une création bien pensée; la montagne qui, parce qu'elle mène le regard vers le haut et s'élève vers le ciel, semble le lieu prédestiné des aventures spirituelles, mais qui est un endroit où l'on ne peut respirer longtemps et d'où il faut bien redescendre. Il reste la campagne, ordonnée selon les besoins de la subsistance des hommes, promesse d'abondance et témoignage de civilisation. La quintessence de ces qualités, jointe à l'agrément, se trouve concentrée au jardin, proche des lieux de la vie quotidienne, créé par l'homme et pour lui.

Dans l'Antiquité cependant, l'agrément de l'existence se trouve parfois exalté en des endroits qui ne sont pas à proprement parler des jardins, mais des «endroits agréables», situés dans une campagne indécise, entre bosquets et prairies, et caractérisés par la présence de l'eau, d'ombrages, d'une agréable brise, et d'une herbe confortable et odorante, de préférence fleurie : ce que la civilisation antique considérait comme le paysage le plus propice au bonheur. Quantité de poèmes et de romans grecs et latins utilisent ce cadre bucolique pour les scènes amoureuses et les discussions entre sages. On retrouvera cet agrément de la nature, directement perçu, à travers les chansons de geste, les romans et les pièces lyriques médiévales. Mais le registre religieux, qui puise dans ces thèmes lorsqu'il lui faut célébrer sous formes d'hymnes la joie du printemps de la Résurrection ou de l'éternel printemps des élus, s'inspire plus précisément des textes fondateurs bibliques où l'endroit choisi, désiré, est déterminé comme jardin et non pas simplement lieu d'agrément.

Les jardins bibliques

Le jardin d'Éden, créé par Dieu pour y placer l'homme fait à son image, et où il vient lui-même se promener le soir de la faute du premier couple, est l'archétype de tous les jardins. C'est là que fut créée Ève et qu'Adam, voyant sa compagne, parla pour la première fois. Lieu de l'innocence originelle et de tous les plaisirs purs, ce paradis perdu n'est pas détruit à jamais. L'ange du Seigneur en garde l'entrée, mais il s'ouvrira aux élus à la fin des temps. Il figure sur toutes les cartes du monde, quelque part à l'Orient. C'est le jardin éternel, du début et de la fin des temps, synonyme pour l'homme de bonheur, de l'accord avec Dieu, c'est la « région de similitude » (par opposition à la région de dissimilitude où tombent ceux qui cessent de ressembler à l'image de Dieu en eux).

L'histoire de l'humanité suit à peu près le schéma de tous les contes, tel que l'a mis en lumière l'analyse structuraliste : état de bonheur, accident ou faute, conséquences et rétablissement de l'état primitif à travers toute une série d'aventures. Entre l'Éden primitif et la Résurrection finale, où le bonheur des élus fera revivre l'Éden, élargi à tous les descendants d'Adam et Ève qui l'auront mérité, se place le moment crucial de la bascule entre le temps « avant la grâce », où l'on vivait selon la Loi, et le temps « sous la grâce » : la Résurrection du Christ, qui prend en charge la restitution de l'état primitif, l'abolition de la faute.

Deux jardins servent de cadre à la grande aventure. D'abord le jardin des Oliviers, où le Christ souffre l'angoisse de sa Passion toute proche et assume, de la condition humaine qu'il a déjà prise, la conséquence ultime, sous la forme de la mort qu'il lui faut accepter. Or, le jardin des Oliviers, s'il a fait l'objet de représentations figurées, en tant que jardin n'a guère inspiré les auteurs. On se représentera les angoisses du Sauveur, en ce moment de la nuit où tous ses amis

Fig. A
Annonciation,
Domenico Veneziano,
vers 1445,
peinture sur bois.
Cambridge, The
Fitzwilliam Museum

l'abandonnent dans le sommeil, inconscients de la gravité de l'instant. Mais le fait que la scène se passe dans un jardin n'est pas mis en relief, car un jardin où l'on souffre est trop éloigné du jardin archétype, jardin de délices et d'accord avec le divin : le Christ, passagèrement déchiré entre ses deux natures – humaine et divine –, empêche le jardin des Oliviers d'être un vrai jardin, synonyme de réconfort et de sérénité (cat. 5). Ainsi, le véritable jardin est celui du matin de la Résurrection, où le Christ sorti du tombeau rencontra Marie-Madeleine, qui le prit pour un jardinier avant de le reconnaître. Or, cette méprise fait du Christ le «Jardinier» (cat. 7 et 8) : c'est par exemple le nom qu'il porte dans un drame liturgique, *Ortolanus*, un nom qui lui est fréquemment donné dans les commentaires du Cantique des cantiques. Ce jardin, qui était en fait un cimetière, puisque s'y trouvait le tombeau de Simon de Cyrène, est l'endroit du renou-veau, du triomphe de la vie sur la mort, de l'accomplissement de la promesse qui rouvrira à la fin des siècles le jardin d'Éden. Ce ne peut être qu'un jardin de printemps, et c'est lui qui sert de cadre aux hymnes de Pâques.

Dans ces hymnes de Pâques, se vérifie pleinement la superposition d'interprétations qui fait de la réflexion séculaire sur la Bible une méditation intemporelle. Dieu est en dehors du temps, alors que l'histoire humaine s'inscrit dans la durée. La prescience divine fait de chaque événement une préfiguration de l'événement analogue qui sera dans l'avenir la réalisation de ce qu'il annonce. Les trois jardins, celui de l'aube du monde, celui du matin de Pâques, celui qui renouvellera le premier par la vertu du second, se confondent. Chanter le matin de Pâques, c'est déjà se trouver dans «le jardin du réconfort éternel». Ce sont trois jardins de paix, de sérénité et d'abondance, des jardins de printemps éternel.

La Bible propose encore un autre jardin, celui du Cantique des cantiques (cat. 11). Peu de textes vétérotestamentaires ont été plus commentés dans l'Occident latin que le Cantique. Cet épithalame est le texte biblique où la poétique du printemps et du jardin à la fois se déploie avec le plus de splendeur. En un dialogue passionné, le Bien-Aimé et la Bien-Aimée, l'Époux et l'Épouse s'invitent mutuellement à venir au jardin, un jardin essentiellement composé de plantes odorantes, ou à aller voir ensemble si les arbres ont fleuri dans les vergers. Mais surtout, le Bien-Aimé prononce, parmi d'autres comparaisons enthousiastes, la phrase qui sera décisive pour les méditations mystiques médiévales :

«Tu es un jardin clos, ma sœur, mon épouse,
un jardin secret, une fontaine scellée,
tu exhales l'odeur du paradis des grenades,
avec l'odeur des fruits du verger, du troène et du romarin [...].»
(Cantique, 4, 3)

Un jardin est normalement clos, pour des raisons pratiques, afin d'éviter les dégâts des bêtes vaguantes et des maraudeurs[1]. Mais la clôture du jardin, à tous les lecteurs du Cantique et à tous ses commentateurs, parut bientôt lui être congénitale. Le jardin du Cantique est clos,

Fig. B
*Vierge au jardinet
de paradis*, Hans
Tiefental?, Rhin
supérieur, vers 1420,
peinture sur bois,
Francfort, Städelsches
Kunstinstitut

c'est l'unique qualificatif qu'il reçoit, comme ce qui exprime le mieux sa réalité profonde. Le jardin d'Éden était-il clos? La Bible ne le dit pas, avant qu'un ange au glaive flamboyant soit chargé d'en interdire l'entrée : c'est donc qu'il l'était (cat. 1 et 2). Les voyageurs qui, en Orient, cherchaient à s'en approcher, imaginaient des murailles montagneuses, infranchissables, de même, le Paradis de la fin des temps inaccessible aux réprouvés.

Un jardin clos, réservé, secret, une fontaine scellée, c'est le cri d'admiration d'un chant d'amour. Mais qui est la Fiancée, la Bien-Aimée, qui est le jardin secret de l'Époux? L'exégèse chrétienne l'identifie, au sens allégorique, avec l'Église aimée par le Christ, qui lui garde sa fidélité pleine et entière, ou bien avec Marie (cat. 13, 14 et 15), et la fermeture du jardin devient le signe prophétique de sa virginité, de la parfaite pureté qu'elle conserve pour concevoir, attendre, élever et aimer son fils, la fleur de la tige de Jessé. Si le Christ est une fleur, celle dont un songe prophétique a annoncé qu'elle ferait refleurir la souche de David (cat. 4), et en même temps le lis des champs dont parle le Cantique des cantiques («Je suis la fleur des champs et le lis des vallons»), Marie peut bien être le jardin où elle fleurit, le jardin secret, réservé et chaste où toutes les vertus qui rachètent la faute d'Ève exhalent leur parfum. Dieu a mis le nouvel Adam (le Christ) dans ce jardin, comme il avait mis le premier Adam dans l'Éden. De ce jardin, la Fiancée a la fécondité, la parfaite beauté et la réserve inviolée. Le Cantique décrit donc la beauté de son âme et son dévouement total à l'amour divin. Telle Marie, telle l'Église, jardin du Christ jardinier, auquel il dédie tout son soin et son amour, pour que les vertus s'y développent et pour qu'elle réponde à son attente.

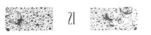

Les noces mystiques

Mais, plus encore, selon la lecture morale ou spirituelle du texte, de plus en plus fréquente à partir du XIIe siècle, et les sermons de saint Bernard de Clairvaux sur le Cantique, c'est l'âme du fidèle qui est le jardin secret où l'âme s'ouvre à l'amour divin, et chaque être est appelé aux noces mystiques. Ici prend sa pleine valeur la notion de clôture, qui appelle le sens de l'intériorité en opposant le jardin à tout ce qui lui est extérieur. Seul Dieu voit et peut pénétrer l'intérieur de l'être, les *interiora cordis*, répétait-on. Et, pour exprimer ce que nous appelons le moi, ou l'individu, ou la conscience intime, le Moyen Âge, depuis saint Augustin, emploie le terme d'« être intérieur », *homo interior*. C'est cet être intérieur qui répond à l'appel de Dieu dans le jardin délicieux du Cantique, et c'est parce qu'il est intérieur que l'Époux l'appelle un jardin clos, réservé à lui seul, ce qui est la vocation de l'âme élue. L'expérience mystique se reconnaît dans le jardin du Cantique. Les Cisterciens n'hésitaient pas à se représenter leur être intérieur, leur âme *(anima)*, au féminin, facilitant ainsi l'assimilation avec l'Épouse éperdue d'amour, en un mouvement d'humilité et de dévotion totale. Moines et moniales, qui s'enferment eux-mêmes pour l'amour de Dieu, se sentent tout spécialement destinés à s'identifier à l'Épouse. Ainsi, dans un épithalame du Christ de 1135 environ, l'âme s'approche du séjour des élus, le jardin paradisiaque retrouvé :

« En suivant le Christ, elle monte
au temple du palais printanier.
Son regard stupéfait soupèse
la récompense à elle offerte […].

La palme, signe de victoire,
embellit sa grappe épanouie,
et s'émerveille du jardin,
de ses plantes et herbes fleuries.

Le nard, le narcisse et le baume
brillent partout dans ce jardin,
le pré, de son éclat fleuri,
proclame le temps du printemps.

On y trouve toutes les plantes
que l'on associe aux saints […]². »

À plus forte raison, il est aisé d'assimiler les âmes des saintes à l'Épouse en son jardin fleuri, le thème de la femme qui préfère le Christ à tout époux terrestre étant une constante des vies de saintes martyres presque depuis les origines. La spiritualité féminine se nourrit de ces

Fig. C
*Vierge à l'enfant dans
un jardin de paradis,*
Michelino da Besozzo
ou Stefano da Zevio,
vers 1410,
peinture sur bois.
Vérone,
Museo Civico

images de plénitude sereine qu'exprime le jardin sacré. Ainsi, Hildegarde de Bingen célébrant
les vierges saintes :

> «Ô beaux visages
>
> qui regardent Dieu et construisent dans l'amour,
>
> bienheureuses vierges, quelle est votre noblesse !
>
> En vous le Roi s'est regardé
>
> quand il a imprimé en vous toutes les beautés du ciel,
>
> puisque vous êtes son jardin merveilleux
>
> et le parfum fleuri de toutes les beautés [...][3]. »

La plupart de ces penseurs imprégnés de la lecture du Cantique étaient d'origine monastique. Pour eux, le jardin de leur méditation était sous leurs yeux, au centre de leur projet de vie : c'était le cloître du monastère, jardin clos de toutes parts, lieu de passage entre les activités quotidiennes et l'église. On y lisait, on y méditait les écritures, l'abbé y tenait des entretiens spirituels. Pour en faire une image du Paradis, avec ses quatre fleuves, on y plaçait une fontaine

Fig. D
Vierge au palis de roses, Stefan Lochner, vers 1450, peinture sur bois. Cologne, Wallraf-Richartz-Museum – Fondation Corboud

qui rappelait que le Christ est l'eau vive, et on le divisait en quatre parties, à l'image de la « quaternité » du monde ; la forme carrée, assez naturelle pour un jardin intérieur entre des bâtiments, se justifiait parce que le carré est une figure parfaite et que le jardin d'Éden, lieu de la perfection divine, pouvait bien être carré, surtout si les quatre fleuves qui y naissent se dirigent vers les quatre horizons[4]. Dans le microcosme du cloître, moines et moniales lisaient donc le mystère de la Création avec la nostalgie du Paradis et la préfiguration de la fin des temps où il s'ouvrirait à nouveau aux âmes pures. C'est la profession monastique qui est le *Jardin de délices* de l'abbesse bénédictine Herrade d'Hohenburg, et l'expression désigne chez Adam Scot la cellule du chartreux, lieu de rencontre entre l'âme et Dieu. Le cloître était aussi leur jardin quotidien, celui de leurs efforts vers une plus grande perfection, et ils savaient par expérience que pour arriver à un résultat, soit matériel, soit spirituel, le désherbage du jardinier doit être aussi attentif que le contrôle quotidien de soi-même (cat. 10). Habitués à lire à quatre niveaux la Bible et tout objet de leurs méditations, ils voyaient le jardin, au sens littéral, comme leur espace quotidien ; au sens allégorique, comme l'Église, l'Épouse du Cantique, et plus précisément comme une image du monastère lui-même et de leur projet religieux ; au sens moral, comme leur âme particulière, jardin qu'ils ne pouvaient entretenir parfaitement sans le secours du Christ jardinier ; enfin au sens anagogique (relatif aux fins dernières), comme le rappel de l'Éden et la promesse du paradis futur.

C'est la lecture morale qui l'emporte dans la seconde moitié du Moyen Âge, lorsque les simples fidèles, et non plus seulement les religieux, cherchent des modèles de dévotion et des exercices spirituels. L'âme est un jardin où il faut commencer par désherber et enlever les mauvaises graines, pour y faire germer les fleurs et les fruits des vertus, afin que le Jardinier puisse désirer y entrer :

«Que vienne mon bien-aimé dans son jardin,
pour manger les fruits de ses arbres.
– Viens dans mon jardin, ma sœur, mon épouse [...].»
(Cantique, 5, 1)

Le thème du jardin a donc contribué à développer le sens de l'intériorité, en passant par un accord avec la nature créée par Dieu et apprivoisée par l'homme. On y recherche la plénitude liée à l'amour divin attendu, espéré, savouré, avec la concentration que permet un endroit clos et unifié. Et on imagine la beauté de l'âme des saints comme celle d'un jardin éternel et resplendissant.

Les commentaires bibliques

Plusieurs types de textes nous renseignent sur ces conceptions. Tout d'abord les ouvrages d'exégèse, commentaires sur les textes bibliques. La Genèse a été abondamment commentée par les Pères de l'Église, puis par les penseurs médiévaux, et des éléments de ces commentaires, assimilés par la tradition et rassemblés commodément par la *Glose ordinaire*, sont utilisés pour l'illustration de textes de toutes sortes : ainsi, bien que saint Augustin dans *La Cité de Dieu* n'ait pas parlé du jardin d'Éden, des éléments de commentaire, venus d'ailleurs, servent à illustrer ce texte (cat. 1).

Depuis les Pères de l'Église, il existe du Cantique des cantiques une trentaine de commentaires antérieurs à la fin du xiie siècle, rédigés essentiellement en milieu monastique. Les interprétations sont d'abord plutôt ecclésiologiques, l'Épouse étant comprise comme l'Église. Ainsi Cassiodore, au vi^e siècle : «*Souffle sur mon jardin*, c'est-à-dire sur mon Église, *pour que s'exhalent ses aromates* : pour que le parfum de ses vertus et l'odeur de ses bonnes œuvres sortent d'elle. *Que vienne mon bien-aimé dans son jardin, pour manger le fruit de ses arbres* : l'Église, comprenant que la persécution va venir, dit : "Que le Christ mon époux vienne à son Église, lui que j'aime de tout mon cœur [...]. Ô ma sœur, mon épouse, je suis déjà venu dans mon jardin, j'ai déjà visité mon Église[5]."»

Mais dans la lignée de saint Grégoire le Grand, dont l'influence sur le monachisme est immense, l'Épouse est plus souvent comprise comme l'âme. Dans la spiritualité cistercienne, les commentaires du Cantique se font le véhicule d'une pensée mystique. Les plus célèbres sont ceux de saint Bernard et de Guillaume de Saint-Thierry, son ami, avec qui il lisait le Cantique

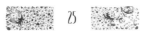

(mais ni l'un ni l'autre ne vont jusqu'au passage sur le jardin). D'autres abbés cisterciens ont commenté ce texte fondateur, notamment Geoffroi d'Auxerre, abbé d'Auberive, mort en 1180, qui assimile les différents jardins cités par le Cantique aux différentes façons de lire la Bible, avec des allusions à la vie mystique du cloître : chaque jardin (de noix, d'aromates, etc.) devient une étape de la progression spirituelle où se reflète la vie du monastère. «Il semble que cela puisse s'appliquer non seulement à une seule âme, mais à l'unité et à l'unanimité monastiques. Ces jardins sont clos, aplanis, cultivés, irrigués, féconds, spacieux et agréables : clos par la discipline de la règle, aplanis, sans scandales ni désagréments, cultivés par les offices des prélats [...]. C'est ainsi que sont les monastères de religieux. Dans ces jardins habite non seulement une âme, mais toute une congrégation[6].» En brodant sur l'image du jardin à désherber pour la venue du Christ, l'exégèse cistercienne jette les bases des développements futurs de la littérature dévote.

La poésie

Les hymnes et poésies en l'honneur des saints et surtout des saintes sont un deuxième ensemble de textes. Les thèmes de printemps et de résurrection parsèment les hymnes de Pâques et les «natalices» des saints, faits pour célébrer leur naissance aux cieux. Les paraphrases poétiques du Cantique, épithalames spirituels, se multiplient à partir du XIe siècle, surtout dans les milieux cisterciens[7]. Les louanges à la Vierge reprennent inlassablement le thème de l'antienne liturgique inspirée du Cantique : «Tu es un jardin clos, mère de Dieu, un jardin clos, une fontaine scellée.» Les sermons sur Marie comportent des méditations sur la Vierge fleur, tige ou jardin, notamment dans l'école parisienne de Saint-Victor, où se développe le premier mouvement mystique français[8]. Les poésies dédiées à la Vierge, depuis celles de Marbode à la fin du XIe siècle, brodent à l'envi sur ce thème. Ainsi du *Mariale* attribué à Bernard de Morlaas, moine clunisien :

«C'est vraiment toi, plein et plaisant,
le jardin d'aromates [...].
Les plates-bandes fleurissantes
ont un charme délicieux,
mais ce qu'a semé le jardinier des cieux
est encore plus merveilleux[9].»

Ou encore d'une prose d'Adam de Saint-Victor[10] :

«Salut, sainte Mère du Verbe,
fleur d'épine mais sans épine,
gloire fleurie du roncier!
Porte fermée, fontaine des jardins,
serre gardant les aromates [...][11].»

Dans une veine plus classique, d'autres poètes christianisent la thématique antique de « l'endroit agréable ». Tous les plaisirs du monde sont rassemblés dans le lieu parfait décrit, avec quelque coquetterie littéraire, par Pierre Riga (vers 1200) : les parfums, les chants des oiseaux, les fleurs, les fruits, les animaux d'agrément. Cependant, puisqu'il ne s'agit pas du Paradis mais de la beauté du monde, l'auteur invite à se tourner vers la vraie rose, celui qui a dit « Je suis la fleur des champs » et qui ne se flétrira jamais, le Christ[12].

Les textes dévots

Un troisième ensemble nous éclairant sur la symbolique du jardin est la littérature de dévotion de la fin du Moyen Âge, destinée à des religieux et religieuses ou à des laïcs pieux. Le plus souvent en langue courante, et non plus en latin, ces textes ordonnent fréquemment les pratiques de dévotion selon une métaphore de jardinage, en reprenant l'idée que l'âme est à cultiver pour la rendre digne que Dieu y entre. (Afin de soutenir ces pratiques, dans la région de Malines, les religieuses se servaient même de sortes de boîtes-vitrines représentant un jardin clos, image du couvent protégé contre les attaques extérieures, et reflet du monde céleste[13] [cat. 12].) *Jardin de dévotion, Traictié du jardin d'amours, Jardin clos de l'âme* : ces traités font du dialogue entre l'âme et Dieu une conversation dans un jardin de délices, le même que celui où les saints se tiennent dans la béatitude tandis que la Vierge trône avec son enfant. L'imaginaire médiéval a donc donné à sa conception du bonheur le plus pur l'aspect du jardin éternel où se rejoignent l'origine et la fin des temps.

1. Notz (M.-F.), « *Hortus conclusus*. Réflexions sur le rôle symbolique de la clôture dans la description romanesque du jardin », *Mélanges Jeanne Lods*, Paris, 1978, p. 459-472.
2. Conrad de Hirsau (?), « Épithalame du Christ », *Analecta hymnica*, G. Dreves et B. Blume (éd.), t. 50, Leipzig, 1907, n° 343, p. 500-506.
3. Hildegarde de Bingen, *Lieder*, P. Bartsch, I. Ritscher et J. Schmidt-Gorg (éd.), Salzbourg, 1969, n° 38, p. 256.
4. Stévenard (B.), « Jardins clos et jardins des initiés. Le symbolisme du carré en Orient et en Occident », dans *Flore et jardins. Usages, savoirs et représentations du monde végétal au Moyen Âge*, P.-G. Girault (éd.), Paris, 1997, p. 253-280.
5. Cassiodore, *In Canticum*, PL, t. 70, Paris, 1865, col. 1080 C-D.
6. Goffredo di Auxerre, *Expositio in Cantica canticorum*, F. Gastaldelli (éd.), 2 vol., Rome, 1974 (*Studi e letteratura*, 19-20).

7. La plupart de ces poésies, mêlées aux poèmes mariaux, sont rassemblées dans les tomes 50 et 54 des *Analecta hymnica, op. cit.*, 1907 et 1910.
8. Par exemple Hugues de Saint-Victor, *Egredietur virga*, dans *L'Œuvre de Hugues de Saint-Victor*, t. 2, intr., trad. française et notes par B. Jollès, Turnhout, 2000, p. 271.
9. Bernard Morlanensis, *Mariale*, 8, str. 16 et 20, dans *Analecta hymnica*, t. 50, *op. cit.*, 1907, p. 438.
10. Adam de Saint-Victor, *Quatorze proses en l'honneur de la Vierge*, éd. B. Jollès, Turnhout, 1994.
11. Adam de Saint-Victor, prose *Salve mater Salvatoris*, L. Gautier (éd.), Paris, 1881, p. 168.
12. *De ornatu mundi*, édité avec les œuvres d'Hildebert de Lavardin, PL, t. 171, col. 1235-1238.
13. Vandenbroeck (P.), *Le Jardin clos de l'âme. L'imaginaire des religieuses dans les Pays-Bas du Sud depuis le XIIIᵉ siècle*, cat. exp., palais des Beaux-Arts, Bruxelles, 1994, p. 94.

1 | Le jardin d'Éden

Saint Augustin, *La Cité de Dieu*
Paris, vers 1480
Peinture sur parchemin
H. : 51,5 ; l. : 37 ; 298 f^{os}
Mâcon, Bibliothèque municipale, ms. 2, f° 32

Bibliographie : LABORDE, 1909, II, n° 57, p. 448-466 et III, pl. CXIX ; AVRIL, REYNAUD, 1993-1994, n° 29, p. 68-69.

Toute la conception des jardins au Moyen Âge dérive de la Genèse, du récit de la vie originelle de l'homme dans le jardin d'Éden et de son éviction après le péché :

« Le Seigneur Dieu planta un jardin en Éden, à l'orient, et il y plaça l'homme qu'il avait formé. Le Seigneur Dieu fit germer du sol tout arbre d'aspect attrayant et bon à manger, l'arbre de vie au milieu du jardin et l'arbre de la connaissance de ce qui est bon ou mauvais.

Un fleuve sortait d'Éden pour irriguer le jardin ; de là il se partageait pour former quatre bras. [...]

Le Seigneur Dieu prit l'homme et l'établit dans le jardin d'Éden pour cultiver le sol et le garder. Le Seigneur Dieu prescrivit à l'homme : "Tu pourras manger de tout arbre du jardin, mais tu ne mangeras pas de l'arbre de la connaissance de ce qui est bien ou mauvais car, du jour où tu en mangeras, tu devras mourir."» (Genèse, 2, 8-10 et 15-17).

Mais, après la désobéissance d'Adam et d'Ève, l'homme est voué par Dieu au travail, à la souffrance et à la mort, et chassé à jamais d'Éden :

« Le Seigneur Dieu l'expulsa du jardin d'Éden pour cultiver le sol d'où il avait été pris. Ayant chassé l'homme, il posta les chérubins à l'orient du jardin d'Éden avec la flamme de l'épée foudroyante pour garder le chemin de l'arbre de vie. » (Genèse, 3, 23-26).

Comme de nombreux mythes du Proche-Orient ancien et de la Grèce, le récit de la Genèse se fonde sur la nostalgie d'un âge d'or, d'une époque révolue où l'homme vivait dans la familiarité du divin. Il reprend des thèmes des mythes du Proche-Orient, comme le jardin sacré, séparé du reste du monde, et la présence dans le jardin de l'arbre de vie. L'arbre de la connaissance du bien et du mal, en revanche, est un élément spécifique à la Genèse, qui n'apparaît dans aucun texte antérieur. Arbre de vie et arbre de la connaissance du bien et du mal sont mentionnés successivement dans le récit, mais furent souvent confondus en un seul arbre dans les commentaires ou les représentations. L'iconographie de la tentation d'Adam et d'Ève accentua cette confusion, en représentant Adam et Ève de part et d'autre de l'arbre de la connaissance du bien et du mal, reprenant le motif traditionnel des deux orants de part et d'autre de l'arbre de vie.

À travers la Genèse, la culture chrétienne recueillit tout l'héritage des vieilles civilisations de l'Orient, magnifiant la culture, l'eau et le miracle des jardins. Éden, le nom de ce jardin des origines, conservé tel quel une seule fois dans la traduction de la Genèse (4, 16), fut traduit en grec, puis en latin, par l'expression « jardin des délices » *(locus voluptatis)*. Le terme hébreu désignant le jardin *(gan)* devint en grec *paradeisos*, dérivé du persan *pairidaeza*, qui désignait les grands parcs royaux clos de murs. Le concept persan du parc clos, *pairidaeza*, venait renforcer l'idée de clôture du Paradis évoquée par l'éviction d'Adam et d'Ève et la garde montée par les chérubins.

cat. 1

La traduction latine, *paradisus*, établit finalement l'équivalence entre les termes Éden, jardin des délices et Paradis terrestre. Si les méthodes comparatistes permettent d'interpréter aujourd'hui la Genèse comme une variante de mythes anciens évoquant le jardin comme lieu de bonheur, quelle était l'attitude des hommes du Moyen Âge devant cette partie essentielle des Écritures ?

Si les Pères d'Orient privilégièrent une lecture symbolique de ce récit, en Occident, on eut tendance à croire au sens littéral, ou tout au moins à vouloir concilier les deux. C'est le cas pour saint Augustin, notamment dans *La Cité de Dieu*, écrite entre 413 et 426, après la chute de Rome, tombée aux mains des Barbares en 410. Saint Augustin y défend le christianisme, accusé par les païens d'avoir provoqué la chute de Rome. Après avoir réfuté, dans une première partie, les autres systèmes philosophiques, il fait l'apologie, dans la deuxième partie, des principes du christianisme. Le livre XIII est consacré à l'histoire de la Chute, au péché et à la mort. Ainsi, la pleine page qui orne le treizième livre de ce manuscrit présente, dans un même espace, un résumé des trois séquences successives de l'épisode de la Chute. Le peintre parisien qui a réalisé ces enluminures vers 1480 a pris pour modèle le manuscrit de *La Cité de Dieu* peint par Maître François (Bibliothèque nationale de France, ms. fr. 18-19), entre 1469 et 1473, pour Charles de Gaucourt, conseiller et chambellan de Louis XI. Ses enluminures viennent illustrer le texte de la traduction française et des commentaires établis par Raoul de Presles pour Charles V, entre 1371 et 1375. Le texte inclus dans l'enluminure du folio 32 débute par ce résumé du commentateur : « En ce XIIIᵉ livre, toute l'entencion de monseigneur saint augustin est de parler et de traittier du tresbuchement du premier homme et de la naissance de la mort. »

La peinture fait découvrir l'Éden comme vu de haut, en perspective. Le Paradis est clos de murs et de tours ; au centre, une haute fontaine en forme d'édifice gothique alimente les quatre fleuves. L'espace clos, boisé, reflète bien la conception persane et grecque du *paradeisos*. Cependant, ici, les animaux vivent en harmonie avec l'homme et avec eux-mêmes : ils se promènent paisiblement ou viennent s'abreuver aux fleuves du Paradis. Des animaux réputés anti-nomiques cohabitent en toute innocence : loup et brebis, lion et cerf, licorne (symbole de chasteté) et singe (symbole de luxure), comme dans la prophétie d'Isaïe (11, 6) annonçant la venue du Sauveur issu de la souche de Jessé (cat. 4). La prospérité accompagne cette paix : la végétation est luxuriante, les arbres abondent et poussent librement. La notion de mise en culture, et donc de travail, est absente du Paradis terrestre.

Sur la gauche, Dieu avertit Adam et une Ève visiblement peu attentive des dangers de l'arbre de la connaissance du bien et du mal : « En quelque jour que vous mangerés de ce fruit, vous mourrés. » Plus loin, Ève se montre, en revanche, attentive aux séductions du serpent qui, sous la forme d'un dragon, lui tend la pomme. Avec ce geste, c'est la naissance de la mort, figurée aux pieds du couple sous l'apparence d'un noir squelette. Enfin, au fond, le couple, connaissant désormais le péché, cache sa nudité. Au premier plan, saint Paul, appuyé sur son épée, commente ainsi l'événement : « *Per unum hominem mors intravit in orbem terrarum* », citation tirée de l'Épître aux Romains (5, 12), dans laquelle saint Paul, le premier, établit le parallèle entre Adam et le Christ, nouvel Adam. Autour de l'arbre de la connaissance du bien et du mal, s'effectue le renversement de la mort à la vie : selon certaines légendes, le bois de la Croix venait de cet arbre (cat. 6). Ainsi, le bois vivant de l'arbre de la connaissance a donné la mort pour que le bois mort de la Croix donne la vie. Et si, par Adam, le péché est entré dans le monde, par le Christ, la vie éternelle a été accordée à l'homme.

La présence de saint Paul dans l'image introduit une lecture typologique du récit de la Genèse, invitant à en dépasser le sens littéral. En effet, si la lecture littérale du texte a défini deux traits fondamentaux des jardins du Moyen Âge – la présence obligée de l'eau vivifiante et la clôture séparant l'espace du jardin de l'espace ordinaire –, sa lecture spirituelle s'est montrée tout aussi riche.

Jardin des délices, *locus voluptatis* : sous la plume des commentateurs chrétiens, ces expressions renvoient à des délices spirituelles, car la nostalgie qu'a l'homme du Paradis, c'est celle de la familiarité avec Dieu. Ainsi, retrouver le Paradis dont l'homme a été chassé sera retrouver cette joie spirituelle, par la grâce du Christ.

Pour bien des auteurs, le Paradis terrestre existe au sens propre, mais c'est aussi une image de la présence divine manifestée par l'Église. Ainsi saint Augustin écrit, toujours au treizième livre de *La Cité de Dieu* (XIII, 21) : «[...] le Paradis, c'est l'Église ; les quatre fleuves sont les quatre évangiles ; les arbres fruitiers, les saints ; les fruits, les œuvres des saints ; l'arbre de vie, le Christ». Cette conception se manifeste dans certaines églises paléochrétiennes, notamment Saint-Pierre de Rome, où l'atrium précédant l'église elle-même était nommé *paradisus* (ce qui devint notre «parvis»), l'église figurant le Paradis rendu aux hommes. Des Pères de l'Église à la fin du Moyen Âge, le thème du jardin d'Éden devait susciter bien des interprétations spirituelles ou mystiques, suivant les injonctions de saint Hippolyte (*Commentaire de Daniel*, 1, 17 ; SC 14, 1947, p. 103-105) : «Le jardin qui avait été planté en Éden est la figure et, d'une certaine manière, le modèle du jardin véritable [...] car du jardin terrestre, nous devons élever nos regards vers le jardin céleste, partir de la figure pour comprendre le spirituel.»

É. A.

2 | Histoire d'Adam et Ève : le jardin d'Éden

Boccace, *Des cas des nobles hommes et femmes* (traduction française de Laurent de Premierfait)
Collaboration entre plusieurs artistes : atelier du Maître de Bedford, atelier du Maître de Rohan, Maître de la Cité des dames, Paris, vers 1420
Peinture sur parchemin
H. : 44 ; l. : 31,5 ; 276 f°°
Paris, Bibliothèque nationale de France, département des Manuscrits, ms. fr. 226, f° 6v°

Bibliographie : PORCHER, 1955, n° 176, p. 85 ; MEISS, 1967, p. 93, 318, 356, fig. 503, et 1974, p. 259, 261, 367, 378, 381, 403, fig. 65, 828, 842, 850, 851 ; BOZZOLO, 1973, p. 61-62 ; Paris, 1975, n° 103, p. 57 ; BRANCA, 1999, n° 27, p. 86, fig. 123 p. 87.

Ce manuscrit est un exemplaire richement illustré de la seconde traduction du *De casibus virorum illustrium* de Boccace que Laurent de Premierfait acheva en 1409, ayant augmenté sa première version de commentaires empruntés aux historiens latins.

L'ensemble de la décoration du feuillet 6v°, comprenant la grande peinture et les cinq médaillons marginaux complémentaires, dû à un artiste stylistiquement apparenté au Maître de Bedford, rappelle que le drame de l'humanité, soumise à la souffrance et à la mort, est la conséquence directe de la faute originelle. Le Paradis terrestre, qui occupe la composition centrale, est clos par une épaisse muraille hexagonale, ajourée sur l'avant

cat. 2

de hautes fenêtres à meneaux. Par l'emploi de ces éléments d'architecture, l'artiste semble avoir voulu signifier que le Paradis, s'il est un endroit protégé, est avant tout un lieu saint, bâti autour de la fontaine de Vie, source des quatre fleuves du Paradis. Adam, créé par Dieu dans le médaillon supérieur, est transporté en Éden par un ange. C'est dans le jardin que Dieu tire ensuite Ève du côté d'Adam endormi puis, en présence des anges, intime l'ordre au premier couple de ne pas manger du fruit de l'arbre de la connaissance du bien et du mal. Cependant ils succombent au charme du serpent tentateur enroulé autour de l'arbre. Couvrant déjà leur nudité, Ève, le fruit encore dans la main, et Adam, bannis, s'éloignent par la porte, dont un ange, brandissant son épée, leur interdit désormais l'accès.

Les quatre autres médaillons marginaux énumèrent les premières conséquences de la faute : l'obligation de travailler pour survivre, la découverte du corps d'Abel, le meurtre d'Abel par Caïn, enfin la mort de Caïn, tué d'une flèche décochée par Lamech. Hors des murs de l'Éden, c'est le règne de la mort auquel seront condamnées toutes les générations parmi lesquelles s'inscrivent les destins tragiques des hommes et femmes illustres évoqués par Boccace.   M.-T. G.

Reprenant le verset du Cantique des cantiques (4, 12) – «Elle est un jardin bien clos, ma sœur, ô fiancée ; un jardin bien clos, une source scellée» –, l'auteur médiéval l'applique à la Vierge Marie : «*Ortus conclusus, fons signatus prefiguravit Mariam*» («Le jardin clos, la fontaine scellée a préfiguré Marie»). La phrase sert de légende à l'image du jardin paradisiaque dans ce bel exemplaire vraisemblablement toscan du Trecento. Plus élevés que le haut mur crénelé qui donne au jardin clos une allure de forteresse infranchissable, les arbres déploient leurs frondaisons au-dessus de l'enceinte. La seule essence reconnaissable est le palmier, symbole paradisiaque, également employé dans le Cantique des cantiques pour louer la sveltesse vigoureuse de la Fiancée : «Dans ton élan, tu ressembles au palmier» (7, 8). Au cœur de la végétation, l'eau jaillit en abondance d'une majestueuse fontaine à trois étages. L'ensemble de la composition met l'accent sur l'aspect protecteur du jardin. C'est le lieu où le mal n'a pas pénétré et où tout prospère dans un état de pureté originelle, au sortir des mains du Créateur. Cet Éden luxuriant et inviolé est une allégorie poétique de la maternité virginale de Notre Dame.   M.-T. G.

3 | *Speculum humanae salvationis*

Toscane?, vers 1370-1380
Dessin à l'encre aquarellé sur parchemin
H. : 27,5 ; l. : 21 ; 19 f^{os}
Paris, Bibliothèque nationale de France,
département des Manuscrits, ms. lat. 9854, f° 7

Bibliographie : BERENSON, JAMES, 1926, p. 15 ; Paris, 1984, n° 57, p. 71-72 ; GOUDDET, FLEURIER, 2001, p. 11-12, 93 et pl. 7 p. 40

Probablement composé par un auteur franciscain du XIVe siècle, le *Speculum humanae salvationis*, connu plus tard sous son titre français, *Miroir de l'humaine salvation*, est une compilation souvent abondamment illustrée. Il s'agit d'un ouvrage typologique dont la particularité est d'établir une concordance entre certains épisodes ou figures de l'Ancien et du Nouveau Testament, afin de souligner le caractère prophétique des Écritures et de mieux mettre en évidence les étapes majeures de l'histoire de la Rédemption.

cat. 3

4 | Arbre de Jessé

Bréviaire d'hiver de Philippe le Bon
Jean Le Tavernier, Pays-Bas du Sud, vers 1450-1455
Peinture sur parchemin
H. : 29,5 ; l. : 21 ; 528 f⁰ˢ
Bruxelles, Bibliothèque royale de Belgique,
ms. KBR. 9511, f⁰ 15

Bibliographie : LEROQUAIS, 1929, p. 112-114, 144-150 ; Bruxelles, 1967, n⁰ 25, p. 33-34 ; LYNA, VAN DEN BERGEN-PANTENS, 1989, n⁰ 319, p. 305-311 ; Bruxelles, 1991, n⁰ 7, p. 104-106 ; BOUSMANNE, 1997, p. 172-176, 231-232 ; AVRIL, 1999, p. 12, 17-18 et note 9 p. 20.

Dans la pensée chrétienne, après la Chute et l'expulsion du Paradis, c'est la venue du Christ et son sacrifice qui rachètent l'humanité et lui donnent accès au Paradis céleste. Celle-ci a été annoncée par une prophétie d'Isaïe (11, 1-2) :

«Un rejeton sort de la souche de Jessé,

un surgeon pousse de ses racines :

sur lui repose l'esprit de Yahvé […].»

Le rameau, l'arbre vif qui jaillit de la tige de Jessé (le père de David), c'est le Christ. Combinée avec l'énumération des ancêtres du Christ qui forme le début de l'Évangile selon saint Matthieu (1, 1-16), la prophétie d'Isaïe donne lieu à un motif iconographique où l'arbre généalogique du Christ surgit du flanc de Jessé endormi. Dans ce motif typologique, où la venue du Christ est montrée comme l'accomplissement de la Parole de l'Ancien Testament, la Vierge prend, au cours du Moyen Âge, une place de plus en plus importante : en effet, c'est grâce à la Vierge et au mystère de l'Incarnation que Dieu s'est fait homme. Dans l'image de l'arbre de Jessé, culte du Christ et culte de la Vierge sont étroitement mêlés. Au Vᵉ siècle déjà, saint Jérôme, dans sa traduction en latin de la Bible, introduisait cette notion par un jeu de mots typique de l'érudition médiévale, en commentant ainsi le mot rameau *(virga)* : «*virga est virgo*» («le rameau, c'est la Vierge»). L'interprétation, courante au Moyen Âge, est reprise dans l'office de l'Assomption : «L'arbre de Jessé a produit le rameau, et le rameau la fleur, et sur cette fleur s'est posé l'esprit créateur. La vierge mère de Dieu est le rameau, son fils la fleur» (folio 364 du *Bréviaire d'été de Philippe le Bon*). Elle est mise en image ici par Jean Le Tavernier, peintre originaire d'Audenarde (cat. 85 et 94), dans le bréviaire commandé par Philippe le Bon.

cat. 4

Associé à Guillaume Vrelant (cat. 88 et 89), l'artiste ne peignit que trois enluminures de ce volumineux bréviaire, mais il enlumina plusieurs manuscrits pour le duc de Bourgogne dans les années 1450-1460.

En familier des jardins ducaux, il place la scène du songe de Jessé dans un jardin contemporain : Jessé est couché devant une banquette* de gazon (cat. 82) formée d'un muret de briques, typique des jardins flamands. L'illustration de l'arbre de Jessé par Jean Le Tavernier intègre ainsi des éléments des représentations de la Vierge à l'Enfant dans un jardin clos (cat. 17, 18, 19, 21, 22 et 23), si fréquentes au milieu du XVᵉ siècle : ici la Vierge n'est pas assise sur la banquette, mais apparaît au sommet de la tige qui jaillit de Jessé, comme en lévitation au-dessus du banc. Elle n'est pas entourée d'anges musiciens (cat. 21 et 22), mais des douze rois symbolisant les tribus d'Israël qui, assis dans les corolles des fleurs, déploient tout l'*instrumentarium* médiéval pour exécuter avec vivacité une musique céleste.

Sens de la couleur et maîtrise de la composition donnent à cette enluminure son éclat et sa richesse. La composition repose sur des jeux d'opposition :

cat. 5

Le paradis perdu :

opposition de couleurs entre le vert tendre et le rose du jardin terrestre et le fond d'or sur lequel se déploie l'univers céleste de la généalogie du Christ ; contraste formel entre les arabesques des rameaux alliées à l'animation joyeuse des rois musiciens et l'horizontalité de la banquette accentuée par la silhouette de Jessé, figure puissante inspirée par le Maître de Flémalle, en particulier le Joseph dans son atelier du triptyque Mérode (New York, The Cloisters). Cette scène animée, à l'harmonie colorée raffinée, est bien évocatrice des joies du Paradis céleste, ce « Jardin du Seigneur » où l'on retrouvera

« enthousiasme et jubilation,

action de grâce et son de la musique »

(Isaïe, 51,3). É. A.

5 | Le Christ au jardin des Oliviers

Bohême ?, vers 1400

Gravure sur bois coloriée

H. : 26 ; l. : 18,5

Paris, Bibliothèque nationale de France, département des Estampes, inv. Ea. 5 rés.

Bibliographie : LEMOISNE, 1927, I, n° V, p. 58-60 ; HIND, 1935, I, p. 99, 114 ; MUSPER, 1976, p. 19, pl. 23.

Si Jésus est présenté comme la fleur au sommet de l'arbre de Jessé (cat. 4) et si dans les Évangiles, comme dans l'Ancien Testament, les paraboles sur la vigne, l'arbre et le grain porteurs de fruit et de vie sont nombreuses, les jardins et les fleurs sont peu présents dans le Nouveau Testament, sauf à la fin de la vie du Christ, avec le jardin des Oliviers et celui de Joseph d'Arimathie, où le corps du Christ sera déposé à la hâte après la Crucifixion.

Épisode majeur du récit de la Passion, la veillée du Christ au jardin des Oliviers fut maintes fois représentée au Moyen Âge. Peintres, graveurs, sculpteurs ou liciers figurent pourtant tous d'une même manière le jardin des Oliviers, comme un jardin qui n'aurait de jardin que le nom.

C'est la clôture qui, pour l'artiste médiéval, permet de définir l'espace comme un jardin : palissade, ou ici, bien visible au premier plan, une clôture basse faite de branchages entrelacés, un plessis* bien clos, à la fermeture assurée par une serrure en bois (à moins que cet objet ne soit une petite passerelle comme l'ont affirmé certains commentateurs). À l'intérieur de la clôture, pour répondre à l'appellation de jardin des Oliviers, quelques arbres sont figurés, dans un paysage de collines ou de rocs nus. L'image est à l'inverse du jardin d'Éden (cat.1 et 2) et des concepts de vie et de fécondité associés, dans la culture biblique, au thème du jardin. Jardin d'agonie et d'abandon, le jardin des Oliviers est une sorte d'anti-jardin.

L'idée en est magistralement rendue dans cette gravure sur bois, une des plus belles et des plus anciennes conservées, œuvre d'un artiste au style puissant. Le Christ en prière et le groupe des apôtres endormis se détachent sur un fond empâté d'une encre noire épaisse et opaque. Le procédé renforce l'atmosphère nocturne de la représentation, pour composer une véritable scène de ténèbres. Rehaussés de couleurs dans une gamme presque monochrome (brun, bistre, rosé), les personnages semblent éclairés d'une lumière lunaire. Le jardin offre lui-même un paysage désolé : ni herbe, ni fleurs, seuls les arbres éponymes surgissent de façon irréelle du roc nu.

La composition en aplats, l'absence de taille d'ombre, les contours épais des formes et des drapés sont caractéristiques des premières xylographies connues, autour de 1400. Cette gravure sur une feuille isolée pourrait avoir été fabriquée dans un couvent, comme beaucoup des xylographies conservées de cette époque : les monastères adoptèrent en effet très vite cette technique qui permettait de diffuser en nombre et à moindre coût des images pieuses.

Par son style, cette gravure est typique du gothique international autour de 1400, et plus particulièrement d'œuvres du centre de l'Europe, entre l'Autriche et la Bohême, régions très dynamiques dans le mouvement artistique de cette période. Plusieurs éléments incitent à situer son origine en Bohême : les arbres aux feuilles schématiques et au feuillage en boule évoquent ceux du Christ au mont des Oliviers du Maître du cycle de Vyšši Brod (Prague, vers 1350, Galerie nationale), tandis que les drapés, le type de visage des personnages au nez très droit, et l'attitude du Christ se rapprochent du panneau du Christ au jardin des Oliviers du retable de Třeboň (Prague, vers 1380, Galerie nationale). É. A.

6 | Reliquaire : Christ au jardin des Oliviers, Crucifixion

Allemagne rhénane, 1469
Cuivre gravé et doré
H. : 9 ; l. : 7,5
Paris, musée national du Moyen Âge – thermes de Cluny, inv. Cl. 19968

Bibliographie : ERLANDE-BRANDENBURG, LE POGAM, SANDRON, 1993, n° 120, p. 104-105 ; Avignon, 1997, n° 44, p. 98.

Ce petit reliquaire en forme de livre offre l'exemple d'un objet de dévotion centré sur la Passion du Christ : sur la face est représenté le Christ en croix entre la Vierge et saint Jean, au revers, le Christ au jardin des Oliviers. La date, 1469, gravée sur la scène du jardin des Oliviers, en fait un des premiers exemples connus d'œuvre d'orfèvrerie s'inspirant de gravures contemporaines. En effet, l'artiste malhabile qui a exécuté ce reliquaire a repris très fidèlement deux gravures du milieu du XVᵉ siècle : un Christ au jardin des Oliviers de l'entourage du Maître des Cartes à jouer et une Crucifixion attribuée à Israhel Van Meckenem, s'inspirant probablement d'une œuvre du Maître E. S.

L'iconographie du reliquaire met en parallèle l'agonie au jardin des Oliviers et la rédemption par la Croix. De manière traditionnelle, le jardin des Oliviers est simplement délimité par ses plessis* tressés et quelques arbustes en arrière-plan. Le véritable arbre, c'est celui de la Croix salvifique, ou, pour reprendre les termes anciens, le « bois ». Un Messie crucifié par le supplice du « bois », le plus humiliant dans le monde romain, est « scandale pour les Juifs et folie pour les païens », mais « sagesse de Dieu » pour les Chrétiens (I Corinthiens, 1, 2). Objets de scandale, l'idée même et l'image de la Crucifixion furent longuement commentées par les Pères de l'Église, qui, à la suite de Paul, s'employèrent à faire de la Croix la manifestation de la victoire de Dieu et de la libération de l'homme vis-à-vis du péché. L'épître de saint Paul faisant du Christ le nouvel Adam (cat. 1) inspira ainsi

cat. 6

un parallèle typologique entre l'arbre de la connaissance du bien et du mal, porteur de mort, et le bois de la Croix, porteur de vie éternelle.

Cette pensée passa dans la croyance populaire, qui, l'appliquant de façon littérale, voulut faire du bois de la Croix un avatar de l'arbre de la connaissance du bien et du mal. L'histoire est ainsi rapportée dans la *Légende dorée*, au cours du récit de l'Invention de la Croix par sainte Hélène : Adam malade, son fils Seth alla trouver l'archange Michel à la porte du Paradis pour lui demander un remède ; saint Michel lui remit un rameau de l'arbre de la connaissance du bien et du mal et lui déclara que son père serait guéri quand cet arbre porterait du fruit. À son retour, Seth trouva son père mort et planta l'arbre sur sa tombe. L'arbre grandit et, lors de sa visite au roi Salomon, la reine de Saba reconnut en lui le bois où devait être suspendu celui dont la mort causerait la destruction du royaume des Juifs. Salomon fit alors enterrer l'arbre, et c'est dans l'ignorance de son origine que, plus tard, les Juifs y taillèrent la croix du supplice du Christ, accomplissant ainsi ce qu'avait annoncé l'archange Michel : Adam (l'homme) est guéri lorsque le bois (la Croix) porte du fruit. Jésus, pendu au bois de la Croix, est le vrai fruit de vie, et la Croix salvifique, véritable arbre de vie, supplante l'arbre de la faute originelle.   É. A.

7 | Le Christ apparaissant à Marie-Madeleine : *Noli me tangere*

Livre de prières
Collaboration entre plusieurs artistes dont Jean Bourdichon et le Maître du Cœur d'amour épris de la Bibliothèque nationale de France, ms. fr. 24399, ouest de la France, vers 1490
Peinture sur parchemin
H. : 18,3 ; l. : 10 ; 96 f^{os}
Saint-Germain-en-Laye, Bibliothèque municipale, ms. R 60732, f° 91

Bibliographie : *Catalogue général des manuscrits des bibliothèques publiques de France. Départements, IX, Saint-Germain-en-Laye*, 1888, n° 1, p. 199 ; REINACH, 1908, p. 75-76, pl. II-III.

Le jour de Pâques, la première personne à laquelle se manifeste le Christ ressuscité est Marie-Madeleine, la sainte femme venue au tombeau pour embaumer le corps du Christ. Marie-Madeleine, ayant trouvé le tombeau vide, pleure, « elle se retourne et elle voit Jésus qui se tenait là, mais elle ne savait pas que c'était lui. Jésus lui dit : "Femme, pourquoi pleures-tu ? Qui cherches-tu ?" Mais elle, croyant qu'elle avait affaire au gardien du jardin, lui dit : "Seigneur, si c'est toi qui l'as enlevé, dis-moi où tu l'as mis et j'irai le prendre." Jésus lui dit : "Marie." Elle se retourna et lui dit en hébreu : "Rabbouni", ce qui signifie maître. Jésus lui dit : "Ne me retiens pas ! Car je ne suis pas encore

cat. 7

monté vers mon Père. Pour toi, va trouver mes frères et dis-leur que je monte vers mon Père qui est votre Père, vers mon Dieu qui est votre Dieu." Marie de Magdala vint donc annoncer aux disciples : "J'ai vu le Seigneur, et voilà ce qu'il m'a dit." » (Jean, 20, 14-18)

La tradition a incorporé dans le culte de Marie-Madeleine trois femmes mentionnées dans les Évangiles : la pécheresse venue au repas chez Simon répandre un vase de parfum sur les pieds du Christ et les laver de ses cheveux, Marie de Béthanie, la sœur de Marthe et de Lazare, qui, selon les mots du Christ, a choisi «la meilleure part», c'est-à-dire la vie contemplative, et Marie de Magdala, «dont le Christ avait chassé sept démons», une des saintes femmes ayant suivi le Christ jusqu'à la Crucifixion. Marie-Madeleine est figurée ici comme la pécheresse reconnaissable à ses cheveux défaits et à son vase de parfum. La sainte était extrêmement populaire à la fin du Moyen Âge, en particulier dans les communautés religieuses féminines, où elle représentait, après la Vierge, le parfait modèle d'identification.

La figuration du Christ dans cette scène a, quant à elle, évolué de façon significative. Du XIᵉ au XIVᵉ siècle, les représentations insistent, dans cette première apparition du Christ, sur la manifestation de la Résurrection : le Christ, vêtu de son linceul ou du *pallium*, brandit l'étendard marqué de la Croix, symbole de sa victoire sur la mort. À partir du XIVᵉ siècle, se mêlent à ces éléments les attributs qui le désignent comme jardinier : une bêche et un grand chapeau de paille.

L'évolution de la représentation révèle l'interprétation mystique donnée alors à cet épisode : le Christ ressuscité est le nouvel Adam, il est aussi le jardinier d'un jardin tout symbolique, celui de l'âme dévote. Les écrits mystiques sur l'interprétation de l'*hortus conclusus* du Cantique des cantiques (cat. 11, 13, 15 et 16) et sur le sacrifice du Christ pour le salut de l'homme ont entraîné cette conception du jardin clos comme illustration de l'âme (cat. 12), qui s'ajoute et fait écho à celle du jardin d'Éden perdu.

Le thème était particulièrement répandu dans la dévotion des communautés féminines (cat. 14, 15 et 16) et la rencontre du Christ jardinier avec Marie-Madeleine en était l'illustration favorite, mettant l'accent sur cette figure féminine d'attachement au Christ, qui eut le privilège de la première vision du Christ ressuscité (les apôtres Pierre et Jean n'ayant pour leur part trouvé que le tombeau vide). Marie-Madeleine est dès lors comparée à la *sponsa* (l'Épouse) du Cantique des cantiques, elle est le modèle de l'épouse mystique. La «bienheureuse Amante du Christ» figure l'union de l'âme au Christ.

La composition calme et ordonnée de cette scène, avec les deux personnages devant la clôture losangée du jardin, apparaît aussi fréquemment dans des œuvres destinées à des laïcs, des livres d'heures de la fin du XVᵉ et du début du XVIᵉ siècle, notamment sur deux feuillets aux armes de Charles VIII peints par Jean Poyet (The Pierpont Morgan Library, M. 250).   É. A.

8 | L'apparition du Christ à Marie-Madeleine

Pays-Bas du Sud, vers 1500-1520
Tapisserie, laine, soie et fils dorés
H. : 239 ; l. : 203
New York, The Metropolitan Museum of Art, inv. 56.47

Bibliographie : CAVALLO, 1993, p. 446-451.

L'apparition du Christ jardinier à Marie-Madeleine (cat. 7) semble ici faire délibérément écho à la représentation d'Adam et Ève dans le jardin d'Éden. Elle se passe dans un jardin clos de plessis* et d'un portillon en bois, et le groupe du Christ et de Marie-Madeleine, de part et d'autre de l'oranger, apparaît comme le reflet inversé du couple d'Adam et Ève devant l'arbre de la connaissance du bien et du mal (cat. 1 et 2) : le Christ est bien le nouvel Adam qui, par sa mort et sa résurrection rachète le péché originel. Le fruit de l'oranger était appelé en Flandre, lieu de production de cette tapisserie, «pomme de Chine» : l'oranger placé ici au centre de la composition évoque donc l'arbre de la connaissance du jardin d'Éden, généralement assimilé dans la culture médiévale occidentale au pommier. À l'intérieur du jardin poussent muguet, physalis, plantain, œillets, pervenches, violettes, ancolies, pavots, mûriers, pâquerettes et pissenlits (dont les fleurs sont rehaussées de fil d'or).

La bordure de la tapisserie offre un cadre printanier à cette image de la Résurrection : des oiseaux y jouent

cat. 8 (en cours de restauration)

LE PARADIS PERDU :

dans des tiges coupées de pensées et de roses rouges. La pensée aux trois couleurs *(Viola tricolor)* peut être lue comme une allusion à la Trinité ; quant à la rose rouge (de la couleur du manteau du Christ), la première tradition chrétienne en fit le symbole du Christ, de sa Passion, ou de ceux morts en son nom. Saint Ambroise voyait dans la rose «l'image du sang ou plutôt le sang même du Seigneur» (PL, 15, col. 1390) ; Walafrid Strabo déclarait que le Christ avait «coloré les roses par sa mort» (PL, 114, col. 1128). Saint Bernard, dans ses *Homélies*, est plus explicite encore : «Autant de plaies sur le corps du Seigneur, autant de roses ! Regardez ses pieds et ses mains, n'y voyez-vous pas des roses ? Mais contemplez surtout la plaie de son cœur entrouvert ! Ici c'est plus encore la couleur de la rose, à cause de l'eau qui coule avec le sang, quand la lance a percé son côté !» L'image devait être reprise dans la poésie mystique des XIVe et XVe siècles, quoique saint Bernard ait aussi fondé une autre tradition de la rose comme image de la Vierge, qui devint prépondérante à la fin du Moyen Âge.

Le thème de la rencontre de Marie-Madeleine et du Christ jardinier est fréquent dans des œuvres de petit format – gravures, livres de prières (cat. 7) –, liées à la dévotion privée. La méditation sur ce thème du jardin de l'âme et du Christ jardinier a plus rarement été transposée à l'échelle monumentale. Pourtant, il existait de véritables tapisseries de dévotion, destinées à être contemplées dans le silence d'une chambre ou d'une chapelle, comme celle offerte par Jeanne la Folle à sa mère Isabelle la Catholique. D'après sa description, rédigée à la mort d'Isabelle en 1504, elle était fort proche de celle aujourd'hui conservée au Metropolitan Museum of Art : «Une autre tapisserie de dévotion d'or, de soie et de laine qui montre comment Notre Seigneur apparut à la Madeleine après sa résurrection, qui a au milieu un arbre qui ressemble à un orange[r] et d'autres feuillages.»

La richesse des matériaux employés, la grande qualité picturale de l'œuvre ainsi que son format relativement petit sont autant d'éléments qui incitent à penser que cette tapisserie était aussi destinée à la dévotion privée. É. A.

9 | Le jardin de vertueuse consolation

Traité du jardin d'amour de vraie dévotion et dilection
Rouen ?, fin du troisième quart du XVe siècle
Peinture sur parchemin
H. : 29,5 ; l. : 20,5 ; 187 f[os]
Paris, Bibliothèque nationale de France,
département des Manuscrits, ms. fr. 22922, f° 153

Bibliographie : *Catalogue général des manuscrits français de la Bibliothèque nationale. Anciens petits fonds*, Paris, 1902, n° 22922, p. 9-10 ; GOUSSET, FLEURIER, 2001, p. 39, 94 et pl. 19 p. 50.

L'exégèse médiévale donne une interprétation des Écritures selon quatre niveaux de lecture : littéral, spirituel, allégorique et moral. Cette méthode appliquée au thème du Paradis terrestre a permis d'y voir soit l'Éden en tant que lieu géographique et historique, point de départ du genre humain, soit le Paradis céleste, tandis que les auteurs de commentaires plus spécifiquement moraux y discernent une allégorie de

cat. 9

l'âme ou de l'Église. C'est ce dernier type d'interprétation qui est adopté dans ce traité anonyme. Utilisant la forme onirique qui l'affranchit des notions de temps et d'espace, l'auteur raconte comment après avoir péniblement cheminé sur les voies épineuses et hostiles de ce monde, il arrive devant l'enceinte abritant le jardin de l'Église, «jardin de vertueuse consolacion où le vray dieu d'amours habite». L'artiste a dissocié le héros, agenouillé près de l'entrée, de son âme, petit personnage nu qui va suivre son parcours spirituel. À peine a-t-elle franchi la porte du jardin, dont Obéissance lui a remis les clefs, que l'âme vient chercher la protection des Vertus. Elle implore l'aide des Vertus théologales – Foi, Espérance et Charité –, puis s'adresse aux Vertus cardinales – Force, Tempérance, Justice et Prudence – qui se tiennent aux abords d'une haute fontaine où coule l'eau vive des sacrements. Ainsi guidée et régénérée, l'âme pourra atteindre, après la mort, le Paradis futur évoqué ici par la Cour siégeant dans les cieux.

L'enlumineur a remplacé l'épais mur du jardin décrit dans le texte par une solide palissade, telle qu'on en utilisait à l'époque pour clore les courtils* attenant aux maisons, transposant ainsi la scène allégorique dans le climat familier d'un jardin de campagne. Toutefois, une importance particulière est donnée à la fontaine hexagonale à deux étages, couleur d'azur. Douze têtes de lion dorées déversent l'eau dans un bassin qui offre la source vive à l'âme altérée, rappelant ainsi la parole du Christ : «Si quelqu'un a soif, qu'il vienne à moi et qu'il boive.» (Jean, 7, 37)

Au XIIᵉ siècle, saint Bernard, dans un sermon sur la Nativité, expliquait que les fidèles jouissent déjà, au sein de l'Église, des prémices du Paradis futur, cet Éden à venir, plus estimable que le précédent : «Nous possédons un paradis bien meilleur, bien plus délectable que celui des premiers parents : notre paradis, c'est le Christ : *paradisus noster Christus Dominus est.* En lui sont les fontaines du salut. Elles s'écoulent pour nous de ces quatre blessures qu'il reçut avant de mourir ; après sa mort encore son côté fut ouvert : il a voulu, même alors, nous montrer qu'il était la source de vie.» (PL, 183, 117)   M.-T. G.

10 | Jardin de monastère

Vie des Pères
Maître du maréchal de Brosse, centre de la France, troisième quart du XVᵉ siècle
Peinture sur parchemin
H. : 33,5 ; l. : 24 ; 136 fᵒˢ
Paris, bibliothèque de l'Arsenal, ms. 5216, fᵒ 24vᵒ

Bibliographie : *Dictionnaire des lettres françaises. Le Moyen Âge,* 1992, p. 1476-1477 ; LECOY, 1993, II, p. 209-214 ; une réécriture moderne du conte dans ZINK (M.), *Le Jongleur de Notre-Dame. Contes chrétiens du Moyen Âge,* Paris, 1999, p. 38-41.

Le recueil de contes de la *Vie des Pères,* écrit en vers au XIIIᵉ siècle, rassemble une centaine de récits pieux, dont beaucoup sont censés se passer dans les communautés des premiers pères du désert en Égypte. Différent de ce cadre général, le trente-huitième conte se déroule au sein d'une communauté de religieuses, et dans un jardin. L'héroïne en est une religieuse, «bonne et de sainte vie», qui fait le désespoir du diable, car il ne réussit pas à la tenter. Un beau matin d'été, elle descend dans le jardin pour «recréer son esprit», et y avise une feuille de chou si fraîche et nouvelle «qu'oncques n'eut vu plus belle». Soudainement tentée par cette belle feuille, elle la mange si rapidement qu'elle oublie de se signer avant : hélas, le diable s'était glissé dans la feuille, et la voilà possédée. Après s'être attaquée à ses compagnes de couvent, elle est maîtrisée, ligotée, et ne retrouvera ses esprits qu'après avoir été marquée par le chapelain du signe de la croix, ce signe qu'elle avait négligé de faire avant de manger, laissant ainsi la porte ouverte au diable.

La *Vie des Pères* eut un grand succès au Moyen Âge, ce dont témoigne le nombre de manuscrits connus aujourd'hui, une cinquantaine. Cette copie, tardive, fut réalisée au XVᵉ siècle pour Nicole de Blois, épouse du maréchal Jean II de Brosse, conseiller et chambellan de Charles VII. Chaque conte est illustré par une enluminure en demi-page au début du texte ; celle du conte de la feuille de chou résulte d'une erreur du

copiste qui rédigea la rubrique résumant le conte : la feuille de chou du texte s'y est transformée en feuille de houx (effectivement toxique !).

L'enlumineur a donc suivi cette indication et représente, dans un jardin clos de murs, un magnifique houx, dont la religieuse cueille une feuille. Puis à gauche, la voilà enragée, «toute forcenée par l'ennemi» qui est en elle : pour l'exorciser, le chapelain sort armé d'un ciboire, accompagné d'un clerc porteur d'un grand cierge de procession et d'une religieuse qui asperge la malheureuse d'eau bénite.

Le texte du conte et cette illustration-contresens évoquent deux réalités des jardins de monastères : l'histoire fait évidemment référence à un potager, tandis que l'illustration évoque un jardin de plaisance, d'ordonnance régulière, partagé en quatre carrés. Les jardins de monastères doivent en effet répondre à des fonctions différentes : alimentaire (potager), médicinale (simples), agrément et ornement de l'église (fleurs d'un préau*). Ici, dans un jardin de plaisance semblable à bien des jardins laïques de la même période (planté de fleurettes rouges, jaunes et blanches non identifiables), l'enluminure représente cette lutte entre l'âme et le malin comme une réminiscence de l'épisode d'Ève et de l'arbre de la connaissance du bien et du mal : le chou, devenu houx, prend la forme d'un arbre, et la nonne répète l'éternel geste de la tentation.

Le conte et son illustration, qui font du jardin un lieu de danger où rode le mal, vont à l'opposé de l'image du cloître, ou plus généralement du monastère, répandue dans la littérature spirituelle, qui fait du monastère l'image du Paradis. Présente chez nombre de théologiens du XIIe siècle, cette réflexion prend toute sa force chez Bernard de Clairvaux, en particulier dans les quatre-vingt-six sermons qu'il écrivit sur le Cantique des cantiques au cours de sa vie.

Pour saint Bernard, le jardin clos du Cantique des cantiques est une image du monastère et de sa clôture. L'Épouse représente la communauté monastique unie au Christ par le mariage mystique. C'est pourquoi l'image matérielle de l'Éden de la Genèse se marque souvent dans l'espace même du cloître : son arbre ou

cat. 10

sa fontaine centrale, sa division en quatre carrés renvoient à l'Éden vu non pas comme un lieu ou un moment donné, mais comme un état théologique, celui de la paix de l'homme avec Dieu, état que doit faire revivre toute communauté monastique. Ainsi, les théoriciens du monachisme multiplient les comparaisons entre le jardin d'Éden et la communauté monastique : la charité et la concorde en sont les principes fondamentaux et, comme le fleuve du Paradis qui se séparait en quatre, la charité alimente la lecture, la méditation, l'oraison et la pratique des vertus.   É. A.

11 | Cantique des cantiques : *hortus conclusus*

Canticum canticorum
Allemagne rhénane (Mayence, Strasbourg?),
vers 1478-1480
Incunable, encre noire sur papier
H. : 28,8 ; l. : 20 ; 16 f⁰ˢ
Paris, Bibliothèque nationale de France,
réserve des Livres rares, inv. Rés. Xylo. 29

Bibliographie : SCHREIBER, 1891-1911, IV, p. 151-159 ; BOUVET, 1961 (fac-similé de l'exemplaire de la première édition conservé à la Bibliothèque nationale de France, Rés. Xylo. 27) ; *Bibliothèque nationale. Catalogue des incunables*, I, fasc. 1, Paris, 1992, p. XVIII.

« Tu es un jardin verrouillé, ma sœur, ô fiancée ;
une source verrouillée,
une fontaine scellée !
[...]
Mon aimé descend à son jardin,
aux parterres embaumés,
pour paître au jardin
et pour cueillir des lis.
Je suis à mon aimé, et mon aimé est à moi,
lui qui paît parmi les lis. »
(Cantique des cantiques, 4, 12 ; 6, 2)

Pour sa poésie, son lyrisme et son érotisme intemporels, le Cantique des cantiques est certainement le texte le plus célèbre de la Bible. C'est aussi, avec la Genèse (cat. 1), celui qui, de manière obsédante, donne sa forme et sa signification au jardin médiéval.

Ce dialogue amoureux entre l'Époux et l'Épouse, que l'on attribuait à la sagesse de Salomon, suscita l'exégèse depuis ses origines. Dans la tradition judaïque, le texte était interprété comme le dialogue entre Yahvé et le peuple élu, Israël.

Passé dans la tradition chrétienne comme un texte fondateur, le Cantique des cantiques fut alors nourri de significations nouvelles. Avec les premiers exégètes chrétiens, Hippolyte (cat. 1) et Origène, l'Époux apparaît comme la figure du Christ, tandis que l'Épouse est tantôt celle de l'Église, tantôt celle de l'âme. Si saint Ambroise et saint Jérôme font parfois allusion à l'Épouse comme figure de la Vierge Marie, c'est au XIIᵉ siècle que, dans le cadre du développement du culte de la Vierge, toute une vague de nouveaux commentaires assimile l'Épouse à la Vierge, figure typologique de l'Église, à la fois mère et épouse du Christ. Selon Honorius Augustodunensis : « Tout ce qui est dit de l'Église peut être compris comme concernant la Vierge elle-même, Fiancée et mère du Fiancé. » Dans ce courant, les textes les plus féconds furent ceux de Rupert de Deutz (*In Cantica canticorum de incarnatione Domini commentarii*, écrit entre 1110 et 1119, PL, 170, 748-797), d'Honorius Augustodunensis (*Sigillum beatae Mariae*, écrit vers 1120 et *Expositio in Cantica canticorum*, écrit dans les années 1150, PL, 172, 347-496) et, surtout, ceux de Bernard de Clairvaux qui, d'après le récit de sa *Vita*, reçut en songe l'ordre de travailler sur le Cantique des cantiques et consacra donc, depuis 1135 jusqu'à sa mort (1153), quatre-vingt-six de ses sermons au commentaire de ce texte (*Sermones in Cantica canticorum*, PL, 183, 758-1198). Rupert de Deutz explique ainsi comment la Vierge répond à l'épithète d'*hortus conclusus* : elle est un jardin car elle a été féconde, elle a donné naissance au Sauveur, et un jardin clos car elle est restée chaste, seul Dieu l'a rendue féconde. Marie devient l'*hortus conclusus*, c'est pourquoi elle sera ensuite fréquemment représentée dans un jardin clos (cat. 12, 13, 14, 15, 16, 17, 18, 21, 22, 25 et 85). À partir de ces commentaires, le jardin clos du Cantique des cantiques et le Paradis du jardin d'Éden ont tendance à se confondre.

L'amalgame apparaît sur cette xylographie illustrant le recueil du *Canticum canticorum* qui est, avec la *Biblia pauperum* et l'Apocalypse, un des premiers livres illustrés imprimés. Le *Canticum canticorum*,

cat. 11

dont la première édition est située aux Pays-Bas vers 1465, ne comprend pas de texte distinct des illustrations, mais uniquement seize planches composées de deux images chacune, où les phylactères entourant les personnages reprennent des versets du Cantique des cantiques, tenant ainsi lieu de texte. Cependant, les images ne suivent pas l'ordre du texte du Cantique, et tous les versets ne sont pas cités ; il ne s'agit donc pas d'une illustration fidèle du texte biblique. Ici, au folio 15 de cette impression un peu plus tardive (vers 1478-1480), apparaît au registre inférieur l'illustration du chapitre 4, avec, au premier plan, l'Époux déclarant : «*Ortus conclusus soror mea sponsa ortus conclusus fons signatus*» («Elle est un jardin clos, ma sœur, mon épouse, un jardin clos, une fontaine scellée», 4, 12); tandis qu'à l'intérieur du jardin clos, l'Épouse s'exclame : «*Surge aquilo veni auster perfla ortum meum et fluent aromata illius*» («Lève-toi, aquilon, accours autan! Souffle sur mon jardin et que poussent mes aromates!», 4, 16); un dernier verset qualifiant l'Épouse apparaît au-dessus des anges : «*Fons ortorum puteus aquarum viventium quae fluunt impetu de lybano*» («Je suis une fontaine de jardins / un puits d'eaux courantes, ruisselant du Liban», 4, 15). Tandis que l'Époux est figuré en Christ, portant le nimbe crucifère, le jardin clos est représenté comme le jardin d'Éden, avec sa fontaine de Vie au centre, entouré de murs crénelés et, surtout, gardé par des chérubins armés de leur glaive.

Ce motif de la Vierge *hortus conclusus* est développé dans de nombreuses œuvres contemporaines où sont figurées toutes les épithètes de la Vierge (cat. 13, 14 et 15). Représenté ici de manière assez dépouillée, l'*hortus conclusus* apparaît aussi comme le lieu de l'union amoureuse entre l'âme et Dieu, l'Époux descendu dans son jardin, une interprétation fréquente dans la spiritualité monastique (cat. 21).

L'analyse iconographique de l'ensemble des xylographies du *Canticum canticorum* (et notamment la présence d'une abbesse représentée en donatrice) semble en effet indiquer que l'ouvrage aurait été réalisé pour un couvent féminin. L'interprétation mariale du Cantique des cantiques jouait un rôle essentiel dans la vie monastique, tant masculine que féminine : ainsi la première partie du Cantique des cantiques était lue durant les offices de l'octave de l'Assomption, tandis que la seconde était lue au cours de l'octave de la Naissance de la Vierge (8-15 septembre). Marie était, bien sûr, le modèle spirituel des moniales, tandis que l'union de l'Époux et de l'Épouse symbolisait l'union mystique à laquelle aspirait tout religieux. Saint Bernard, dans ses sermons sur le Cantique des cantiques, compare la communauté monastique dans son ensemble à l'*hortus conclusus*, à l'Épouse unie au Christ dans le mariage mystique. Le jardin clos est alors une image du monastère même, et entrer dans la vie monastique équivaut à retourner au Paradis.

Fig. 11a
Cantique des cantiques. Bible historiale de Guiart des Moulins, atelier du Maître de Boucicaut, Paris, vers 1410-1415, peinture sur parchemin.
Paris, Bibliothèque nationale de France, ms. fr. 10, f° 334

Les xylographies du *Canticum canticorum* illustrent tout à fait cette perspective mariale et monastique. La composition du registre supérieur du folio 15 (les feuillets de cette impression ont été reliés dans un ordre différent de celui des autres versions), où sont représentés l'Époux et l'Épouse devant un espalier chargé de vignes, semble renvoyer à la riche symbolique de la vigne dans la littérature testamentaire et dans ses commentaires, où la vigne est souvent l'image de l'Église dont les membres sont les branches. Si le verset original du Cantique des cantiques (7, 9) – «*Erunt ubera tua sicut botri vinea odor oris tui sicut malorum punicorum*» («Tes seins seront comme des grappes de raisin, ton haleine aura le parfum des grenades») – est modifié ici dans le phylactère en «*Erunt verba tua* […]» («Tes paroles seront comme des grappes de raisin […]»), ce n'est vraisemblablement pas erreur du copiste, mais plutôt volonté des commanditaires de l'œuvre d'effacer le sens littéral du texte au profit d'une lecture spirituelle, qui assimile la vigne portant du fruit à l'âme du juste. É. A.

cat. 12

12 | Jardin clos au Calvaire

Malines, vers 1500
Bois polychrome
H. : 91 ; l. : 138 ; p. : 21,5
Malines, Stedelijke Musea Mechelen, dépôt des
sœurs augustines de l'hôpital Notre-Dame, inv. BH 1

Bibliographie : POUPEYE, 1911, p. 81-82 ; VANDENBROECK, 1994, p. 93-95 ; Malines, 1998, n° 51, p. 55-56 ; Malines, 2000, n° 4, p. 125-126.

Ce retable appelé « jardin clos » provient du couvent des sœurs augustines de Malines : il présente de manière exceptionnelle les significations multiples dont était investi le thème du jardin clos dans la dévotion de la fin du Moyen Âge, et plus particulièrement au sein des communautés féminines. La profusion de son décor de statuettes et de fleurs de soie est à l'image de la richesse de sens dont est investie l'œuvre, fruit du travail de sculpteurs malinois et des religieuses. Plusieurs niveaux de lecture sont possibles et s'interpénètrent.

L'œil est d'abord frappé par l'exubérance du décor de fleurs qui, à l'origine, couvrait entièrement l'intérieur de la caisse. Les fleurs se mêlent aux grappes de vigne qui entourent le Calvaire et l'autel, et aux arbustes dont certains, au premier plan, reproduisent avec un réalisme touchant la taille en plateau*, courante à l'époque (cat. 87), jusque dans le détail des

Fig. 12a
Médaille de l'*Annonciation*, détail du *Jardin clos au Calvaire*

cercles métalliques. C'est l'abondance et la fertilité du Paradis terrestre qu'évoquent les religieuses par ces motifs floraux qu'elles confectionnaient de leurs propres mains (sur les *Nonnenarbeiten*, broderies ou dessins, voir aussi cat. 16).

Si le Paradis terrestre forme en quelque sorte le fond du retable, plusieurs scènes s'y déroulent, sur différents plans. Une lecture horizontale de l'œuvre fait apparaître un deuxième niveau de signification, matérialisé par une petite barrière en bois qui clôt le jardin – l'*hortus conclusus*. Elle porte l'inscription suivante : « Tu es un jardin, débordant de tous les plaisirs et de nombreux trésors, jamais souillé d'aucune impureté, produisant une fleur, pleine de miséricorde », qui désigne la Vierge, assimilée à la Fiancée du Cantique des cantiques (cat. 11). Toute une partie du retable évoque la dévotion à la virginité de Marie et à son Immaculée Conception, à travers une série de références symboliques (pour l'explication de ce symbolisme, voir cat. 13 et 15). De gauche à droite, la Vierge est : la tour de David, la toison de Gédéon, la verge fleurie d'Aaron, la source des jardins (un seau), la source de l'eau vive (une fontaine avec une colonne), le buisson ardent. Au centre figure la scène de la chasse mystique à la licorne, avec l'ange Gabriel soufflant du cor et la licorne se réfugiant dans le giron de la Vierge, évocation de l'Incarnation. Cette allusion à l'Incarnation est redoublée par la présence de nombreuses petites médailles représentant l'Annonciation (fig. 12a).

En effet, si la Vierge est vénérée comme modèle de virginité dans une communauté féminine vouée à la chasteté, elle l'est aussi parce qu'elle est la mère du Christ, le jardin clos qui a produit « la fleur de miséricorde », selon la prophétie d'Isaïe (cat. 4).

La scène de la chasse mystique encadre donc l'autel où est dressé le Calvaire, conduisant le regard à une lecture verticale où le sacrifice du Christ, conséquence de l'Incarnation, mène à la Rédemption. Le Crucifix est entouré des statuettes de saint Jean et de Marie-Madeleine. Le feuillage et les grappes de vigne décorant le fond de la caisse prennent dans ce contexte une signification christique : Jésus est la « vigne véritable, arbre de vie [...] situé au centre même du paradis, Seigneur Jésus dont les feuilles sont un remède et dont les fruits confèrent la vie éternelle, fleur et fruit très béni de Marie», comme l'évoque saint Bonaventure au début du traité de la *Vigne mystique* (PL, 184, 725). D'autres éléments du retable rappellent la Passion du Christ et la Résurrection : deux *Agnus Dei* en cire, ainsi qu'une curieuse petite peinture sous verre fixée derrière le sommet de la croix, où les cinq plaies du Christ figurent comme une sorte de *mappa mundi*. La méditation sur la Passion du Christ est destinée à provoquer l'étape ultime de la dévotion, l'union mystique de l'âme au Christ, décrite de manière particulièrement évocatrice par saint Bonaventure dans le même traité : «Le voici élevé, bras étendus, corps dévêtu, mains et pieds transpercés, tête inclinée : jardin d'amour, paradis de charité. Il faut cueillir les fleurs que son sang a rougies, pour entrer dans ce paradis qu'un chérubin garde avec un glaive enflammé. Ô mon âme, pénètre en ce paradis meilleur que tous les paradis : pénètres-y maintenant par toute l'ardeur de tes pensées, afin qu'un jour le corps et l'âme puissent entrer dans ce paradis qui sera devenu à la fois céleste et terrestre. Quel ne sera pas ton bonheur, si tu es introduite, par la porte de ses blessures, en ce paradis plein de fleurs. »

Enfin, une lecture globale de l'ensemble du retable évoque une dernière signification du jardin clos, celle d'une représentation du jardin céleste, du paradis formé par l'Église et la communauté des saints : c'est pourquoi y figurent, parmi le fouillis des fleurs, ou formant le cœur de celles-ci, des reliques abritées derrière un cristal et de nombreuses petites médailles estampées à l'effigie d'un saint (sainte Barbe, saint Sébastien et d'autres non lisibles). Ainsi est représentée la communauté de l'Église, «jardin spirituel de Dieu, planté sur le Christ», selon les termes de saint Hippolyte reprenant la tradition des psaumes : «Le paradis du Seigneur, les arbres de vie, ce sont ses saints; leur plantation est enracinée pour l'éternité; on ne les arrachera pas pendant toute la durée du ciel. » (psaume 1) C'est le paradis auquel aspiraient les religieuses qui élaborèrent ces jardins clos, et dont leur communauté se voulait une anticipation; plusieurs de ces communautés féminines, couvents ou béguinages, se nommèrent elles-mêmes Märiengärten (jardins de Marie) : à Ruremonde, à Bois-le-Duc, ou encore à Herentals, où fut fondé en 1411 un béguinage appelé *Hortus conclusus B. Mariae Virginis*. É. A.

13 | *Hortus conclusus* : l'Annonciation à la licorne

Monogrammiste d, Rhin inférieur,
dernier tiers du XVe siècle
Gravure en relief sur métal en teinte éraillée
H. : 12,8 ; l. : 9,1
Paris, Bibliothèque nationale de France,
département des Estampes, inv. Ea 5 rés.

Bibliographie : SCHREIBER, 1893, III, n° 2481, p. 101-102 ; HIND, 1935, I, p. 179 ; EINHORN, 1976, n° 321, p. 359.

Au premier plan, la courte inscription *ortus conclusus* résume la signification complexe de cette gravure au décor chargé. Dans le jardin clos de palissades, la Bien-Aimée du Cantique des cantiques est identifiée à la Vierge, entourée d'objets qui rappellent ses vertus et sa personne, tandis qu'à ses côtés se déroule la chasse mystique à la licorne, allégorie de l'Incarnation.

La légende de la licorne ou monocéros remonte au *Physiologus*, écrit au IIe siècle : l'animal, doué d'une force et d'une rapidité extraordinaires, ne pouvait être capturé par l'homme. Il fallait qu'il soit attiré par une vierge, dans le giron de laquelle il venait s'endormir. La légende antique fut reprise par Isidore de Séville, puis dans les bestiaires médiévaux, et connut très vite une interprétation chrétienne. Grégoire le Grand (*Moralia*, XXXII, 15) fait de ce récit une allégorie de l'Incarnation du Christ, né d'une vierge. La licorne, symbole de pureté, est un emblème du Christ, qui combat ses adversaires avec sa croix telle la licorne avec sa corne.

Cette lecture s'enrichit avec l'importance croissante du culte de la Vierge au XIIe siècle, ainsi qu'avec les développements de la pensée typologique, qui établit des parallèles entre Ancien et Nouveau Testament, pour prouver l'accomplissement des Écritures par la venue du Christ. Dans ce mouvement, Marie est la Bien-Aimée annoncée par le Cantique des cantiques, par elle s'accomplit l'Incarnation. Le motif de l'Annonciation mêlé à celui de la chasse à la licorne n'apparaît cependant dans l'iconographie qu'au XVe siècle, et se diffuse tout particulièrement dans les pays germaniques. Les plus anciens exemples conservés sont deux retables des années 1430-1440, aujourd'hui au musée du château de Weimar.

cat. 13

Sur la gravure du Monogrammiste d, l'ange Gabriel, transformé en chasseur, sonne du cor dont s'échappe l'inscription portant la salutation angélique («*ave* [Maria] *gracia plena dominus tecum*»), à l'envers. Armé d'une lance, il poursuit la licorne avec trois chiens – *castitas, veritas, humilitas* –, trois vertus qui se manifestent dans la personne du Christ. La réponse de la Vierge est inscrite sur son nimbe : «*ecce ancilla domini*» («Je suis la servante du Seigneur»). À côté d'elle, la source scellée (*fons signatus*, inscrit à l'envers) est une citation en image du Cantique des cantiques (4, 12). Les autres éléments sont autant d'allusions à des passages de l'Ancien Testament qui annoncent le mystère de l'Incarnation et de la virginité de Marie. Au XIIe siècle, le moine bénédictin Honorius Augustodunensis, dont les écrits eurent une grande influence sur le développement du culte de la Vierge, a expliqué dans son *Speculum Ecclesiae* (PL, 172, col. 904 C à 905 A) une partie des symboles visibles sur cette gravure.

À gauche, figure la toison de Gédéon (*vellus iedionis*) : «Gédéon, juge d'Israël, étendit une toison dans l'aire, et la rosée du ciel y descendit sans que l'aire fût mouillée. La toison où descend la rosée est la Vierge, qui devient féconde ; l'aire qui reste sèche est sa virginité qui ne subit aucune atteinte.» Derrière la clôture du jardin, Dieu apparaît dans le buisson ardent (*rubus moyi*) : «Moïse vit un buisson ardent, que la flamme ne pouvait consumer […] c'est là une figure de la Vierge, car elle porte en elle la flamme du Saint-Esprit, sans brûler du feu de la concupiscence.» Sur l'arche d'alliance, fleurit la verge d'Aaron (*virga aaron*) : «Aaron, sur l'ordre de Dieu, mit un bâton desséché dans l'arche d'alliance, et le lendemain le bâton fleurit et produisit son fruit. Le bâton stérile qui donne son fruit, c'est la Vierge Marie, qui met au monde Jésus-Christ, à la fois Dieu et homme.» Derrière l'ange Gabriel, la porte est sans doute celle d'Ézéchiel : «Ézéchiel vit une porte toujours fermée, par laquelle seul passa le roi des rois, et après y avoir passé, il la laissa fermée. Marie est la porte du ciel qui, avant l'enfantement et après l'enfantement, resta intacte.» Sur cette gravure sont aussi figurées la porte de David et l'*urna aurea* contenant la manne céleste (cat. 15).

Les représentations de ce type sont nombreuses dans la seconde moitié du XVe siècle, elles correspondent à une période de débats véhéments sur l'Immaculée Conception de la Vierge, et servaient peut-être d'arguments aux défenseurs de cette thèse. La gravure permit d'en diffuser les motifs, que l'on trouve sur des supports très variés. Cette gravure a ainsi été estampée sur la reliure d'un livre imprimé en 1495 par le libraire parisien Simon Vostre. É. A.

14 | Moule : *Hortus conclusus*

Rhin moyen ?, vers 1500
Terre cuite
D. : 12,8
Zurich, Musée national suisse, inv. LM 6767

Bibliographie : ARENS, 1971, n° 55, p. 124-125, et pl. 42 ; EINHORN, 1976, n° 377 A, p. 369.

Si les multiples interprétations de l'*hortus conclusus* du Cantique des cantiques (cat. 13 et 15) – figuration de l'âme, représentation de l'Incarnation, exaltation de la Vierge –, sont issues de réflexions théologiques et mystiques élevées, elles n'étaient pas pour autant exclusivement réservées aux communautés religieuses, et l'image de la chasse à la licorne dans un jardin clos fut largement diffusée à la fin du Moyen Âge, y compris sur des objets de la vie quotidienne.

Ce moule en terre cuite en est un bon exemple. On y reconnaît facilement les éléments caractéristiques de la chasse mystique : le mur crénelé de l'*hortus*, la *porta ez [echiae]*, l'ange Gabriel avec le phylactère portant sa salutation – «*Ave* [Maria] *gracia plena d[omi]n[u]s tecum*» –, et la licorne venant se réfugier sur les genoux de la Vierge. À côté de la Vierge, on voit : la fontaine scellée (*fons signatus*), la verge d'Aaron (*virga aaro[nis]*) ; à gauche, la toison de Gédéon (*vellus iedionis*), l'urne contenant la manne (*urna aurea*) et Dieu dans le buisson ardent (*rub[u]s moisi*) (cat. 13 et 15).

cat. 14

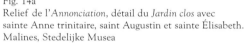

Fig. 14a
Relief de l'*Annonciation*, détail du *Jardin clos* avec
sainte Anne trinitaire, saint Augustin et sainte Élisabeth.
Malines, Stedelijke Musea

D'après les témoignages anciens, ce moule servait certainement, dans le contexte d'un couvent, à réaliser des petits biscuits en massepain ou en pain d'épice, qui étaient offerts aux proches du couvent lors des grandes fêtes, Noël et Pâques, ou pour le Nouvel An. Son iconographie – la représentation de l'Incarnation –, est particulièrement appropriée à la fabrication de gâteaux de Noël. Les moules de ce type semblent avoir été plus spécialement produits dans la région du Rhin moyen, mais ils étaient vendus et se diffusaient lors de foires, comme la grande foire annuelle de Francfort. Il existe aujourd'hui deux autres exemplaires, fragmentaires, de ce moule à l'*hortus conclusus* (Mayence, Mittelrheinisches Landesmuseum ; Luxembourg, musée national d'Histoire et

d'Art) et un moule en étain au Germanisches Nationalmuseum de Nuremberg, reproduisant le même motif, très proche de la gravure conservée à la Bibliothèque nationale de France (cat. 13).

Ces moules ont été utilisés dans d'autres domaines de la dévotion, pour créer de petits reliefs en papier mâché – comme celui de la chasse à la licorne qui figure sur un jardin clos malinois (fig. 14a) –, ou des objets de dévotion en cire, aujourd'hui disparus. On en moula aussi des empreintes sur des cloches, à côté d'enseignes de pèlerinage, dans un but prophylactique : la cloche protégeait ainsi la population dont elle rythmait la vie. Une cloche datée de 1521, à Spielberg, et une autre datée de 1522, à Pleismar en Allemagne, portent l'empreinte de ce moule à l'*hortus conclusus*. É. A.

15 | Hortus conclusus : allégorie de l'Incarnation

Tapisserie, laine, soie et fils métalliques
Bâle, 1480
H. : 104 ; L. : 380
Zurich, Musée national suisse, inv. LM 1959

Bibliographie : EINHORN, 1976, n° 385, p. 372 ; DALEY, 1986, p. 257-258 ; RAPP-BURI, STUCKY-SCHÜRER, 1993, n° 43, p. 203-205.

Contemporaine de la gravure du Monogrammiste d (cat. 13) et du célèbre retable des dominicains de Colmar illustrant le même thème (fig. 15a), cette superbe tapisserie a certainement été créée, étant donné son format, pour servir de devant d'autel. Le phylactère sous le donateur représenté au centre en donne la date : 1480 ; les armoiries figurées à côté de celui-ci, ainsi qu'à côté de la religieuse située à l'extrémité droite de l'antependium, sont celles de la famille Irmensee de Schaffhouse ; celles de l'autre religieuse, à l'extrême gauche, n'ont pu être identifiées. Les donateurs de la famille Irmensee sont probablement Hans Irmensee, bourgeois et magistrat de Schaffhouse, et une de ses sœurs, Margarethe ou Agathe, toutes deux religieuses au couvent Sainte-Agnès de Schaffhouse, pour lequel l'œuvre a vraisemblablement été réalisée.

Comme sur la gravure du Monogrammiste d, le sujet de l'œuvre est explicité au premier plan par un phylactère portant l'inscription ortus conclusus. Il s'agit de la représentation de la Vierge comme jardin clos, de l'illustration de la maternité virginale de Marie et de l'Incarnation. Le sujet est transcrit cette fois de manière monumentale, tant dans ses dimensions que dans sa conception qui relève du principe de la somme ou de l'accumulation encyclopédique traduite en image. D'une iconographie plus riche que la gravure du Maître d, cette tapisserie figure en effet toutes les épithètes mariales connues, puisant dans des sources diverses – Cantique des cantiques, Physiologus, littérature typologique, litanies mariales –, et explicitant chaque élément par une inscription sur un phylactère.

La Vierge est assise dans un jardin clos d'un puissant mur crénelé et fermé par trois portes (porta davi[di]ca, porta ezechielis, porta aurea). La virginité de Marie est célébrée par les références au Cantique des cantiques, par l'assimilation de la Vierge à la Fiancée : elle est l'hortus conclusus, elle est la fontaine scellée (fons signatus ; Cantique des cantiques, 4, 12) qui s'élève au centre de la composition (fermée à son sommet par un petit cadenas), elle est le lis qui apparaît derrière le mur crénelé («Comme un lis parmi les ronces, telle est ma compagne parmi les filles», Cantique des cantiques, 2, 2).

Sa maternité est glorifiée dans l'allégorie de la chasse à la licorne, représentation du mystère de l'Incarnation tirée du Physiologus (sur l'origine de cette iconographie, voir cat. 13). La licorne est venue se réfugier dans le giron de la Vierge, poursuivie par l'ange Gabriel, figuré à l'entrée du jardin clos, sonnant du cor, armé d'une lance et menant quatre chiens – vérité, justice, paix, miséricorde –, autant d'allusions au psaume 85 (84) où ces dernières manifestent le règne du Seigneur.

Outre le thème de la chasse à la licorne, deux éléments sont empruntés au Physiologus : à gauche, le lion qui ressuscite ses lionceaux ; dans le jardin clos, le pélican qui se perce la poitrine pour nourrir ses petits. Décrites initialement dans le Physiologus comme des allégories du Christ, ces images sont également appliquées à Marie à partir du XIIIᵉ siècle.

Tous les autres éléments figurent des attributs ou des épithètes de Marie compris dans une perspective typologique : les prophéties de l'Ancien Testament annonçant la venue du Christ viennent exalter le rôle de la Vierge dans l'histoire du salut. Elle est à la fois l'arche d'alliance (Exode, 25, 10-16), la fontaine des jardins («Je suis une fontaine de jardins / un puits d'eaux courantes, ruisselant du Liban !», Cantique des cantiques, 4, 15), l'étoile de Jacob annonçant la venue du Christ (Nombres, 24, 17), la verge fleurie d'Aaron surmontée de la colombe du Saint-Esprit (Nombres, 17, 16-25), la tour de David («Comme la tour de David est ton cou / bâti pour des trophées : / un millier de boucliers y est pendu, / toutes sortes d'armures de braves», Cantique des cantiques, 4, 4), l'urna aurea ou le vase d'or contenant la manne céleste (Exode, 16, 33 et Épître aux Hébreux, 9, 4), la toison de Gédéon (Juges, 6, 36-40) et le buisson ardent (Exode, 3, 2-6).

Au sein de cet ensemble dont l'iconographie est fréquente durant la seconde moitié du XVᵉ siècle dans les pays germaniques, la présence d'Adam et Ève est cependant inhabituelle. Ils sont représentés autour de la licorne/Christ : Adam perce la licorne de son épieu, tandis qu'Ève recueille le sang de la licorne dans le calice. Sur leur phylactère est inscrite la prophétie d'Isaïe (53, 5) annonçant le sacrifice de la Croix et la bonne nouvelle de la Rédemption : «mais lui, il est blessé à cause de nos injustices» et «par son sang nous sommes sauvés».

À travers l'accumulation de ces prophéties, c'est le rôle de médiatrice de la Vierge qui est souligné : en rendant possible la venue du Seigneur par l'Incarnation, Marie est la nouvelle Ève qui rouvre la voie du Paradis. Aussi est-elle représentée dans un jardin clos dont les murs évoquent ceux de l'Éden, entourée d'une profusion de fleurs : ancolies, muguet, fraisiers, pâquerettes, iris, pissenlits, bleuets, tulipes, soucis, morelles, lychnis; au centre, trois fleurs portent un phylactère désignant les vertus de la Vierge : la violette *(humilitas)*, le lis dans un pot *(caritas)* et la rose rouge *(castitas)*. Quoique le programme et l'exécution de cette tapisserie révèlent une qualité et un soin exceptionnels, il faut se demander si les phylactères de la rose et du lis n'ont pas été intervertis au tissage, car les vertus des fleurs semblent distribuées de manière surprenante. Chez tous les commentateurs, le lis, par sa blancheur, est l'image de la chasteté de la Vierge, alors que la rose rouge est celle de sa charité.   É. A.

cat. 15

Fig. 15a
Chasse mystique à la licorne, détail du retable des dominicains,
atelier de Martin Schongauer, vers 1480-1490, peinture sur bois.
Colmar, musée d'Unterlinden

cat. 16

LE PARADIS PERDU :

16 | Annonciation dans un jardin clos

*Recueil de sermons, de méditations et de traités
d'hagiographie*
Colmar, seconde moitié du XVᵉ siècle
Dessin colorié sur parchemin
H. : 21,2 ; l. : 15,5 ; 328 fᵒˢ
Colmar, bibliothèque de la Ville, ms. 717-II, fᵒ 77vᵒ

Bibliographie : *Catalogue général des manuscrits des bibliothèques
publiques de France. Départements, LVI,* Colmar, 1969, nᵒ 212, p. 98-
100 ; Colmar-Strasbourg, 1989, nᵒ 25, p. 217-218 ; Colmar, 2000,
t. 1, p. 112, 135, et t. 2, nᵒ 124, p. 89.

Les fleurons de l'enluminure alsacienne sont les manuscrits conçus par et pour les religieuses, notamment le
fameux *Hortus deliciarum* d'Herrade de Landsberg ;
beaucoup plus modeste, ce dessin colorié est certainement l'œuvre d'une moniale dominicaine : il a été collé
à l'intérieur d'un manuscrit appartenant à la bibliothèque du couvent des dominicaines d'Unterlinden
(Colmar), en tête d'un sermon sur l'Annonciation
attribué à saint Bernard.

Généralement figurée dans un intérieur (celui de la
chambre ou de l'oratoire de la Vierge), l'Annonciation
est transposée ici dans un jardin clos, évoqué par une
prairie semée de fleurs multicolores et un mur crénelé. Ainsi est traduite en image l'identification entre
la Fiancée/jardin clos du Cantique des cantiques et la
Vierge : le jardin clos symbolise la pureté de l'Épouse,
la virginité de Marie et son Immaculée Conception.
Peintes de façon malhabile, les fleurs de la prairie sont
cependant toutes évocatrices du Cantique des cantiques : roses, narcisses (2, 2) ou muguet – assimilé au
Moyen Âge au *Convallaria maialis*, le lis des vallées
(2, 1). Marie, devenue elle-même l'*hortus omnium deliciarum*, est le modèle proposé aux religieuses à travers
cette image aux couleurs vives et fraîches, animée par
des personnages au visage de poupée.

Typique des *Nonnenarbeiten* (travaux de religieuses)
fréquents au XVᵉ siècle, ce dessin est tout à fait exemplaire de la mystique nuptiale issue des commentaires
patrologiques sur le Cantique des cantiques qui ani-
mait alors les couvents rhénans, en particulier féminins.
La simplicité de sa technique (qui rappelle les xylographies contemporaines) est à l'inverse de la complexité
de sa signification, fondée sur un « empilement » sym-

bolique. Dans l'image se jouent d'une part l'assimilation entre jardin clos et jardin de paradis, et d'autre
part celle entre jardin clos, Épouse, Vierge Marie et
âme de la religieuse.

Un recueil contemporain de traités mystiques,
provenant aussi de la bibliothèque d'Unterlinden,
évoque par le texte, et non par l'image, cette spiritualité (Colmar, Bibliothèque municipale, ms. 215). Il
débute par un « traité du jardin de paradis », dans
lequel l'âme s'adresse à l'Enfant Jésus en ces termes :
« […] voici que je te montre un magnifique jardin de
paradis [l'âme] dans lequel tu trouveras la délectation
des yeux, la joie du cœur et toute félicité […] ». Plus
loin, un autre traité célèbre le mois de mai comme
celui des noces entre l'âme aimante et le divin Époux,
l'Enfant Jésus : l'âme est bien le jardin clos où vient
s'incarner le Christ-Époux.

Inséré avec deux autres dessins du même type
(feuillets 126 et 147vᵒ) dans un recueil de textes copiés
par la sœur Dorothée de Kippenheim probablement
après 1516 (d'après les miracles qui y sont rapportés),
ce dessin est très certainement antérieur : malgré une
certaine naïveté, son style reflète celui de la peinture
rhénane du milieu du XVᵉ siècle, et la Vierge de
l'Annonciation semble une parente un peu provin-
ciale de la *Vierge au jardinet de paradis* de Francfort
(fig. B, p. 21). En dépit de sa simplicité, il illustre le
rôle essentiel de l'enluminure dominicaine dans la
vie spirituelle et mystique alsacienne par sa manière
de traduire le texte en image, redoublant le travail
de traduction du latin à l'allemand qu'effectuaient
les religieuses (ici le dialecte alémanique de Souabe
et d'Alsace).

Les *Nonnenarbeiten*, réalisés le plus souvent pour
les religieuses, étaient parfois envoyés comme dons à
leur entourage. Mais les moniales transmettaient aussi
dans leur correspondance des « dons spirituels »,
c'est-à-dire purement abstraits ; ainsi en témoigne un
autre manuscrit de la bibliothèque d'Unterlinden
(Archives départementales, H Unterlinden, carton I,
dossier 3) composé de modèles épistolaires où l'on
trouve, parmi les exemples de « dons spirituels » :
« […] le plus beau des jardins de paradis […], un jardin pour la contemplation, pour la promenade, et
pour les fruits doux que l'on peut y goûter ».   É. A.

17 | Vierge dans un jardin de paradis

Maître de Saint-Laurent, Cologne, vers 1420
Peinture sur bois
H. : 20,2 ; l. : 16,2
Cologne, Sammlung Ludwig, en prêt au
Wallraf-Richartz-Museum, inv. Dep. 361

Bibliographie : ZEHNDER, 1990, p. 498-500 ; Cologne, 1993, n° 37, p. 304-305 ; CORLEY, 2000, p. 103-105 et pl. 17.

Autour de 1400, puis pendant la première moitié du XVᵉ siècle, la figuration de la Vierge dans un jardin clos connut un grand succès dans la peinture rhénane, et plus particulièrement à Cologne. Ce petit tableau du Maître de Saint-Laurent, une des plus belles réussites de la peinture colonaise autour de 1400, en est l'illustration précoce.

Assise dans une prairie fleurie bordée d'un muret, la Vierge tient sur ses genoux l'Enfant Jésus qui s'initie aux joies de la musique en jouant sur le psaltérion que lui tendent deux anges. La scène, pleine de joie et de grâce, fusionne, dans une composition d'une grande simplicité et d'une parfaite lisibilité, deux thèmes : celui de la Vierge comme jardin clos – représenté ici de façon métaphorique par la prairie fleurie

Fig. 17a
Livre d'heures de la famille Saint-Maur, Maître de la Mazarine, Paris, vers 1408, peinture sur parchemin.
Paris, Bibliothèque nationale de France, nouv. acq. lat. 3107, f° 232v°

et le petit muret de clôture – et celui du jardin de paradis – évoqué par la musique céleste que jouent l'Enfant Jésus et les anges, et par le fond d'or, qui donne au jardin son caractère sacré. Autour du personnage de la Vierge se fait l'assimilation entre l'*hortus conclusus* du Cantique des cantiques et le Paradis. Marie est le « Jardin de Dieu » exalté par les hymnes mariaux : « […] dans ta beauté et ta sagesse, tu es le Paradis, aucun jardin de ce monde ne t'égale » (Rhénanie, XIIIᵉ siècle). La fusion des notions d'*hortus conclusus* et de paradis dans une même représentation ambivalente devait connaître un grand succès dans la peinture rhénane, comme en témoigne le plus fameux exemple, la *Vierge au jardinet de paradis* conservée au Städelsches Kunstinstitut de Francfort (fig. B, p. 21), contemporaine ou légèrement postérieure à celle du Maître de Saint-Laurent.

La mise au point de ce schéma iconographique, très prisé au cours du XVᵉ siècle, représente l'aboutissement de l'évolution d'une variante du thème de la Vierge d'Humilité apparu probablement à Sienne dans les années 1330, autour de Simone Martini. Tandis que les Vierges d'Humilité siennoises sont assises à même le sol ou sur un coussin, elles apparaissent, au début du XVᵉ siècle, notamment chez les peintres lombards, assises dans une prairie fleurie ou un jardin, ainsi dans la fameuse peinture attribuée à Michelino da Besozzo ou Stefano da Zevio (fig. C, p. 23). Le thème devait connaître un grand succès dans la peinture gothique internationale, notamment dans les centres artistiques du Nord.

À Paris, le thème de la Vierge d'Humilité et de la musique céleste se rencontre dans des manuscrits dès les années 1400-1410, notamment dans ceux de l'atelier du Maître de Boucicaut (Bibliothèque nationale de France, ms. lat. 1161, feuillet 130v°). Le *Livre d'heures de la famille Saint-Maur* (fig. 17a), que François Avril attribue au Maître de la Mazarine et date de 1408 environ, est l'un des premiers manuscrits français où la Vierge d'Humilité apparaît assise dans une prairie fleurie, entourée d'anges musiciens et de deux anges apprenant à jouer du psaltérion à un Enfant Jésus potelé.

Du centre parisien, le type de la Vierge d'Humilité dans un jardin se diffuse vers les Pays-Bas et les pays rhénans par les voyages d'artistes ou la circulation de

cat. 17

modèles : la *Vierge dans un jardin de paradis* du Maître de Saint-Laurent en est un des premiers exemples. Peut-être formé d'abord en Westphalie sous l'influence de Conrad de Soest, le Maître a travaillé dans l'atelier colonais du Maître de la Véronique, et il exprime ici la quintessence du *Weiche Stil* : souplesse et élégance de la ligne dans les drapés, raffinement de l'harmonie colorée, notamment dans les tuniques et les ailes des anges, douceur et grâce des expressions. L'attitude et les regards des personnages convergent autour de l'Enfant Jésus jouant de la musique, dans une atmosphère de tendresse et d'intimité joyeuse propice à la contemplation.

En effet, si ce petit panneau trouve les sources de son iconographie dans la peinture de manuscrits, il en est aussi en quelque sorte le prolongement matériel : son très petit format correspond exactement à celui d'un livre d'heures, dont la peinture forme le substitut. C'est le type même d'une œuvre de dévotion privée, destinée à alimenter la ferveur de la méditation et de la prière, l'image ici se substituant entièrement au texte.　　　　　　　　　　　É. A.

18 | Vierge à l'Enfant dans une prairie

Cologne, vers 1420-1425
Peinture sur bois
H. : 18 ; l. : 12,5
Cologne, Wallraf-Richartz-Museum
– Fondation Corboud, inv. WRM 337

Bibliographie : ZEHNDER, 1990, p. 131-132.

Comme la *Vierge dans un jardin de paradis* du Maître de Saint-Laurent (cat. 17), ce petit tableau adopte le format d'un livre d'heures, correspondant à sa fonction d'œuvre de dévotion privée.

Sa composition originale manifeste pleinement l'engouement des peintres colonais pour la représentation de la Vierge dans un jardin clos, visible chez le Maître de la Véronique, le Maître de Saint-Laurent, et dans l'œuvre célèbre de Stefan Lochner (cat. 19 et fig. D, p. 24). Le jardin clos est en effet représenté ici de manière toute spirituelle. Dans le paysage de collines, le rideau d'arbres suffit à définir l'*hortus conclusus* et sa prairie fleurie, tandis que c'est la Vierge elle-même – *Sancta Maria Ma [ter Dei]* (Sainte Marie Mère de Dieu), selon l'inscription figurant sur son nimbe comme sur celui de la Vierge du Maître de Saint-Laurent –, qui est le jardin clos. Quoique représentée en Vierge d'Humilité, la Vierge semble assise sur un trône, au milieu d'une prairie dont les plantes aux gracieuses formes de palmes accompagnent les lignes souples des drapés et évoquent les fleurs des champs, sans être davantage identifiables.

Ce tableau témoigne des influences diverses qui interviennent dans l'élaboration du motif de la Vierge dans un jardin clos durant le premier quart du XVe siècle, avant sa large diffusion le long du Rhin : influences iconographiques, avec le thème de la Vierge d'Humilité dans un jardin ou une prairie emprunté à la peinture du nord de l'Italie ; influences stylistiques, avec la forme caractéristique des bosquets d'arbres perchés sur des buttes triangulaires qui évoquent les enluminures parisiennes de l'atelier du Maître de Boucicaut ou du Maître de la Mazarine.

L'œuvre diffère de l'évocation riante des joies du paradis du Maître de Saint-Laurent par sa composition centrée sur la Vierge et sur le visage mélancolique de celle-ci. La Vierge contemple la fleur rouge qu'elle tient à la main, qu'on a voulu identifier, de manière erronée, comme un silène dioïque. Le même type de fleurette décorative orne, en motif poinçonné, le cadre du tableau et, visiblement, l'auteur anonyme de ce petit tableau ne s'attachait guère à la représentation réaliste d'une espèce précise. Par sa couleur rouge, en revanche, la fleur évoque la Passion du Christ, et la Vierge semble méditer sur le destin de cette fleur issue de la souche de Jessé (cat. 4).　　É. A.

cat. 18

19 | Vierge au palis* de roses

Guillaume Durand, *Rationale divinorum officiorum*
Cologne, vers 1450
Peinture sur parchemin
H. : 37 ; l. : 26,5 ; 207 f^{os}
Bruxelles, Bibliothèque royale de Belgique,
ms. KBR 9213

Bibliographie : MASAI, WITTEK, 1978, t. III, n° 305, p. 55-56,
pl. 554-556 ; Bruxelles, 1991-1992, n° 17, p. 88-89 ; Cologne,
1993, n° 85, p. 418-419.

Ce manuscrit du *Rationale divinorum officiorum* de
Guillaume Durand († 1296), exécuté pour Edmond de
Mailberch, doyen des chanoines de la cathédrale
d'Aix-la-Chapelle, témoigne de la diffusion du thème
de la Vierge dans un jardin de paradis dans la peinture
rhénane. Sur la page de frontispice, peinture colonaise
et tradition aixoise se mêlent : l'enlumineur s'est inspiré de deux peintures majeures de Stefan Lochner, la
Vierge au palis de roses (fig. D, p. 24) et la *Vierge à la
violette* (fig. 19a), pour installer la scène de dédicace
traditionnelle de la cathédrale à la Vierge par son fondateur, Charlemagne.

Le copiste du manuscrit, Gerlach de Brunen, prêtre
du diocèse de Cologne, a signé et daté l'achèvement
de son travail : le 5 mars 1450. La peinture en pleine
page du frontispice, seule enluminure du manuscrit,
date donc vraisemblablement de la même année, où
l'on situe également l'achèvement de la *Vierge au palis
de roses* de Lochner. Ce manuscrit témoigne du retentissement immédiat de ce chef-d'œuvre, sans doute la
dernière œuvre du maître.

Le peintre de ce manuscrit, nettement moins habile,
a simplifié de beaucoup la composition de Lochner
pour mettre en évidence la relation entre Charlemagne
présentant le modèle de la cathédrale et le groupe de
la Vierge à l'Enfant. Les anges ont disparu et la Vierge
n'est plus une Vierge d'Humilité assise à même le sol :
couronnée, elle trône en reine des cieux sur une banquette* de gazon (cat. 82). L'artiste a gardé l'évocation
du jardin de paradis avec son tapis de fleurs et sa banquette de gazon, esquissés de façon assez fruste. On y
distingue des feuilles de violettes et des fraisiers. Derrière la Vierge, le palis de roses a perdu le caractère
structurel que lui avait donné Lochner : il flotte dans

Fig. 19a
Vierge à la violette,
Stefan Lochner,
avant 1454,
peinture sur bois.
Cologne, Erzbischöfliches
Diözesanmuseum

Fig. 19 b
Vierge au buisson de roses,
Martin Schongauer, 1473,
peinture sur bois.
Colmar, église
Saint-Martin (avec
l'aimable autorisation
du Conseil de fabrique de
la paroisse Saint-Martin
de Colmar)

l'espace, comme irréel. Les roses rouges, annoncia-
trices de la Passion du Christ, rayonnent autour de la
couronne et du nimbe de la Vierge, elles en semblent
comme le prolongement : la Vierge apparaît telle une
rose au milieu des roses (cat. 20). D'un geste délicat,
qui reprend en l'inversant celui de la *Vierge à la violette*, la Vierge tient une fleur : un tendre jeu s'esquisse
entre la Mère et l'Enfant Jésus qui lui tend une fleur.

Diffusé notamment par la gravure (cat. 21 et 22),
le thème à la fois spirituel, poétique et courtois de
la Vierge dans un jardin de paradis connut un grand
succès dans la peinture rhénane de dévotion, comme
en témoigne la fameuse *Vierge au buisson de roses* de
Martin Schongauer (fig. 19b).   É. A.

cat. 20

20 | Vierge au rosaire

Livre d'heures à l'usage d'Utrecht
Pays-Bas du Nord, 1526
Peinture sur parchemin
H. : 17,8 ; l. : 13,3 ; 119 f^os
Cambridge, The Syndics of the Fitzwilliam
Museum, Ms Mc Clean 99, f° 76v°

Bibliographie : MONTAGUE, 1912, n° 99, p. 215-217 ; BYVANCK, 1937, p. 112 et 130, fig. 260 et 261.

Cette représentation de la Vierge en gloire dans un rosaire illustre un «suave rosaire de Notre Dame», cycle de prières inclus dans un livre d'heures en flamand à l'usage du diocèse d'Utrecht, copié en 1526 par la sœur Gertrude Van Doetinchem. La présence de ces prières et de cette image au sein d'un livre d'heures traduit le succès de la dévotion au rosaire à la fin du XVe siècle et au début du XVIe siècle aux Pays-Bas et dans les pays germaniques.

La dévotion à la Vierge comme rose mystique est cependant beaucoup plus ancienne et s'inscrit dans le développement de la dévotion mariale dès le XIIe siècle, notamment autour de saint Bernard, pour qui «Marie a été une rose, blanche par sa virginité, vermeille par sa charité ; [...] blanche par l'amour de Dieu, vermeille par sa compassion pour le prochain» (PL, 184, col. 1020-1022).

Dès le XIIIe siècle, la récitation de prières mariales ou tout simplement des *Ave Maria*, calquée sur la récitation des cent cinquante psaumes, prit la forme d'un «psautier marial», encouragée notamment par saint Dominique qui avait placé l'ordre des prêcheurs directement sous la protection de la Vierge Marie. Sous la forme du rosaire (cinquante *Ave Maria*) ou du psautier marial (cent cinquante *Ave Maria*), la récitation de la salutation angélique était devenue pratique courante dans les couvents et les béguinages. Elle s'appuyait sur des chapelets appelés rosaires, dont les grains servaient à compter les prières. Rosaire, *rosarium* en latin, le terme était déjà couramment utilisé pour désigner un florilège de textes ou de prières. Passé en français sous les noms de rosaire ou chapelet de roses, en allemand comme *Rosenkranz*, il désignait à la fois l'objet support de la prière et la prière elle-même. Les *Ave Maria* étaient autant de roses, et dire

Fig. 20a
Annonciation au rosaire, Veit Stoss, 1517-1518, bois polychrome
Nuremberg, église Saint-Laurent

des prières était comme tresser un chapel* de roses pour la Vierge, la Bien-Aimée.

Deux psautiers mariaux réalisés vers 1500-1515 pour les dominicaines d'Unterlinden (Karlsruhe, Badische Landesbibliothek, ms. St. Peter perg. 111 et ms. St. Peter pap. 20) sont précédés d'un texte donnant des instructions pour la récitation du rosaire, véritable exercice spirituel ; la religieuse doit, à partir de ses prières, créer en imagination un rosaire formé de trois cinquantaines de fleurs. La première cinquantaine sera faite de violettes séparées en dix unités par dix roses pour le Notre Père ; la seconde sera faite de cinquante roses rouges séparées en dizaines par des roses blanches ; la troisième sera composée de lis séparés par dix roses rouges. Violette de l'humilité, rose de la charité, lis de la chasteté sont bien les fleurs de la Vierge…

Au cours du XVe siècle, les chartreux et les dominicains encouragèrent fortement cette dévotion, autour de laquelle se multipliaient les légendes merveilleuses. Dans le recueil des *Miracles de Notre-Dame par personnages* rassemblé au XIVe siècle, se trouve l'histoire d'un pieux marchand qui, traversant une forêt lors d'un voyage, s'arrête pour réciter son psautier marial ;

les prières se transforment sur ses lèvres en roses que la Vierge tresse en une couronne qu'elle place sur la tête du marchand. Témoins de la scène, les brigands qui s'apprêtaient à l'attaquer se convertirent… Pour mieux assurer l'autorité de cette dévotion, on l'attribuait à saint Dominique lui-même, qui aurait reçu l'ordre de cette prédication lors d'une apparition miraculeuse de la Vierge.

En 1480, un moine bénédictin de Liège, Adrien d'Oudenbosch, évoquait ainsi les origines de la dévotion au rosaire : « Le Rosaire – ainsi appelle-t-on la répétition, cinquante fois de suite, de la Salutation angélique – est d'un usage très ancien. Il faut en dire autant du psautier de Marie, composé de cent cinquante Ave ; de pieux personnages l'ont pratiqué il y a plus de trois cents ans. […] dans mon enfance, ma pieuse mère m'avait appris à dire un Notre Père après récitation de dix Ave Maria ; et de fait tel était l'usage en Brabant, en Flandre et en Hollande. »

La dévotion au rosaire venait alors de franchir un pas décisif. En 1475, alors que la ville de Neuss est assiégée par Charles le Téméraire, le prieur des dominicains, Jakob Sprenger, fait le vœu d'instituer une confrérie vouée à la Vierge et de remettre à l'honneur la dévotion au rosaire si le siège est écarté. Son vœu étant exaucé, la fraternité du Rosaire est fondée à Cologne le 8 septembre 1475. Reposant sur le principe de la mise en commun des mérites des frères et dotée dès 1478 de nombreuses indulgences, la confrérie connaît aussitôt un immense succès et popularise la dévotion au rosaire parmi les laïcs (5 000 adhésions à Cologne dès 1476, 50 000 en 1477…). C'est à ce moment que se fixe la récitation du rosaire sous la forme de trois chapelets de cinq dizaines chacun, chaque dizaine s'achevant par un Notre Père et rappelant successivement les «mystères» de la vie de la Vierge : mystères joyeux, douloureux, puis glorieux. À partir du foyer colonais, la dévotion se répand le long de la vallée du Rhin, aux Pays-Bas et dans toute l'Allemagne (fig. 20a). La confrérie, profitant des progrès de l'imprimerie, diffuse ses principes par le biais d'opuscules illustrés (ainsi le *Erneuerte Rosenkranz-Bruderschaft* de Jakob Sprenger, publié à Augsbourg en 1475, ou le *Unser lieben Frauen Psalter*, édité six fois entre 1483 et 1495) et de gravures. Le goût pour des rosaires luxueux aux grains ouvragés se répand, en

particulier en Flandre, où les pendants qui achèvent le rosaire (*Gebetsnuss* ou noix de prière) deviennent de véritables petits joyaux sculptés comme de minuscules autels portatifs.

La représentation de la Vierge au rosaire pénètre aussi dans les livres d'heures, ainsi sur cette enluminure qui présente la Vierge en gloire dans un rosaire, couronnée par deux anges, figurée à la fois comme protectrice du peuple chrétien agenouillé à ses pieds et comme la Femme de l'Apocalypse, un croissant de lune sous ses pieds, image de l'Immaculée Conception. Le rosaire, formé de perles de corail rouge séparées par des fleurs d'aubépine, rappelle le rosaire spirituel des dominicaines d'Unterlinden.

Dans les marges, peintes à l'imitation des marges ganto-brugeoises (cat. 27, 48, 81 et 99) avec cependant une moins grande maîtrise des effets illusionnistes, sont semées des fleurs symboliques de la Vierge (lis, violette, rose, églantine) ainsi que des fraisiers, dont les fleurs blanches symbolisent la pureté et les fruits les œuvres du juste. Ce sont aussi les fleurs d'un univers familier auquel viennent se mêler papillons, mouches, oiseaux et escargots.

Dans la partie inférieure des marges figurent des scènes courtoises et champêtres : une jeune fille couronne un berger d'un chapel de feuillage, tandis qu'en vis-à-vis, sur l'autre page, deux dames jouent de la musique dans une prairie, comme dans le jardin d'amour du chansonnier de Tournai (cat. 35). Ce décor marginal rappelle que l'offrande de la couronne de roses est une pratique ambivalente, aussi vivante dans le domaine profane, où l'on couronne l'Aimé/e d'un chapel de roses ou de verdure, que dans le domaine spirituel. Selon un acte de 1458, les béguines de Lille devaient fournir aux chanoines de Notre-Dame-de-la-Treille «ung chappeau de roses ou de violettes ou d'autres verdures selon la saison, lequel chappeau sera offert et posé sur le chief de l'ymage de Nostre Dame en la chapelle que l'on dist a la Treille en nostre diste église». Ainsi, pour le Mai, mois de Marie et fête du renouveau printanier et de l'amour, une jeune fille, la reine de Mai, assise sous un berceau couvert de roses, était couronnée d'un chapel de roses, de même que les statues de la Vierge recevaient en offrande des couronnes de roses, comme le mystique Henri Suso affirme dans son autobiographie en avoir tressé.   É. A.

cat. 21

LE JARDIN D'ÉDEN

21 | Grand *Hortus conclusus*

Maître E. S. (actif entre les années 1440 et 1467),
Rhin supérieur, vers 1450
Gravure sur cuivre
H. : 21,3 ; l. : 16,5
Paris, Bibliothèque nationale de France,
département des Estampes, inv. Ea 40 rés.

Bibliographie : LEHRS, 1908-1934, II, n° 83, p. 152-154 et pl. 50,
n° 126 ; GEISBERG, 1923-1924, p. 25-26 et pl. 14 ; HÉBERT, 1982,
n° 77, p. 42-43 ; Paris, 1991-1992, n° 15, p. 36-37 (concerne
l'exemplaire conservé au musée du Louvre).

Au thème de la Vierge à l'Enfant dans un jardin clos,
étroitement mêlé à celui du jardin de paradis, s'est vite
associé celui de la sainte Conversation. Apparu à la fin
du XIVᵉ siècle, le thème de la sainte Conversation
montre la Vierge dans un intérieur, sur un trône, avec
des saints et des saintes à ses pieds, ou, fréquemment,
la Vierge dans un jardin clos et, autour d'elle, les
saints, ou plus souvent les saintes, assis sur une prairie
fleurie. Au début du XVᵉ siècle, cette scène connaît un
grand succès dans la peinture, en particulier auprès des
peintres germaniques, et se diffuse grâce à la gravure.

Le Maître E. S., artiste prolifique (plus de trois
cents gravures lui sont attribuées), a traité à de nombreuses reprises le thème du jardin clos, dans le
registre religieux, comme sur ce *Grand Hortus conclusus*, mais aussi dans le registre profane, avec ses variations sur le jardin d'amour (cat. 44 et 45).

Le *Grand Hortus conclusus* est une des œuvres les
plus accomplies de la jeunesse de l'artiste, avant sa
phase de maturité des années 1450-1460. Sa composition triangulaire, d'une symétrie rigoureuse ordonnée
autour de l'axe central de la Vierge et de l'Enfant
Jésus, est fréquente chez le Maître E. S., qui l'utilise
notamment pour la *Vierge trônant entre deux anges*
(L., 83) : dans le *Grand Hortus conclusus*, la niche et la
banquette* de gazon forment le trône de Marie, reine
de cieux figurés ici comme un jardin céleste. Adossée
à une niche aux baies romanes dont les murs bas
délimitent l'*hortus conclusus*, la Vierge lit, assise sur un
coussin posé sur une banquette de gazon bordée de
planches en bois (cat. 82, 83 et 84). Deux anges jouant
de la harpe et du luth l'entourent, tandis que dans le
jardin, l'Enfant Jésus joue entre sainte Marguerite et
sainte Catherine.

Deux traits sont caractéristiques de la première
période de l'artiste : l'influence de la peinture bâloise
et en particulier de Konrad Witz, bien visible ici dans
les visages des deux saintes, dérivés des saintes Marie-
Madeleine et Catherine du retable d'Olsberg (?) (vers
1445, Strasbourg, musée des Beaux-Arts), mais surtout
la profusion et la précision dans la représentation
des végétaux du jardin. Au fil des années, l'artiste évo-
luera vers une figuration plus stylisée et moins exu-
bérante du monde végétal. La présence de cyclamens
sauvages dans les œuvres du Maître des Cartes à jouer
a incité à situer l'origine de celui-ci en Suisse, dans la
région environnant le lac de Constance, où se trouve
cette flore spécifique. Les cyclamens représentés dans
ce *Grand Hortus conclusus* confirment donc l'origine
probable du Maître E. S. de cette même région, ainsi
que ses liens, dans sa jeunesse, avec le Maître des
Cartes à jouer. Le Maître E. S., dans ses premières
années, prend un plaisir évident à évoquer avec précision les formes variées de la flore, composant un fond
touffu dont les formes décoratives ne sont pas sans
évoquer la tapisserie.

Au sol, lis, lierre terrestre, trèfle, cyclamen, pâquerette, plantain, saponaire, narcisse, muguet et compagnon se côtoient, tandis que sur la banquette sont
reconnaissables des fraisiers, des violettes, des
jacinthes et des cyclamens. Ils composent une banquette verdoyante évocatrice de la couche fleurie des
amoureux du Cantique des cantiques (1, 16).

Jardin céleste, ce jardin est en effet celui de l'âme,
où se déroulent les noces mystiques, figurées ici par
la rencontre courtoise entre sainte Catherine tendant
une rose à l'Enfant Jésus en gage d'amour et un
Enfant Jésus déguisé en chevalier. Au langage spirituel
se mêlent les observations puisées dans la réalité
quotidienne : comme les petits enfants du XVᵉ siècle,
l'Enfant Jésus joue au chevalier avec un bâton en
guise de cheval et une baguette pour épée. Le nombre
important d'épreuves de cette gravure parvenues jusqu'à nous (sept) témoigne de la large diffusion d'une
œuvre qui met en image l'interprétation à la fois érotique et mystique du Cantique des cantiques courante
dans les couvents féminins au XVᵉ siècle, où l'âme
dévote est le jardin où l'Enfant Jésus vient « jouer »,
c'est-à-dire s'unir à l'âme.
                                                    É. A.

22 | La Vierge et l'Enfant Jésus parmi les vierges au jardin de paradis

Maître de la Passion de Berlin
(actif entre 1457 et 1470), Rhin inférieur
Gravure sur cuivre
H. : 26,8 ; l. : 19
Paris, Bibliothèque nationale de France, département
des Estampes, inv. Ea 18c rés., I, pet. fol.

Bibliographie : LEHRS, 1900, nº 40, p. 149 ; LEHRS, II, 1915, nº 37,
p. 88-90 et pl. 97, nº 256 ; HOLLSTEIN, XII (1949), p. 89 ; HÉBERT,
1982, nº 159, p. 60-61.

cat. 22

La représentation de la Vierge dans un jardin clos, entourée de saintes, abonde tant dans la peinture que dans la gravure flamande et germanique de la seconde moitié du XVᵉ siècle. Les artistes exécutent des variations sur ce thème, entourant la Vierge de deux (cat. 21), quatre, six, voire huit saintes, comme dans cette composition extrêmement dense du Maître de la Passion de Berlin.

La Vierge, portant la couronne impériale, y figure en reine des cieux, entourée de sa cour céleste d'anges et de saintes, elle est la *virgo inter virgines*, la Vierge parmi les vierges. Toutes ces épouses de l'Enfant Jésus sont assises dans l'*hortus conclusus*, prairie fleurie fermée par un simple plessis*. Modeste, le jardin n'évoquerait pas le Paradis céleste s'il n'était entouré par les anges, dont trois chantent à pleine voix le *Gloria in excelsis Deo*, tandis que les trois autres les accompagnent du luth, de l'orgue et de la harpe. Entre les deux groupes d'anges apparaissent Dieu le Père et la colombe du Saint-Esprit.

Au premier plan, sainte Catherine, couronnée, reçoit de l'Enfant Jésus l'anneau nuptial ; derrière elle, les autres personnages entourent la Vierge : sainte Marie-Madeleine soulevant le couvercle de son pot à onguents, sainte Dorothée tendant une corbeille de roses à la Vierge, sainte Agathe exhibant les tenailles de son martyre, deux anges servant la Vierge, sainte Marguerite terrassant le dragon de sa prière et de sa croix, sainte Apolline tenant une dent, sainte Barbe lisant près de sa tour et sainte Agnès tenant d'une main la palme du martyre et offrant de l'autre un anneau à l'Enfant Jésus. Toutes ces saintes, vierges et martyres à l'exception de Marie-Madeleine, assises en cercle, forment comme une couronne de fleurs autour de la Vierge et de l'Enfant Jésus, debout, nu ; elles sont le «jardin merveilleux» de l'Époux. La composition de cette gravure repose sur l'emboîtement de couronnes ou de cercles successifs : cercle des anges musiciens, puis du plessis, puis des huit saintes, pour aboutir au groupe central de l'Enfant Jésus et de la Vierge qui, puisant dans la corbeille de fleurs que lui tend sainte Dorothée, est en train de tresser elle-même une couronne, un chapel* de roses.

La rose est en effet l'un des attributs traditionnels de la Vierge, vénérée dans les hymnes mariaux comme la «rose sans épine», c'est-à-dire conçue sans la tache du péché originel, à l'instar des roses qui, selon la tradition, fleurissaient l'Éden avant la Chute. Le thème de cette gravure est très certainement lié au développement de la dévotion au rosaire au XVe siècle (cat. 20). Évocatrice de la Vierge, la rose est cependant demeurée la fleur de Vénus et de l'amour profane. Ainsi, l'activité dans laquelle est plongée la Vierge est caractéristique des plaisirs courtois associés au renouveau printanier : les jeunes filles y tressent des chapels de roses pour couronner l'élu de leur cœur (cat. 20, 27, 36 et 92). La Vierge semble donc s'apprêter à couronner l'Enfant Jésus, l'Époux, descendu dans son jardin, symbolisant l'union mystique à laquelle aspirent toutes les saintes, rassemblées en une véritable cour d'amour. L'artiste a joué avec brio de l'ambiguïté entre vision céleste et poétique courtoise : les saintes rivalisent d'élégance et de recherche dans leur coiffure (couronne, chapel de fleurs, bandeau torsadé, cercle de tête rehaussé de perles), et l'absence de nimbe sur tous les personnages accentue le caractère profane de la représentation.

Épreuve unique, cette gravure occupe une place à part dans l'œuvre du Maître de la Passion, ou Israhel Van Meckenem l'Ancien, qui fut probablement le père d'Israhel Van Meckenem (cat. 41) : c'est la seule œuvre de grand format conservée de cet artiste, orfèvre et graveur, qui travaillait habituellement sur de plus petits formats.   É. A.

23 | Vierge à la fontaine

Jan Provoost (Mons, vers 1462 – Bruges, 1529), vers 1510
Peinture sur bois
H. : 26,5 ; l. : 17,6
Plaisance, Galleria Alberoni

Bibliographie : FRIEDLÄNDER, 1931 ; ARISI, MEZZADRI, 1990, n° 21, p. 173-175.

Ce tableau constituait probablement à l'origine le volet d'un diptyque, voire d'un triptyque. D'après les inventaires de la collection du cardinal Alberoni, en 1735, il avait déjà été séparé de son revers (cat. 109), orné d'un bouquet de fleurs dans un verre symbolisant la virginité de Marie, pour former deux peintures indépendantes.

Jan Provoost illustre dans cette petite œuvre de dévotion le thème de la Vierge comme jardin clos, thème qu'il avait déjà traité de manière moins complexe dans une œuvre de jeunesse (Friedländer n° 165), et qu'il reprend ici sous forme d'hommage à Jan Van Eyck. Sa *Vierge à la fontaine* s'inspire en effet très clairement de celle peinte en 1439 par le peintre flamand (fig. 23a). Celle-ci, la seule Vierge connue de Van Eyck qui ne soit pas figurée dans un intérieur, a influencé nombre d'artistes flamands aux XVe et XVIe siècles, qui l'ont dessinée (Berlin, Kupferstichkabinett, inv. KdZ 579), copiée et interprétée plus ou moins fidèlement.

Fig. 23a
Vierge à la fontaine, Jan Van Eyck, 1439, peinture sur bois. Anvers, Koninklijk Museum voor Schone Kunsten

cat. 23

La différence majeure entre l'œuvre de Provoost et son modèle tient à la position de la Vierge : debout chez Van Eyck, elle est ici assise sur une banquette* fleurie et tient un livre sur ses genoux. Jan Provoost a repris très précisément la forme de la fontaine de laiton eyckienne, avec sa vasque surmontée d'une colonne où trône un lion assis et ses mufles de lions crachant l'eau. C'est cette fontaine, visible au premier plan, qui structure la composition de manière asymétrique et lui donne sa signification : la Vierge, telle la Fiancée du Cantique des cantiques est la « fontaine des jardins » (Cantique des cantiques, 4, 15-18), elle est un jardin clos. Comme sur le tableau de Van Eyck, la Vierge se détache devant un dais tenu par deux anges. Dans le paysage visible derrière la fontaine, les deux petits personnages de dos, marchant vers l'église, sont aussi une allusion à Van Eyck, mais, cette fois, au paysage figurant à l'arrière-plan de la *Vierge au chancelier Rolin* (fig. 24a).

Par quelques modifications, Provoost a enrichi le sens de cette composition : la Vierge, assise, tenant le livre sur ses genoux, est une évocation de l'Église, trône de la Sagesse ; elle est à la fois épouse et mère du Christ. Les trois angelots qui la couronnent donnent au jardin clos son caractère céleste et paradisiaque.

Jan Provoost affectionnait représenter les jardins et, à plusieurs reprises dans son œuvre, apparaissent en arrière-plan des banquettes de verdure et des clôtures palissées* de roses ou d'arbustes, notamment sur les volets du *Polyptyque de la généalogie de la Vierge* représentant respectivement Zacharie et sainte Emerencie (Madrid, musée national du Prado et Paris, musée du Louvre).

Ici, les rosiers palissés entourent la Vierge, figurée comme la rose au milieu des roses (cat. 20). À côté d'elle, sur la banquette de verdure, pousse un iris (cat. 98) ; appelé couramment *gladiolus* au Moyen Âge, en raison de ses feuilles en forme de glaive (*Schwertlilie* en allemand), l'iris symbolise les douleurs qui transperceront le cœur de la Vierge au cours de la vie de Jésus. La prairie fleurie aux pieds de la Vierge est semée de pâquerettes, de pensées, de plantain et de pissenlits (cat. 102) dont le nom latin, *dens leonis*, évoque, comme les lions de la fontaine, les lions de la tribu de Salomon et la royauté du Christ.   É. A.

24 | Vierge à l'Enfant, avec sainte Marie-Madeleine et une donatrice

Maître de la Vue de Sainte-Gudule, Bruxelles, vers 1475-1480
Peinture sur bois
H. : 56,8 ; l. : 50,1
Liège, musée d'Art religieux et d'Art mosan, inv. A9

Bibliographie : Bruges, 1960, n° 54, p. 134-135 ; Detroit, 1960, n° 27, p. 133-135 ; Gand, 1960, n° 175, p. 143-144 ; Bruges, 1969, n° 54, p. 116-119 et 250-251 ; Paris, 1981-1982, n° 86, p. 54-55 ; Bruxelles, 1984, n° 1, p. 89.

Cette peinture, une des premières œuvres du Maître de la Vue de Sainte-Gudule, peintre bruxellois actif dans le dernier quart du XVe siècle, mêle plusieurs sources d'inspiration et plusieurs degrés de réalité : au premier plan, une donatrice non identifiée, présentée par sainte Marie-Madeleine, est en prière devant la Vierge et l'Enfant Jésus. La loggia où se situe la scène s'ouvre sur un jardin formé de plates-bandes rectangulaires, bordé d'une banquette* de gazon et d'un mur crénelé. Au-delà du mur, la vue s'étend sur une ville et son port, un paysage fluvial et montagneux.

La composition de ce tableau s'inspire de deux œuvres majeures des maîtres flamands de la génération précédant le Maître de la Vue de Sainte-Gudule : la *Vierge au chancelier Rolin* par Jan Van Eyck d'une part (fig. 24a), et *Saint Luc peignant la Vierge* de Rogier Van der Weyden (fig. 24b), qui ornait probablement la salle de la confrérie de la guilde des peintres de Bruxelles, d'autre part. À Van Eyck, le peintre bruxellois a emprunté la composition générale, le tête à tête de la Vierge à l'Enfant et d'un donateur, et le jardin sous la loggia, tandis que le cadre architectural et la vue de l'arrière-plan semblent plus directement influencés par Van der Weyden. Cependant, à comparer les trois peintures, des différences notables apparaissent : dans la peinture du Maître de la Vue de Sainte-Gudule, les éléments profanes se mêlent à la scène de prière, et l'atmosphère, baignée d'une lumière chaude et douce, est d'une spiritualité moindre que dans la *Vierge au chancelier Rolin*. Si l'on suit les analyses d'Erwin Panofsky[1], reprises par Louis Grodecki[2], la loggia figurée dans la *Vierge au chancelier Rolin* représente le temple de Jérusalem aux colonnes de jaspe et de porphyre, voire la Jérusalem céleste, et c'est une vision

cat. 24

LE PARADIS PERDU :

du jardin paradisiaque qui apparaît à l'arrière-plan, jardin de paradis et *hortus conclusus* protégé par le mur crénelé. Le Maître de la Vue de Sainte-Gudule reprend le même cadre, une loggia aux colonnes romanes qui, selon les analyses de Panofsky, symbolise chez les peintres flamands le monde de l'Ancien Testament : mais le jardin que l'on aperçoit paraît davantage appartenir à l'univers courtois qu'à la Jérusalem céleste. Les trois personnages vus de dos, juchés sur la banquette de gazon pour regarder le paysage, semblent échappés d'un roman courtois. Vêtus de costumes à la mode, ils évoquent un univers bien profane, et il serait difficile de leur donner un rôle symbolique dans la scène sacrée qui se joue au premier plan. Les silhouettes dansantes de ces personnages rappellent le style du Maître du Champion des dames (cat. 33) et le milieu artistique lillois, dans lequel s'est peut-être formé le Maître de la Vue de Sainte-Gudule.

Derrière ces personnages, le jardin clos, espace intermédiaire entre la scène sacrée et le paysage urbain, apparaît comme la représentation typique d'un jardin de ville de la fin du XVe siècle, formé d'un ensemble de plates-bandes surélevées et entourées de petits murets de briques. Le peintre ne s'est pas soucié de rendre dans le détail les espèces plantées dans les différents carrés : on reconnaît cependant au premier plan de la lavande, et à l'arrière-plan des œillets rouges, tandis que sur la banquette de gazon poussent des iris et des ancolies. Dans un des carrés sont plantés trois arbustes taillés en plateau* (cat. 87), dont le plus grand porte des cercles crénelés sur trois niveaux.

L'atmosphère profane de cet arrière-plan trouve un écho dans le groupe de la Vierge et de la donatrice : sous le regard attendri de la Vierge, l'Enfant Jésus joue avec le rosaire (cat. 20) de la donatrice. Loin du grave Enfant Jésus de Van Eyck bénissant le chancelier Rolin, l'Enfant Jésus est ici un enfant espiègle, instaurant un lien affectueux et mutin avec la donatrice, comme dans les scènes de mariage mystique entre l'Enfant et sainte Catherine (cat. 22) ou avec la Vierge-Épouse. Dévotion et amour courtois empruntent un même langage et de mêmes figures, où se mêlent *hortus conclusus* et jardin courtois.   É. A.

1. Panofsky (E.), *Les Primitifs flamands*, Paris, 1992, p. 251-268.
2. Grodecki (L.), « Un chef-d'œuvre de Jean van Eyck, la "Vierge Rolin" du Louvre », *Le Jardin des arts*, n° 14, 1955, p. 81-86.

Fig. 24a
Vierge au chancelier Rolin, Jan Van Eyck,
vers 1435, peinture sur bois.
Paris, musée du Louvre

Fig. 24 b
Saint Luc peignant la Vierge, Rogier Van der Weyden,
vers 1440, peinture sur bois.
Boston, Museum of Fine Arts

25 | Coffret

Flandre, fin du XIVe siècle
Âme de bois, cuir moulé, incisé, estampé
et polychromé
L. : 26 ; l. : 18,5 ; h. : 12,5
Paris, musée national du Moyen Âge – thermes
de Cluny, inv. Cl. 17506

Bibliographie : KOHLHAUSEN, 1928, n° 72, p. 88, fig. 35 ; MARIEN
DUGARDIN, 1952, XXIV, p. 101-110 ; GALL, 1965, p. 78-80 ; CHERRY,
1982, p. 131-140 ; ERLANDE-BRANDENBURG, LE POGAM, SANDRON,
1993, n° 50, p. 53 ; CAMILLE, 2000, p. 42.

Ce coffret, dont l'iconographie mêle intimement scènes courtoises et dévotion à la Vierge, est très vraisemblablement un présent de fiançailles ou de mariage. Une série de couples assis dans une prairie piquée de fleurs stylisées s'y détache sur un fond doré, orné de feuillages trilobés poinçonnés. La composition du décor repose sur une rigoureuse symétrie : à l'intérieur de chaque scène, symétrie du couple de part et d'autre d'un arbre au feuillage circulaire ou d'une ferrure ; de part et d'autre du coffret, symétrie des scènes qui sont autant de variations sur le thème de l'échange de présents (fleur, ceinture, anneau), gages d'amour et de fidélité. Sur les petits côtés, couple «noble» et couple «rustique» se font pendant, tandis que sur les longs côtés s'effectue le don du présent amoureux par excellence, la ceinture (symbole du contrôle des passions animales), de la dame à son amant d'un côté, et de l'amant à sa dame de l'autre.

Ces scènes prennent un relief particulier par leur association avec la représentation, à l'intérieur du couvercle du coffret, de la Vierge à l'Enfant assise dans un enclos délimité par des plessis*, un *hortus conclusus* doublement gardé par cette clôture et la serrure. Registre profane et religieux se rejoignent ici par l'assimilation objective entre le culte de la dame et celui de la Dame. L'inscription en flamand figurant sur le couvercle de ce coffret – « *Aen sien doe doet ghedenken* » («En regardant ceci, tu te souviendras») – est elle aussi ambivalente : la contemplation du coffret est-elle destinée à faire surgir le souvenir de l'aimé/e, ou celle de la Vierge à l'Enfant doit-elle stimuler la dévotion ? La même formule figure, un siècle plus tard, sur une xylographie du Christ en *Salvator Mundi* (Utrecht, Rijksmuseum Het Catharijneconvent) incitant clairement à la méditation sur l'image du Christ.

Tout un groupe de coffrets du même style a pu être attribué à la Flandre et daté de 1400 environ, soit par son histoire (celui du trésor de la cathédrale de Lucques, donné par Alderigo Antelminelli, marchand lucquois ayant vécu à Bruges, mort en 1401), soit par ses inscriptions (Bruxelles, musée du Cinquantenaire), soit par son style (coffret Talbot, Londres, British Museum ; New York, The Cloisters ; Nivelles, trésor de la collégiale Sainte-Gertrude). Seul celui de l'ancienne collection Cardon, aujourd'hui au Metropolitan Museum of Art de New York, offre la même association entre des scènes courtoises à l'extérieur et une Vierge à l'Enfant à l'intérieur, les autres présentant une iconographie purement religieuse.   É. A.

Le jardin d'amour : la quête du paradis sur terre

Le jardin du cœur

Marie-Thérèse Gousset

Jardin et littérature courtoise

Sacré ou profane, l'amour est la plus parfaite expression du bonheur. Pour le chanter, les auteurs médiévaux, pétris de culture biblique, ont fait naturellement référence tantôt à la Genèse, tantôt au Cantique des cantiques. Le souvenir du jardin, lieu idyllique où règne une harmonie parfaite entre les êtres et la nature, ressurgit dans la littérature empreint d'un lyrisme qui va de pair avec le développement de l'esprit courtois. L'Éden évoque le printemps du monde. Lorsque la sève s'éveille après le sommeil hivernal, que la nature s'engage dans un cycle nouveau, se parant d'une végétation naissante, toutes les promesses semblent possibles dans un univers neuf. Le printemps est ce recommencement, sorte de recréation porteuse d'espérance, inséparable de la notion de paradis terrestre. La célébration de cette saison, déjà présente dans le Cantique des cantiques[1], devint au Moyen Âge un motif littéraire si fréquent que les auteurs eux-mêmes lui donnèrent le nom de *reverdie*, terme signifiant «feuillée, verdure». Gautier de Coincy (1177/78-1236) emploie cette expression dans la *Pastourelle* et Guillaume de Machaut (vers 1300-1377) en parle dans le *Dit du lion*[2].

Avant de devenir un sujet incontournable, l'évocation de la nature printanière, choisie comme décor d'une idylle, ne donne pas lieu, dans un premier temps, à de grandes descriptions. Elle est discrète dans le roman *Girart de Roussillon*, écrit entre 1136 et 1180, où Girart s'adresse à la reine Elissent, sa bien-aimée, auprès d'un cytise, sans que le paysage de la rencontre soit davantage décrit[3]. Il en est de même dans le *Roman de Tristan*. Le passage consacré au rendez-vous de Tristan et Iseut sous le pin, près de la fontaine, dans le château de Tintagel, n'indique que les deux éléments indispensables au récit : l'arbre où se cache le roi Marc et la fontaine qui reflète son image. Révélant la présence du jaloux, la nature se fait complice des amants[4]. Les chansons des jongleurs évoquent à leur tour vergers*, printemps, fleurs et chants d'oiseaux. Même Macabru, censeur sévère des mœurs courtoises, ne dédaigne pas d'associer la nature aux poèmes d'amour[5]. La première strophe de *L'Amante du croisé* en témoigne :

Fig. 5
La carole de Déduit,
Guillaume de Lorris
et Jean de Meun,
Roman de la Rose,
Maître des livres
de prières d'environ
1500, Bruges,
vers 1490-1500,
peinture sur parchemin.
Londres,
The British Library,
Ms Harley 4425, f° 14v°

« À la fontaine du verger,

là où l'herbe est verte, près de la grève,

à l'ombre d'un arbre fruitier,

entourée des blanches fleurs

et au chant habituel de la nouvelle saison,

je trouvai seule, sans compagnie,

celle qui ne veut pas mon bonheur[6]. »

    La poésie lyrique latine n'est pas en reste par rapport à la littérature en langue vernaculaire. Ainsi le chanoine poète[7] Gautier de Châtillon (vers 1135-1182 ?), dans une œuvre au ton plutôt grave, débute son *Verna redit temperies* par un accord parfait entre nature, printemps et amour :

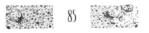

« La saison du printemps revient
qui parsème les prés de fleurs,
la terre en son aspect nouveau
sourit à nos mœurs,
pour qui l'amour est le repos,
la nourriture de notre faim [8]. »

La mise en roman des légendes de l'Antiquité, élaborée à la cour d'Henri II Plantagenêt, duc de Normandie et roi d'Angleterre (1154-1189), a été l'occasion pour les auteurs de prêter une plus grande attention non seulement à la nature mais aussi au jardin en tant que tel. C'est tout d'abord l'aspect extérieur du lieu protégé qui est retenu, vers 1150, dans le *Roman de Thèbes* :

« Le jardin est très beau et bien clos,
entouré de tous côtés d'une solide palissade,
sauf de devant, à l'entrée,
où il y avait une porte ouvragée [9]. »

À peu près à la même époque, le *Roman d'Enée* [10] ne se contente pas de dépeindre les champs élyséens, paradis des Anciens, comme un jardin fleuri, mais il en décrit les réjouissances :

« Ces champs étaient couverts de fleurs,
séjour de joie et de délices,
on y jouait à la palestre,
dans la liesse de fêtes sans fin.
Leurs hôtes n'avaient pas de corps,
mais ils étaient esprits ;
Quelques-uns chantaient et dansaient,
se divertissant avec entrain ; [...] [11]. »

Ce qui était, d'après le *Roman d'Enée*, récompense des bienheureux dans les champs élyséens, devient le propre de l'aimable société dont sont peuplés les jardins d'amour. Chrétien de Troyes, qui exerça son activité à la cour de Marie de Champagne puis de Philippe de Flandre entre 1160 et 1185, insiste dans *Cligès* [12] sur le rôle indispensable de la proximité de la nature et du divertissement que l'on peut y prendre. Fenice, enfermée dans une tour pour y vivre un amour dans un secret parfait, entend le rossignol au début du printemps. Le chant de l'oiseau aiguise en elle l'envie de voir le soleil et la verdure. Elle exprime à son ami, Cligès, son désir d'avoir un verger où elle puisse « se déduire », « s'esbanoier », autrement dit prendre du bon temps, se distraire et l'aimer en toute sécurité. Le jeune homme accède à sa volonté ; Fenice pourra jouir d'un jardin invisible de l'extérieur :

«Fenice ne désire d'autre lieu,
car sous l'arbre était le pré,
plein d'agrément et de beauté : [...].
C'est là que Fenice passe le temps
et qu'elle a fait un lit pour la journée.
Là ils se livrent à la joie et au plaisir.
Tout autour le verger est clos
d'un haut mur attenant à la tour.
Personne n'y pouvait entrer [...].
Fenice vit dans le bonheur[13].»

C'est ce même bonheur que s'attarde à chanter avec complaisance un troubadour anonyme dans *Les Adieux de l'amante*, où l'influence du Cantique des cantiques, perçu dans son sens profane, est manifeste :

«En un verger, sous l'aubépine, la dame a tenu son ami dans ses bras jusqu'à ce que le guetteur hèle : Dieu! C'est l'aube. Qu'elle vient donc vite! [...]

Beau doux ami, encore une caresse, en ce jardin où chantent les oiselets, jusqu'à ce que le guetteur sonne le chalumeau. Dieu! C'est l'aube. Qu'elle vient donc vite! [...]

Dans la brise qui vient de là-bas, où est allé mon bel ami, courtois et joyeux, de son haleine j'ai bu un doux rayon. Dieu! C'est l'aube. Qu'elle vient donc vite[14]!»

Le jardin d'amour est un lieu caché et bien séparé du monde. Chrétien de Troyes pousse l'image jusqu'au paradoxe. Dans *Erec et Enide*[15], l'épisode de «La joie de la cour» montre comment le jardin peut aussi devenir prison d'amour. Le chevalier Mabonagrain est retenu captif de sa dame dans un curieux verger dont la clôture est, par le fait d'un enchantement, une couche d'air plus dure que le fer :

«Autour du verger, il n'y avait
ni mur ni palissade, mais l'air seulement.
C'était de l'air qui de toutes parts
formait la clôture du jardin[16].»

Paradis refermé sur le bonheur de deux êtres, ce jardin magique est peuplé d'oiseaux d'espèces variées. Été comme hiver, les fleurs sont épanouies et les fruits, mûrs; l'on y trouve maintes épices et racines aux vertus curatives[17]. Mabonagrain et sa dame peuvent y vivre tels Adam et Ève en Éden. Plus significatif encore en matière de description, le *Roman d'Alexandre*, rédigé par Alexandre de Paris vers 1180[18], cite dans son évocation du «jardin des filles-fleurs» une série de plantes bénéfiques; elles croissent dans ce verger et la forêt qui

l'environne, riche d'essences rares comme la précieuse mandragore. Alexandre le Grand et ses soldats eurent le privilège d'en profiter, l'amour prodigué par les «filles-fleurs» restant au demeurant le remède suprême :

> «Il y avait dans le bois un verger très ancien,
> plein de poires et de pommes, d'autres fruits à foison,
> des dattes, des amandes, l'hiver comme l'été,
> caroubiers et nards ; […]
> on trouvait toutes les herbes les plus précieuses ; […].»

Manger de ces épices et se reposer un peu dans le verger suffisait à recouvrer la santé quelle que fût la maladie :

> «[…] par la vertu du parfum des herbes et de leur pouvoir médicinal».

Et l'auteur poursuit :

> «Toute demoiselle pouvait se livrer aux jeux de l'amour,
> s'offrir à son ami
> et le serrer dans ses bras tout son soûl […].
> Le verger était beau, la prairie délicieuse
> fleurait bon la réglisse et la cannelle,
> le galanga, l'encens, le zédoaire de Tudela.
> Tout au milieu du pré jaillit une fontaine
> d'eau claire sur du gravier blanc ; […][19].»

Le cadre dans lequel se déroule l'histoire d'Alexandre peut expliquer l'importance donnée à l'aspect exotique du jardin. Toutefois, l'insistance sur la végétation orientale est une manière littéraire de traduire le caractère édénique de ce lieu où abondent le beau et le bon. Là s'épanouissent les fleurs dans un printemps perpétuel, tandis que croissent les essences rares et mûrissent les fruits délectables. L'hiver est banni. La nature exhale ses fragrances et prodigue ses richesses pour former un bouquet de plaisirs au mépris du temps. Ainsi, aux poires juteuses et délicatement parfumées s'associent les pommes à l'odeur enivrante, les dattes sucrées, les amandes à la fois douces et finement amères. Les aromates et les épices, tels le galanga[20], le zédoaire[21] et la réglisse[22], excitent l'imagination par l'évocation de leur nom. Le pouvoir presque magique des parfums et des plantes réputées aphrodisiaques comme la cannelle et surtout la mandragore crée une atmosphère d'ivresse heureuse. La cannelle, le cinnamome de la Bible, était connue pour servir dans la fabrication des philtres d'amour[23]. Quant à la mandragore, désignée aussi en ancien français sous le nom de «mandegloire»[24], la forme de sa racine, qui ressemble

vaguement à une silhouette humaine, lui a valu d'être l'objet de légendes lui conférant des vertus érotiques. Cette plante toxique, aux grandes feuilles vertes et aux fruits jaunes et ronds comme de petites pommes d'or, a exercé une fascination d'autant plus grande qu'elle servait dans les pratiques de magie noire[25]. Le texte souligne que toutes ces herbes sont aussi curatives : il suffit de les respirer pour se bien porter ; elles font office de fontaine de Jouvence car, de même que l'hiver, la maladie n'a pas sa place dans le jardin : les corps et les cœurs sont à l'unisson avec la nature sans cesse épanouie. La réglisse est à ce titre un exemple intéressant de plante médicinale au parfum fort prisé. Bien que sa culture ait été assez développée en Sicile et en Italie du Sud au XIIe siècle[26], cette plante, aussi décorative que bonne, pouvait passer pour une denrée précieuse aux yeux de l'auteur, au même titre que le galanga, le zédoaire et la cannelle. La présence dans cette énumération du caroubier[27], dont les graines sont également employées en médecine, semble surtout s'expliquer par une volonté de diversifier et d'augmenter la liste comme si Alexandre de Paris s'était plu à employer des noms de plantes dans le seul but d'enrichir la description, sans savoir exactement ce à quoi ils correspondent dans la réalité.

Quoi qu'il en soit, l'important était de dépeindre la richesse de ce séjour fabuleux où la nature se fait providence pour le bien-être des amants. Un peu plus tard, au XIIIe siècle, certains passages des *Carmina burana*, recueil de poèmes en latin constitué vers 1230[28], résonnent comme un écho du «paradis des filles-fleurs». Ainsi le chant *Dum Diane vitrea* invite à jouir des plaisirs de la vie. Le jardin est là sans qu'il soit nommé, arbre, plainte mélodieuse du rossignol, fleurs et parfums devenant complices du bonheur des amants :

«Sous un arbre à la rumeur plaisante,
lorsque le rossignol chante sa plainte,
il est doux de se reposer,
plus doux encore de s'ébattre et jouer
dans l'herbe
avec une vierge
superbe.
Si le parfum d'herbes variées
imprègne l'air,
si la couche est faite de roses,
il est doux de chercher,
une fois épuisés les plaisirs de Vénus,
l'aliment du sommeil, versé
goutte à goutte aux amants lassés [...][29].»

Le ton épicurien de ces créations littéraires où la beauté du jardin est décrite pour mieux mettre en valeur l'excellence des plaisirs offerts, est précurseur de l'esprit de la Renaissance : on pense instinctivement à Rabelais et à la règle de son abbaye de Thélème : «Fais ce que voudras[30].»

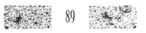

Le *Roman de la Rose*

Probablement achevé vers 1274, le *Roman de la Rose* de Guillaume de Lorris (début du XIIIᵉ siècle-vers 1238) et Jean de Meun[31] (1250-vers 1305) constitue une apothéose du jardin d'amour. Ce long roman à caractère encyclopédique, dont on a pu faire une lecture tantôt hédoniste, tantôt moralisante, propose un «art d'aimer» à partir de l'expérience personnelle de l'auteur-narrateur. Narrée sous forme de songe, la quête amoureuse du poète-Amant se déroule en continu dans le verger de Déduit[32]. C'est dans ce jardin merveilleux que le jeune homme suit son parcours initiatique au travers de rencontres avec ses interlocuteurs, tous personnages allégoriques, à commencer par l'objet de ses vœux : la Rose. Elle est le centre du roman ; en ce sens, un pas important est franchi dans la place conférée à la nature.

Décrivant le fabuleux paysage qu'il a vu dans son rêve, l'auteur-narrateur emploie indifféremment les termes de «verger» ou de «jardin». En cela, il ne diffère pas de ses prédécesseurs. On a vu que dans *Cligès* il était question d'un verger ; dans *Erec et Enide* et dans le *Roman d'Alexandre*, le jardin d'amour était désigné tour à tour par les deux mots, qui semblent avoir été synonymes à cette époque quand il s'agissait de parler d'un jardin d'agrément[33].

Imaginant «être pour de vrai en paradis terrestre[34]», l'Amant dépeint avec lyrisme les charmes du lieu à mesure qu'il les découvre. Les plaisirs de l'ouïe l'entraînent dans une longue évocation des oiseaux dont il énumère pêle-mêle les espèces, qu'elles soient réputées pour leur chant ou leur plumage : rossignols, geais, étourneaux, roitelets, tourterelles, chardonnerets, hirondelles, alouettes, mésanges, calandrelles[35], merles, grives mauvis et perroquets. La profusion des arbres et leur grande diversité lui apportent un nouveau sujet d'émerveillement : l'occasion est bonne pour l'auteur-narrateur de citer tous les arbres qu'il connaît, que ce soit ou non par le biais de l'érudition. Après avoir évoqué les beaux lauriers, les pins, les ormes et les cormiers[36], il détaille les plantes exotiques : pommiers chargés de pommes-grenades[37], noyers porteurs de fruits semblables aux noix de muscade[38], amandiers, figuiers, dattiers, clous de girofle[39], réglisse, «graine de paradis nouvelle» ou maniguette[40], zédoaire, anis et cannelle. Puis il poursuit avec «les arbres de chez nous qui portaient des coings, des pêches, des châtaignes, des noix, des pommes et des poires, des nèfles, des prunes blanches et noires, des cerises fraîches et vermeilles, des sorbes, des alises et des noisettes[41]». Il y ajoute, sans hésiter à se répéter : grands lauriers, pins, oliviers, cyprès, gros ormes branchus, charmes, hêtres, et «des coudriers bien droits, des trembles, des frênes, des érables, des sapins élevés et des chênes[42]». Les petites plantes ont une place beaucoup plus modeste. Hormis le fenouil et la menthe[43] odoriférants qui embaument le chemin menant au jardin où Amour et sa compagnie dansent la carole (fig. E), les fleurs ne font pas l'objet d'une liste aussi précise et détaillée. L'Amant voit une grande quantité de fleurs s'épanouissant été comme hiver, certaines d'une blancheur extraordinaire, jaunes ou vermeilles, d'autres «de toutes sortes de couleurs» et d'une «senteur exquise»[44]. Les seules nommées sont les «violettes très belles» et les «pervenches fraîches et nouvelles[45]». On retrouve la violette et la pervenche, entrelacées de feuilles de rosier, avec une

Fig. F
L'Amant étreint
la Rose,
Guillaume de Lorris
et Jean de Meun,
Roman de la Rose,
Paris, troisième
quart du XVe siècle,
peinture
sur parchemin.
Paris, Bibliothèque
nationale de France,
ms. fr. 24392, fº 175

troisième fleur des champs, le genêt, dans la description de la robe brodée, ornée d'une multitude de fleurs, dont Amour est luxueusement vêtu[46]. Ainsi, toute l'importance est laissée à la rose et au rosier qui font l'objet d'une description pleine de sensibilité au moment où l'Amant les aperçoit, d'abord dans le miroir de la fontaine d'Amour, puis au creux du jardin secret où il tentera de posséder la Rose[47].

En dehors des oiseaux, le bestiaire se limite aux daims, chevreuils, écureuils et lapins, ces derniers «qui toute la journée durant sortaient de leurs terriers et de plus de trente mille façons différentes passaient leur temps à se faire la cour sur l'herbe fraîche et verdoyante[48]». Enfin, l'herbe bien irriguée par maints ruisseaux est drue et moelleuse: «[...] aussi aurait-on pu y coucher son amie comme sur une couette[49]».

Romans et poèmes ultérieurs continueront à chanter l'amour et la nature sans pour autant apporter de descriptions plus poussées des jardins. Tout en conférant à la nature un rôle important comme le fait Guillaume de Machaut, en particulier dans le *Dit du verger*[50], ils reprendront les thèmes déjà évoqués en insistant, selon les cas, sur l'un ou l'autre de leurs aspects.

Les images

Des scènes galantes dans un paysage de jardin, inspirées par les romans ou les poèmes, sont assez fréquentes sur des objets destinés à faire des cadeaux d'amour, tels les peignes, les valves de miroirs, les coffrets d'ivoire ou d'orfèvrerie et les accessoires du vêtement comme les aumônières[51]. Toutefois, les images demeurent bien en deçà des textes en ce qui concerne l'évocation des jardins, les artistes s'étant davantage attachés à représenter les thèmes courtois que leur cadre. Là où la littérature offre des ressources intéressantes, comme les quelques œuvres qui viennent d'être citées en témoignent, la tradition iconographique est, en revanche, assez pauvre jusqu'au XVe siècle[52]. Un décalage évident apparaît entre les deux modes d'expression – texte et image. Il existe de fort belles représentations de végétaux mais elles sont isolées. Le rosier ornant la corbeille de l'un des chapiteaux de la chapelle haute de la Sainte-Chapelle à Paris[53] en est l'un

des plus beaux exemples pour la sculpture du XIIIe siècle, et les superbes dauphinelles, accompagnées de non moins réalistes escargots, entourant la scène de la multiplication des pains dans les *Très Riches Heures du duc de Berry*, peintes par les frères Limbourg, en sont le témoignage bien connu pour l'enluminure au début du XVe siècle [54]. C'est dans la décoration des marges de manuscrits qu'au sein d'une végétation souvent fantaisiste apparaissent progressivement des éléments observés d'après nature.

Si une œuvre comme le *Roman de la Rose* a, grâce à son immense succès, offert aux artistes la possibilité de créer des cycles iconographiques importants et a sûrement joué un rôle déterminant dans le développement de la représentation du jardin, l'intérêt prêté à la nature et au paysage relève d'un autre phénomène. Il est lié au changement des mentalités et à l'apparition de tendances nouvelles dans le style même des artistes. Sous l'influence principalement de l'art flamand, les peintres se montrèrent de plus en plus soucieux de réalisme. C'est cette même tendance qui les amena à replacer les jardins d'amour dans un cadre qui leur était familier, plutôt que d'imaginer des vergers fantastiques aux plantes inconnues ou ne figurant que dans les *Herbiers* de Dioscoride ou de Platearius (cat. 100) [55]. Un exemplaire parisien du *Roman de la Rose*, datable du troisième quart du XVe siècle, illustre parfaitement cet esprit dans la scène où l'Amant, en présence d'Ami, étreint la Rose en déposant un baiser sur la corolle épanouie [56]. Le fort du verger a l'aspect d'un coin de jardin comme on devait en voir partout à l'époque (fig. F).

Hormis le palmier, arbre biblique dont les images se cantonnent en général au domaine religieux, il n'y a pas d'arbres exotiques identifiables dans les images médiévales de jardins d'amour, qu'elles accompagnent le *Roman de la Rose* ou tout autre texte littéraire. En revanche, des illustrations d'ouvrages de botanique, exécutées à une époque où s'épanouit l'art gothique international, empreint d'une certaine préciosité, introduisent l'idée du jardin d'amour au sein d'images scientifiques. Le *Tacuinum sanitatis* [57], traité d'hygiène s'ouvrant par une ample série de plantes aux vertus nutritives et curatives, dont certaines sont exotiques, a fait l'objet d'un cycle iconographique de première importance (cat. 79). Conçu en Lombardie à la fin du XIVe siècle, dans l'entourage de Giovanni dei Grassi, cet ensemble juxtapose dans de nombreux cas l'image réaliste des plantes à des scènes courtoises (fig. G). L'un des plus anciens exemplaires [58] montre, à propos de la rubrique consacrée au fenouil, un jeune homme et son amie dans un échange de gestes tendres, à l'ombre d'un arbre (fig. H). Les copies plus tardives du *Tacuinum* ont respecté cette tradition iconographique bien ancrée qui semble avoir contaminé certains exemplaires du *Livre des simples médecines*, tel celui qui a été peint par Robinet Testard (actif entre 1471 et 1531), artiste protégé par Charles d'Angoulême [59].

Le jardin d'amour est aussi le lieu où l'on festoie en joyeuse compagnie (cat. 42), jouissant des plaisirs de la table qui mettent en verve pour de galants propos. Les musiciens se font plus nombreux, accompagnant les amants d'une sérénade quand eux-mêmes ne s'adonnent pas aux plaisirs de la musique, jouant du psaltérion ou de la viole. La fontaine de Jouvence est de façon presque systématique située dans un jardin, lieu édénique où les corps retrouvent une nouvelle jeunesse (cat. 46) [60].

Fig. G
Le printemps,
Tacuinum sanitatis,
Lombardie,
fin du XIVe siècle,
peinture
sur parchemin.
Vienne,
Österreichisches
Nationalbibliothek,
cod. ser. nov. 2644,
f° 55v°

Fig. H
Le fenouil,
Tacuinum sanitatis,
Pavie ou Milan,
vers 1390-1400,
peinture
sur parchemin.
Paris, Bibliothèque
nationale de France,
ms. nouv. acq.
lat. 1673, f° 41

Dans le domaine de l'enluminure, c'est au peintre favori de René d'Anjou, Barthélemy d'Eyck, que revient l'honneur d'avoir laissé à la postérité l'image complète la plus ancienne et la plus véridique du jardin d'amour. Il s'agit d'une illustration de la *Théséide* de Boccace[61] (fig. L, p. 141). Dans le château de Thèbes est aménagé un tout petit jardin, écrin de verdure fleurie : «un jardin d'amour» selon l'expression boccacienne[62]. La jeune Émilie, sœur de la reine des Amazones, s'y tresse un chapel* de roses, épiée par les deux prisonniers, Arcitas et Palémon, qui la contemplent depuis le soupirail d'une tour. Réalisme et poésie ne s'excluent guère dans ce chef-d'œuvre qui reproduit vraisemblablement le jardin de l'une des demeures du roi René. Le moindre détail correspond à une profonde observation de la réalité, à commencer par les plantes, toutes identifiables, quelques-unes indiquant une localisation provençale. Ancolies, lavatère[63], pâquerettes, alysses[64], lavande, renouée maritime[65], œillets occupent la double bordure du premier plan ; les roses grimpent le long des treillis* formant un dosseret à la banquette* d'herbe, tandis que la vigne s'enroule autour des berceaux. Au fond du jardin, contre le mur, un aloès tend au soleil sa hampe fleurie dont le rose orangé se confond quelque peu avec la couleur des briques. C'est l'ensemble du jardin, jusqu'à la lumière chaleureuse et pure de la Provence, que l'artiste d'origine et de formation flamandes a capté avec un art consommé[66]. Cette image réalise pleinement l'idée dont chacun rêve, celle d'un jardin d'amour, nouvel Éden à sa mesure, où l'on puisse abriter un instant de bonheur que l'on voudrait éternité.

En matière de jardin d'amour, l'auteur du *Livre du cœur d'amour épris*[67] ne pouvait-il être autre qu'un fin connaisseur ?

93

1. «Viens donc, ma bien-aimée, / ma belle, viens. / Car voilà l'hiver passé, / c'en est fini des pluies, elles ont disparu. / Sur la terre les fleurs se montrent. / La saison vient des gais refrains, / le roucoulement de la tourterelle se fait entendre, / sur notre terre. / Le figuier forme ses premiers fruits / et les vignes en fleur exhalent leur parfum. / Viens donc, ma bien-aimée, ma belle, viens!» Cantique des cantiques, 2, 10-13 (traduction de la Bible de Jérusalem).

2. *Cf.* Godefroy (F.), *Dictionnaire de l'ancienne langue française du IXe au XVe siècle*, Paris, Genève, 1982, t. 7, p. 169.

3. *Cf. La Chanson de Girart de Roussillon*, M. de Combarieu du Grès et C. Gouiran (éd.), Paris, 1993, p. 9. Allusion est faite au vers 571 (p. 80-81 de l'édition précitée).

4. Sur la légende de Tristan, *cf. Dictionnaire des lettres françaises*, Paris, 1992, p. 1445-1448. *Cf. Le Roman de Tristan et Iseut*, J. Bédier (éd.), Paris, 1900, p. 76-82 ; *Tristan et Iseut. Les poèmes français. La saga norroise*, D. Lacroix et P. Walter (éd.), Paris, 1989, p. 22-35.

5. Sur Macabru, jongleur gascon (1135-vers 1155), *cf.* Jeanroy (A.), *Anthologie des troubadours, XIIe-XIIIe siècles*, Paris, 1974, p. 274.

6. *Cf.* Jeanroy, *op. cit.*, p. 375-377.

7. *Cf.* Pichard (L.) et Dolbeau (F.), *Dictionnaire des lettres françaises, op. cit.*, p. 489.

8. Le texte du poème a été édité et traduit par Bourgain (P.), *Poésie lyrique latine au Moyen Âge*, Paris, 2000, p. 112-113 : «*Verna redit temperies / prata depingens floribus, / telluris superficies / nostris arridet moribus, / quibus amor est requies, / cybus esurientibus.*»

9. *Cf. Le Roman de Thèbes*, F. Mora-Lebrun (éd.), Paris, 1995, p. 8. La citation est celle des vers 2254 et suivants (p. 176-177).

10. Ce roman fut composé vers 1160. *Cf. Le Roman d'Eneas*, A. Petit (éd.), Paris, 1997, p. 7.

11. Vers 2880 à 2887, p. 208-211 de l'édition précitée.

12. *Cf.* Chrétien de Troyes, *Cligès*, C. Méla et O. Collet (éd.), Paris, 1994. Ce roman a dû être composé vers 1176. *Cf. Dictionnaire des lettres françaises, op. cit.*, p. 271-272.

13. Extraits des vers 6339 à 6344; *cf.* Méla et Collet, *op. cit.*, p. 430-431.

14. *Cf.* Jeanroy, *op. cit.*, p. 384-386.

15. Ce roman a dû être composé vers 1170. *Cf.* Chrétien de Troyes, *Erec et Enide*, J. M. Fritz (éd.), Paris, 1992, p. 5.

16. *Cf.* Fritz, *op. cit.*, vers 5731 à 5734, p. 436-437.

17. *Cf.* Fritz, *op. cit.*, vers 5738 à 5756, p. 436-439.

18. Dans ce roman, Alexandre de Paris a compilé et réécrit des textes antérieurs. *Cf.* Alexandre de Paris, *Le Roman d'Alexandre*, L. Harf-Lancner (éd.), Paris, 1994, p. 21.

19. Extraits des vers 3286 à 3344, *cf.* Harf-Lancner, *op. cit.*, p. 502-505.

20. Le galanga (*Alpinia officinarum*), herbe vivace de Chine et de Formose (Taiwan), fait partie des zingibéracées. Son odeur est douce. C'est le rhizome qui est employé; il l'était autrefois comme carminatif. *Cf.* Lieutaghi (P.) et Malandin (G.), «Glossaire botanique et médical», Platearius, *Le Livre des simples médecines*, F. Avril, P. Lieutaghi et G. Malandin (éd.) d'après le manuscrit français 12322 de la Bibliothèque nationale de France, Paris, 1986, p. 234-235 et 328.

21. Le zédoaire (*Curcuma zedoaria*) est une plante d'Indo-Malaisie, voisine du curcuma. Il donne, comme le safran, une forte coloration en jaune. D'après Platearius, il est efficace contre les venins, les vers et a des vertus apéritives. *Cf.* Avril, Lieutaghi et Malandin, *op. cit.*, p. 202-203 et 351.

22. La réglisse (*Glycyrrhiza glabra*) est une légumineuse. Son suc a des propriétés digestives. La réglisse cuite dans du vin servait de remède pour calmer la toux. *Cf.* Avril, Lieutaghi et Malandin, *op. cit.*, p. 252-253 et 344.

23. Le cinnamome est un genre de lauracée renfermant des arbres et des arbrisseaux toujours verts, aromatiques, originaires des régions chaudes de l'Asie. Parmi ceux-ci, il faut signaler le *Cinnamomum camphora* ou camphrier et le *Cinnamomum zeylanicum* ou cannelier, le plus couramment évoqué dans les textes anciens et dans la Bible. Sur les vertus de la cannelle, *cf.* Boisvert (C.) et Hubert (A.), *L'ABCdaire des épices*, Paris, 1998, p. 43.

24. Le terme est employé au vers 3294 : «La mandegloire i naist, q'a trover n'est legiere» (On y voit naître l'introuvable mandragore); *cf.* Harf-Lancner, *op. cit.*, p. 502-503. La tête de mandegloire désignait par extension ce que, dans le vocabulaire du décor médiéval, il est convenu d'appeler la «tête de feuille», cette sorte de visage occupant le centre d'une large feuille. *Cf.* Gay (V.), *Glossaire archéologique du Moyen Âge et de la Renaissance*, Paris, 1928, t. 2, p. 110.

25. La mandragore (*Mandragora officinarum et autumnalis*) fait partie des solanacées. Platearius, qui fait œuvre scientifique dans son *Livre des simples médecines*, n'accorde aucun crédit aux légendes venues de l'Orient à la suite des conquêtes d'Alexandre. *Cf.* Avril, Lieutaghi et Malandin, *op. cit.*, p. 110-111 et 335; Boureux (C.), *Les Plantes de la Bible et leur symbolique*, Paris, 2001, p. 65-66.

26. *Cf.* Avril, Lieutaghi et Malandin, *op. cit.*, p. 344.

27. Le caroubier (*Ceratonia siliqua*), légumineuse-césalpinée, est un arbuste du Moyen Orient. Les graines, outre leurs propriétés médicinales, sont nutritives et servent à l'alimentation du bétail. *Cf.* Avril, Lieutaghi et Malandin, *op. cit.*, p. 321.

28. Sur les *Carmina burana*, *cf. Dictionnaire des lettres françaises, op. cit.*, p. 223.

29. «*Fronde sub arboris amena, / dum querens canit philomena, / suave est quiescere, / suavius ludere / in gramine / cum virgine / speciosa. / Si variarum / odor herbarum / spiraverit, / si dederit / torum rosa, / dulciter soporis alimonia / post Veneris defessa commercia / captatur, / dum lassis instillatur.*» (Texte publié dans Bourgain, *op. cit.*, p. 242-245.)

30. La célèbre abbaye de Thélème est décrite dans un passage du *Gargantua* que Rabelais fit probablement éditer en mai 1535. *Cf.* François Rabelais, *Gargantua*, G. Demerson (éd.), Paris, 1995, p. 28 et 374-375.

31. Sur le *Roman de la Rose*, *cf. Dictionnaire des lettres françaises, op. cit.*, p. 629-630, 817-819 et 1308-1310; Guillaume de Lorris et Jean de Meun, *Le Roman de la Rose*, A. Strubel (éd.), Paris, 1992, p. 5-37.

32. La personne de Déduit est une allégorie, le mot «déduit» signifiant en ancien français «divertissement».

33. Dans une excellente étude sur les jardins médiévaux, encore non publiée (un article est en préparation), Élise Gesbert a mis très efficacement en parallèle les données archéologiques et les sources textuelles. Son travail confirme cette analogie entre verger et jardin pour désigner le jardin d'agrément dans le contexte littéraire. *Cf.* Gesbert (É.), *Les*

Jardins du Moyen Âge : du XIe au début du XIVe siècle, mémoire de maîtrise d'archéologie, université Paris-I Panthéon-Sorbonne, septembre 2001, p. 35-39 et 118-136.

34. *Cf.* Strubel, *op. cit.*, vers 635-636, p. 76-77.

35. La calandrelle est une sorte de petite alouette.

36. *Cf.* Strubel, *op. cit.*, vers 1286-1287, p. 110-112. Les fruits sauvages, cormes, sorbes et nèfles, très appréciés au Moyen Âge, n'étaient pas rares comme ils le sont de nos jours.

37. La grenade, à la fois décorative et savoureuse, était dans la Bible un symbole de prospérité et de fécondité. *Cf.* Boureux, *op. cit.*, p. 82-83.

38. La noix de muscade, amande du fruit du muscadier (*Myristica fragans*), de la famille des myristicacées, aux propriétés antiseptiques et stimulantes, toutefois dangereuse si elle est prise en trop grande quantité, était bien connue des médecins salernitains. *Cf.* Avril, Lieutaghi et Malandin, *op. cit.*, p. 240-241 et 338; Boisvert et Hubert, *op. cit.*, p. 85.

39. Les clous de girofle sont les boutons floraux du giroflier (*Caryophyllus aromaticus*), de la famille des myrtacées. Originaire de l'Asie du Sud-Est, il est connu en France depuis le haut Moyen Âge. *Cf.* Avril, Lieutaghi et Malandin, *op. cit.*, p. 232-233 et 323; Boisvert et Hubert, *op. cit.*, p. 64.

40. La graine de paradis ou maniguette (*Aframomum Melegueta* ou *Aframomum granum paradisi*), de la famille des amomacées africaines, à la saveur poivrée, est utilisée comme condiment. *Cf.* Avril, Lieutaghi et Malandin, *op. cit.*, p. 214 et 335.

41. *Cf.* Strubel, *op. cit.*, vers 1344-1350, p. 114-115.

42. *Ibid.*, vers 1350-1360, *ibid.*

43. *Ibid.*, vers 716, p. 80-81.

44. *Ibid.*, vers 1406-1407, p. 118-119.

45. *Ibid.*, vers 1400-1401, *ibid.*

46. *Ibid.*, vers 882-890, p. 90-91.

47. *Ibid.*, vers 1600-1677, p. 128-133.

48. *Ibid.*, vers 1375-1379, p. 116-117.

49. *Ibid.*, vers 1390-1393, *ibid.*

50. *Cf.* Antoine (É.), «Jardins de plaisance», *Paris et Charles V*, Paris, 2001, p. 151. Sur Guillaume de Machaut et ses œuvres, *cf. Dictionnaire des lettres françaises, op. cit.*, p. 630-636.

51. Voir à ce propos Camille (M.), *L'Art de l'amour au Moyen Âge*, Cologne, 2000 (traduction de l'édition anglaise publiée à Londres en 1998).

52. *Cf.* Gesbert, *op. cit.*, p. 11-17.

53. Ce chapiteau fait partie d'une série consacrée au décor végétal, exécutée avec une extrême précision, ce qui est intéressant par rapport à la date de construction de l'édifice – 1242-1243 à 1248. Cette flore a été étudiée par Jalabert (D.), *La Flore sculptée des monuments du Moyen Âge en France*, Paris, 1965.

54. L'ouvrage, exécuté entre 1410 et 1412, figure dans l'inventaire de la bibliothèque du duc de Berry dressé en 1413. La décoration inachevée a été complétée ultérieurement. Le manuscrit est conservé au musée Condé, au château de Chantilly, sous la cote ms. 65; la peinture concernée se trouve au f° 168v^o. Sur ce manuscrit, *cf.* le fac-similé édité par Cazelles (R.), *Les Très Riches Heures du duc de Berry*, Lucerne, 1984.

55. Le mot «herbier» désigne ici un livre de botanique médicale. Dioscoride, médecin grec du Ier siècle après J.-C., est l'auteur du *De materia medica*, ouvrage qui connut une large diffusion et fut doté d'une abondante illustration. Platearius appartenait à une famille de médecins salernitains. Il écrivit son *Liber simplici medicina* entre 1130 et 1160, œuvre très connue sous le titre de sa traduction française : *Le Livre des simples médecines* (cat. 100). *Cf.* Lieutaghi, «Commentaire historique, botanique et médical», *Le Livre des simples médecines*, p. 284-312.

56. Paris, Bibliothèque nationale de France, ms. fr. 24392, f° 175. *Cf.* Gousset (M.-T.) et Fleurier (N.), *Éden. Le jardin médiéval à travers l'enluminure, XIIIe-XVIe siècles*, Paris, 2001, p. 16, 44 et 93, pl. 13.

57. *Le Tacuinum sanitatis* est un traité d'hygiène de vie, composé au XIe siècle par le médecin de Bagdad Ibn Bûtlan, appelé Albucassis par les Latins.

58. Paris, Bibliothèque nationale de France, ms. nouv. acq. lat.1673 (Pavie ou Milan, vers 1390-1400), f° 41. Sur ce traité, *cf.* Cogliati Arano (M. L.), *The Medieval Health Handbook. Tacuinum sanitatis*, New York, 1976.

59. Manuscrit conservé à Saint-Pétersbourg, à la Bibliothèque nationale de Russie (ms. Fr. F.v. VI. 1). Sur cet ouvrage et sur l'artiste, *cf.* Avril, «Étude codicologique et artistique», *Le Livre des simples médecines*, p. 271.

60. Sur ce sujet, *cf.* Camille, *op. cit.*, p. 81-85.

61. La *Teseida* de Boccace a été directement traduite de l'italien en français vers 1460, dans l'entourage de René d'Anjou. *Cf. Dictionnaire des lettres françaises, op. cit.*, p. 203. Sur l'étude iconographique de cette peinture, voir Gousset, «Le jardin d'Émilie», *Revue de la Bibliothèque nationale*, n° 22, hiver 1986, p. 7-24.

62. *Cf.* Boccace, *Teseida*, s.l., 1938, p. 81.

63. La lavatère (*Lavatera olbia*) appartient à la famille des malvacées. Elle croît en pays méditerranéen. *Cf.* Legré (L.), *La Botanique en Provence au XVIe siècle : Pierre Pena et Mathias de Lobel*, Marseille, 1899, p. 51 et 108-109; Gousset, *art. cit.*, p. 13, 22, note 31, fig. p. 15.

64. Les alysses sont des plantes très répandues. L'*Alyssum deltoideum* est de la même famille que l'aubriétie (*Aubrietia deltoica*) qui doit son nom actuel au peintre Claude Aubriet (1651-1742). *Cf.* Gousset, *art. cit.*, p. 13 et 22, note 33.

65. Il semble qu'il s'agisse de *Polygonum maritimum* plutôt que d'*Erica arborea* (Gousset, *art. cit.*, p. 22, note 36). La renouée maritime, dont la faible hauteur permet un bon alignement avec les autres petites plantes de la bordure, affectionne plus particulièrement le bassin méditerranéen. Ses fleurs blanches poussent à l'aisselle des feuilles coriaces et pointues qui donnent à la plante un aspect hérissé. *Cf.* Phillips (R.), *Fleurs de Méditerranée*, Paris, 1988, p. 146 et pl. p. 147.

66. La littérature est abondante sur Barthélemy d'Eyck. Avril (F.) et Reynaud (N.) dressent une synthèse dans *Les Manuscrits à peintures en France, 1450-1520*, cat. exp., Paris, 1993, p. 224-237.

67. Dans le *Livre du cœur d'amour épris*, l'auteur décrit un jardin paradisiaque peuplé de jeunes filles sauvages qui n'est pas sans rappeler le jardin des filles-fleurs du *Roman d'Alexandre*. *Cf. Le Livre du cuer d'amours espris*, S. Wharton (éd.), Paris, 1980, p. 205-209.

26 | L'Amant à l'entrée du verger* de Déduit

Guillaume de Lorris et Jean de Meun,
Roman de la Rose
France, vers 1400
Peinture sur parchemin
H. : 29 ; l. : 20,2 ; 148 f^os
Londres, The British Library, Egerton Ms 1069, f° 1

Bibliographie : WARD, 1883, p. 890 ; LANGLOIS, 1910, p. 143-144 ; STRUBEL, 1990, p. 343-358. Sur le *Roman de la Rose*, la synthèse la plus accessible est celle de POIRION (D.), *Le Roman de la Rose*, Paris, 1973 ; l'édition citée dans cette notice et les suivantes est celle de la traduction en français moderne de LANLY (A.), *Le Roman de la Rose*, Paris, 1971.

Le *Roman de la Rose*, écrit vers 1230-1245 par Guillaume de Lorris, continué une quarantaine d'années plus tard par Jean de Meun, fut le poème en langue vulgaire le plus lu du Moyen Âge. Le nombre de manuscrits aujourd'hui conservés, plus de trois cents, témoigne de ce succès.

Alors que Jean de Meun amplifia l'œuvre de Guillaume de Lorris dans une sorte de glose satirique, la première partie du roman, la plus poétique, est celle qui suscita le plus d'illustrations. Le narrateur y fait, sous la forme d'un songe, le récit d'une quête amoureuse. Le poème de Guillaume de Lorris est un condensé de l'idéal courtois qui contribua à diffuser la conception aristocratique de l'amour jusqu'à la fin du Moyen Âge.

Il s'ouvre ainsi :
«Dans la vingtième année de ma vie,
au moment où Amour reçoit le péage
des jeunes gens, une nuit j'allai me coucher
comme à l'habitude,
et, tandis que je dormais profondément,
j'eus un songe
qui était très beau et me plut fort ;
et dans ce songe il n'y eut rien
qui ne soit entièrement survenu par la suite
conformément à ce qu'il disait.
Je veux maintenant rimer ce rêve
pour donner à vos cœurs plus d'ardeur,
car Amour m'en prie et me le commande.
Et si quelque femme ou quelque homme me demande
comment je veux que soit appelé

cat. 26

le roman que je commence,
[eh bien !] c'est le *Roman de la Rose*
où tout l'art d'aimer est enclos.
La matière en est neuve et bonne :
que Dieu m'accorde que celle pour laquelle
je l'ai entrepris l'accueille avec faveur :
c'est celle qui a tant de prix
et est si digne d'être aimée
qu'elle doit être appelée Rose.
[...]
Je rêvai, une nuit, que j'étais en ce temps ravissant
où toute créature est poussée par le désir d'aimer.
[...]
Alors [...], j'entrai
dans le verger par la porte qu'Oiseuse
m'avait ouverte ; et quand je fus à l'intérieur,
je me sentis heureux, joyeux et gai ;
et sachez que je crus être
véritablement dans le paradis terrestre :
l'endroit était si délicieux
qu'il paraissait être de nature céleste ; [...].»

Fig. 26a
L'Amant cueille la Rose, *Roman de la Rose*,
France, vers 1400, peinture sur parchemin.
Londres, The British Library, Egerton Ms 1069, f° 147v°

L'évocation de l'amour, dans la tradition ovidienne, et du printemps, «ce temps ravissant où toute créature est poussée par le désir d'aimer», est donc le thème principal de l'œuvre de Guillaume de Lorris, qui se déroule toute entière dans le verger* de Déduit.

Dans ce jardin de rêve se mêlent la tradition poétique antique du *locus amœnus* et les mythes paradisiaques bibliques liés aux notions de félicité, d'abondance et d'éternelle jeunesse. Le verger de Déduit cristallise une image du jardin à laquelle aspirent tous les hommes du Moyen Âge : comme l'Éden, c'est un jardin clos, l'espace y est planté d'herbes et de fleurs multicolores, ombragé d'arbres, animé par le mouvement et le bruit de l'eau d'une fontaine ou d'une source, et par le chant des oiseaux qui, dans ce verger, «chantent des lais d'amour et des sonnets courtois». Clôture de l'espace, variété des couleurs et des parfums des plantes, ombrage des arbres, musique de l'eau et chant des oiseaux deviennent les éléments obligés du bonheur terrestre. Le verger ou jardin de plaisance est le lieu où se réalise l'idéal courtois, par l'épanouissement de l'amour au milieu de la jouissance de tous les sens et de l'harmonie retrouvée avec la nature.

Cet idéal aristocratique repose sur une coupure d'avec le monde extérieur et ses contraintes, d'où la nécessité des murs (ici crénelés) entourant le jardin.

Sur les murs extérieurs du verger de Déduit sont sculptés les vices qui ne sauraient pénétrer dans ce jardin courtois et doivent être repoussés : Convoitise, Avarice, Envie et Tristesse, visibles ici, sont accompagnées de Haine, Félonie, Vilenie, Vieillesse, Papelardie et Pauvreté. À l'intérieur du jardin, le narrateur rencontrera les personnages allégoriques incarnant les vertus courtoises (cat. 27 et 28).

Sur cette miniature, la première et la plus importante du manuscrit, le narrateur est accueilli à la porte du jardin par Dame Oiseuse. Au centre du jardin apparaît Narcisse se mirant dans la fontaine sous un pin (cat. 29). À gauche, le rosier rouge dont le narrateur va tomber amoureux est gardé par Dangier.

Alors que les manuscrits du XIVe siècle illustrent les épisodes du récit sur un fond abstrait, celui-ci manifeste un intérêt pour la nature caractéristique du courant stylistique du gothique international autour de 1400. L'artiste s'est attaché à rendre avec poésie les espèces végétales (pin, rosiers rouge et blanc, ancolies, sceaux de Salomon, jacinthes sauvages) et plus encore les animaux (cerf, lièvres, perroquet, geai). Le reste du manuscrit, consacré aux obstacles que doit franchir l'Amant narrateur pour cueillir la rose objet de son désir, est illustré par de petites scènes en forme de vignettes rehaussées de couleur (fig. 26a). É. A.

27 | Le verger* de Déduit

Guillaume de Lorris et Jean de Meun,
Roman de la Rose
Maître des livres de prières d'environ 1500,
Bruges, vers 1490-1500
Peinture sur parchemin
H. : 39,4 ; l. : 29,2 ; 190 fᵒˢ
Londres, The British Library, Ms Harley 4425,
fᵒ 19vᵒ

Bibliographie : WARD, 1883, I, p. 892-894 ; Malibu/New York/ Londres, 1983, p. 49-56 ; DOGAER, 1987, p. 159-160 ; KORTEWEG, 1998, p. 22-47.

Près d'un siècle après le manuscrit précédent (cat. 26), la même scène est enluminée par le Maître des livres de prières d'environ 1500 pour un membre important de la cour de Bourgogne, Engelbert II de Nassau († 1504), lieutenant de Charles le Téméraire, chevalier de la Toison d'or, bibliophile et collectionneur averti. Ce manuscrit est certainement l'œuvre la plus accomplie du Maître, artiste brugeois qui s'était spécialisé dans la fabrication de livres d'heures pour la vente à l'étal.

Sur cette enluminure, le narrateur et Dame Oiseuse apparaissent au premier plan devant la porte du verger*, puis le narrateur pénètre dans le jardin et y découvre ses habitants : Déduit, entouré de Liesse, Courtoisie, Beauté, Richesse, du Dieu d'Amour, de Doux Regards et de leurs amis. Cette noble compagnie se livre aux divertissements courtois typiques d'un jardin d'amour : jouer de la musique (cat. 34, 35, 41 et 43), chanter, converser (cat. 32), tresser un chapel* de fleurs (cat. 20, 35, 36 et 44), se promener (cat. 38) ou, plus généralement, «fleureter» (cat. 40, 42 et 45). Comme sur le manuscrit précédent, apparaissent les éléments clés du jardin courtois : la clôture extérieure (de nouveau un mur crénelé), la fontaine, le préau*, les arbres. Le jardin y est plus structuré : il est divisé en deux par une clôture en bois losangée et un petit portillon ; à droite, les plates-bandes de forme géométrique sont délimitées par des carreaux posés de chant ; au fond, les rosiers sont palissés* le long du mur.

Ce jardin et les personnages gracieux qui l'habitent évoquent la cour de Bourgogne vers 1490-1500, et son goût pour l'élégance, visible tant dans les costumes des personnages que dans la sophistication du jardin. Dans les marges apparaissent les magnifiques fleurs typiques de l'école ganto-brugeoise (cat. 48, 81 et 99) ; l'artiste semble faire un zoom à l'intérieur du jardin, pour en montrer les plus belles fleurs, mêlées à des feuilles d'acanthes : lis, pensée, œillet, ancolie, mouron bleu, rose et iris.

Le succès du *Roman de la Rose* n'avait pas tari depuis la fin du XIIIᵉ siècle, et, après ses nombreuses copies manuscrites, l'ouvrage fit partie des premiers livres imprimés : on en comptait déjà huit impressions en 1500. Le texte de ce manuscrit a d'ailleurs été établi d'après une des premières éditions du *Roman de la Rose*, imprimée à Lyon en 1487. Le *Roman de la Rose* fit l'objet de la première querelle littéraire en France vers 1400, autour de Christine de Pizan (cat. 32 et 50) qui, dans l'*Épître au Dieu d'Amour* (1399) et un recueil de lettres dédié à Isabeau de Bavière, le *Dit de la Rose* (1402), prenait la défense des femmes contre les vues misogynes de Jean de Meun ; elle était soutenue par Jean Gerson qui, dans son *Traictié d'une vision contre le Romant de la Rose*, défendait l'Église contre les critiques acerbes de celui-ci. En dehors de ces débats, le retentissement du *Roman de la Rose* fut immense : traduit en flamand, adapté en anglais par Chaucer, on disait aussi qu'il était la source d'inspiration de Dante pour *La Divine Comédie*. Il resta pendant plusieurs siècles la référence essentielle pour les poètes français, de Guillaume de Machaut (*Dit du verger*, *La Fontaine amoureuse*) à Clément Marot et Ronsard.

Récit d'une quête amoureuse, c'était aussi, surtout dans la partie écrite par Jean de Meun, l'histoire d'une quête spirituelle à travers la foi chrétienne ; ainsi plusieurs versions moralisées du *Roman de la Rose* furent établies, notamment celle de Jean Molinet en 1482, qui voyait dans la fontaine le symbole du baptême, dans le rossignol, la voix des prédicateurs et des théologiens, et dans la Rose, Jésus. Comme toujours au Moyen Âge, les deux interprétations ne sont pas antagonistes, mais se mêlent l'une à l'autre. Sur cette enluminure, les personnages dépeints comme de jeunes courtisans vêtus à la dernière mode sont assis autour d'une fontaine en forme de ciboire, qui évoque sans conteste le Christ et la fontaine de Vie.

É. A.

Ssez y ferr et
surtay.
Et maintesfois
le escoutay
Se le veoye seane nulle ame
Le muchet qui estoit de charme
Jlle ouurit vne puccellette
Qui asse estoit comte et nette
Cheueulx eut blons côe vng bassi
La char pluetendre quvng poussin

front reluisant souoez vouitie
Lentreoil si nestoit pas vette
Ame fut assez manie y mesme
Lenez eut bien fait a deoiture
Lee veulx eut vrie côe faulsone
Pour faire enuie atoufz homme
Doulse a lame eut et sauouree
La face blanche et coulouree
La bouche petite et grossette
Et au menton vne fossette

28 | La carole dans le verger* de Déduit

Guillaume de Lorris et Jean de Meun,
Roman de la Rose
Atelier du Maître de Jouvenel des Ursins
(Maître du Boèce de la Bibliothèque nationale
de France fr. 809), Anjou, vers 1460
Peinture sur parchemin
H. : 34,2 ; l. : 25,3 ; 150 f^os
Paris, Bibliothèque nationale de France,
département des Manuscrits, ms. fr. 19153, f° 7

Bibliographie : Porcher, 1955, n° 285, p. 134-135 ; König, 1982,
p. 13 note 38, p. 196, 254 ; Avril, Reynaud, 1993-1994, n° 60,
p. 120 ; Prévenier (dir.), 1998, p. 15 ; Gousset, Fleurier, 2001,
p. 27, 95 et pl. 48 p. 78.

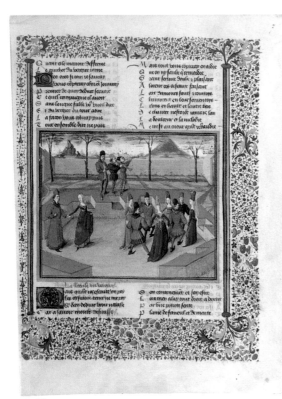

cat. 28

Le *Roman de la Rose*, commencé par Guillaume de Lorris, auteur peut-être fictif, et continué par Jean de Meun qui l'acheva probablement vers 1274, est une œuvre allégorique. Le texte, versifié en français, est une sorte de « miroir du monde » à l'usage des amoureux. L'auteur/Amant y retrace sa propre histoire, assimilant la jeune fille, objet de ses vœux, à la reine des fleurs, la Rose. L'action se déroule dans un jardin, en l'occurrence le verger de Déduit, séparé du monde par une haute muraille dont l'auteur a franchi la porte grâce à l'entremise de Dame Oiseuse. Séduit par l'aspect paradisiaque du lieu, les sens ravis par la variété des arbres, le chant des oiseaux et le parfum des fleurs, il parvient à un enclos où Déduit et son élégante compagnie dansent la carole. Oiseuse, d'un geste gracieux, invite le nouveau venu à entrer dans la ronde.

Transposant la scène à son époque, l'artiste du XVe siècle a replacé ce divertissement aristocratique dans un espace cerné d'une banquette* d'herbe au soubassement de brique, qui sert d'estrade à trois musiciens. Comme dans les manuscrits flamands, où des banquettes ainsi pourvues d'une assise en matériau dur sont représentées dès le milieu du siècle, l'élément va désormais faire partie intégrante de la plupart des images de jardins et les rehausser d'une nouvelle note de couleur contrastant sur le vert de la végétation. Pratiquées dans l'épaisseur de cette large structure, des alvéoles quadrangulaires constituent des sièges de verdure incitant au repos les couples de danseurs.

M.-T. G.

LA QUÊTE DU PARADIS SUR TERRE

29 | Narcisse à la fontaine

Paris (patron), Pays-Bas du Sud (tissage),
vers 1495-1500
Tapisserie, laine et soie
H. : 283 ; l. : 311
Boston, The Museum of Fine Arts, fonds
Charles Potter Kling, inv. 68-114

Bibliographie : Paris, 1973-1974, n° 30, p. 97-99 ; STERLING, 1990, II, p. 390-393.

Après être entré dans le verger* de Déduit (cat. 26, 27 et 28) et avoir décrit les beautés de ce jardin et de ses habitants, le narrateur du *Roman de la Rose* s'approche d'une fontaine sous un pin ; celle-ci porte une inscription rappelant que Narcisse y mourut. C'est en ce lieu qu'à travers l'eau et le cristal de la fontaine se noue l'épisode fondateur du récit : la rencontre entre le narrateur et la Rose, et la quête amoureuse qui s'ensuit.

L'histoire de Narcisse, qu'évoque alors le narrateur, est donc placée symboliquement à un moment fondamental de l'œuvre, et en donne une des clés : le rappel des *Métamorphoses* d'Ovide inscrit clairement le jardin d'amour courtois du *Roman de la Rose* dans la continuité de la poésie antique d'Horace et d'Ovide, et en fait le lieu de rencontre entre *locus amœnus* et art d'aimer.

Le mythe de Narcisse, traditionnellement cité comme mise en garde contre les folies de l'amour, est interprété ici de manière très différente par Guillaume de Lorris ; s'il évoque le personnage de Narcisse mort d'être tombé amoureux de sa propre image, c'est pour en conclure, de manière paradoxale, que tel risque d'être le sort des dames qui dédaignent leur amant :

« Mesdames, vous qui êtes cruelles envers vos amis,
retenez bien cet exemple,
car, si vous les laisser *[sic]* mourir,
Dieu saurait bien vous le faire payer. »
(*Roman de la Rose*, vers 1505 à 1508)

L'épisode sert en quelque sorte de prologue à la rencontre fondatrice entre l'Amant et la Rose, Guillaume de Loris ayant transformé la fontaine mortifère de Narcisse en fontaine d'Amour aux vertus particulières ; au fond de l'eau est un cristal au pouvoir puissant :

« Ici les cœurs changent,
ici la raison et la mesure sont sans pouvoir,
ici règne le simple désir d'aimer. »
(*Roman de la Rose*, vers 1582 à 1584)

Au travers de ce cristal, l'Amant voit le reflet du verger avec ses buissons de roses, et tombe amoureux d'un des boutons de roses. Avec l'arrivée de l'Amant dans le verger de Déduit, la fontaine de Narcisse est l'épisode le plus fréquemment illustré dans les manuscrits enluminés.

L'évocation de Narcisse est rendue avec grâce et poésie sur cette tapisserie mille fleurs. Au centre, la fontaine donne son cadre monumental au face à face entre Narcisse et son image, contrastant avec le fond entièrement semé de fleurs, d'oiseaux et d'autres animaux. Les tapisseries mille fleurs tissées aux Pays-Bas à la fin du XVe siècle s'inscrivent dans la perception du jardin comme lieu paradisiaque : les plantes y poussent librement, sans considération de saison, figurées en fleur et en fruit ; l'exubérance de leur représentation, qui couvre entièrement le fond, recrée l'abondance paradisiaque. Elles évoquent le « champ flori », ce paradis du Dieu d'Amour, lieu d'un éternel printemps créé par la littérature courtoise.

Le fond de mille fleurs est particulièrement approprié à la scène de la fontaine de Narcisse : il évoque de manière emblématique le jardin de Déduit, où les mondes idéaux de l'Éden chrétien, de l'île des Bienheureux et de l'âge d'or antiques se rejoignent en un seul lieu paradisiaque, le jardin de la volupté. Les mille fleurs conviennent aussi à l'évocation du héros dont la mort donna naissance à « une fleur jaune safran dont le cœur est entouré de feuilles blanches *[sic]* », le narcisse.

En effet, à la différence de la littérature, qui ornait ses paradis d'une végétation exotique, les peintres et les liciers de la fin du XVe siècle se sont inspirés des fleurs qu'ils côtoyaient quotidiennement pour peupler leurs « champs floris ». Fleurs des champs et fleurs cultivées, à la floraison essentiellement printanière, s'y mêlent en une éternelle *reverdie*. Sur cette tapisserie de très grande qualité, la représentation de la nature, et des fleurs en particulier, est extrêmement variée et soignée. Une trentaine d'espèces différentes de fleurs[1] y est figurée avec un grand souci de réalisme dans la forme des fleurs des feuilles, et dans leur

LE JARDIN D'AMOUR :

cat. 29

coloris. La variété de la flore représentée, la qualité de son exécution rapprochent la tapisserie du *Narcisse à la fontaine* de la tenture de la *Dame à la licorne* (Paris, musée national du Moyen Âge), où l'on observe une flore tout à fait similaire. Ces rapprochements sur le plan botanique corroborent les comparaisons stylistiques effectuées entre le *Narcisse*, la tenture de *Persée* (collection particulière) et celle de la *Dame à la licorne*, qui ont permis à Charles Sterling d'attribuer le patron de la tapisserie du *Narcisse* au peintre parisien ayant réalisé ceux de la *Dame à la licorne*. Le *Narcisse à la fontaine* est la seule tapisserie mille fleurs conser-

vée illustrant un épisode des *Métamorphoses* : peut-être faisait-elle partie d'une suite illustrant des mythes amoureux, avec des sujets tels que Hyacinthe ou Adonis, autres héros métamorphosés en fleurs. É. A.

1. Les fleurs représentées sur le *Narcisse à la fontaine* sont les suivantes (celles en italique figurent également sur la *Dame à la licorne*) : ancolie, *campanule fausse raiponce, consoude officinale,* coquelicot, coucou (primevère officinale), *fraisier, glaïeul des moissons, giroflée, jacinthe d'Orient, jacinthe sauvage, jarosse, jasmin, jonquille* (narcisse jaune), *julienne, lychnis dioïque, marguerite, matricaire, matthiole,* mouron rouge, *muguet ou polygale?,* myosotis, *œillet simple,* œillet double, *pâquerette, pensée sauvage, pervenche,* pissenlit, *souci,* véronique, *violette odorante, violette suave.*

cat. 30

30 | Personnages dans un jardin de roses

Pays-Bas du Sud, vers 1450-1455
Tapisserie, laine, soie et fils métalliques
H. : 289 ; L. : 325
New York, The Metropolitan Museum of Art,
inv. 09. 137. 2

Bibliographie : CAVALLO, 1993, p. 174-189.

Sur un fond de bandes verticales vertes, blanches et
rouges, se détachent trois personnages élégamment
vêtus ; ils sont entourés de rosiers dont les branches

poussent à partir de grosses souches élaguées. Que
font-ils ?

Après bien des essais d'interprétation, la critique
renonce aujourd'hui à trouver un sens narratif à ce
fragment de tapisserie (associé à trois autres fragments,
également conservés au Metropolitan Museum of
Art), que l'on ne peut relier précisément à aucun
texte. Malgré l'abondance des roses et le caractère
courtois des personnages, il ne peut être une illustration du *Roman de la Rose*, si fréquemment enluminé
(cat. 26, 27 et 28) et sujet de quelques tapisseries,
comme celles que possédait Philippe le Bon. On a

rapproché la dame représentée au centre de ce fragment de celle qui figure sur la droite du *Grand Jardin d'amour* (cat. 38) du Maître des jardins d'amour. Plus que stylistique, le lien entre les œuvres est thématique, et ce groupe de tapisseries semble destiné à illustrer les activités des courtisans dans un jardin de roses, voire à en recréer l'atmosphère.

Si le Moyen Âge a en effet christianisé la rose, pour en faire le symbole de la Vierge, du Christ ou des martyrs (cat. 8, 19 et 20), il n'a pas pour autant éliminé la signification amoureuse que l'Antiquité avait attachée à cette fleur. Née, selon la légende, le jour où Aphrodite sortit des flots, elle est l'attribut de la déesse de l'amour. À Rome, elle est l'emblème de la saison des fleurs et du printemps. Elle reste, au Moyen Âge, le symbole de la grâce et de la beauté féminines, de l'amour et du printemps (le *Roman de la Rose* porte cette symbolique à son sommet), et est, par conséquent, la plus aimée des fleurs.

On jonchait le sol de roses lors de fêtes solennelles, on en couvrait aussi les murs, soit en y tendant des draps piqués de roses fraîches, soit en les tapissant de tentures comme cette tapisserie, afin de recréer, dans les intérieurs, un jardin de roses.

Cette tapisserie anticipe le principe des tapisseries mille fleurs de la fin du XVe siècle (cat. 29) par le caractère éminemment décoratif de sa composition : les silhouettes s'y découpent sur un fond coloré abstrait plutôt que sur une prairie fleurie. Nombreuses sont les mentions, dans les inventaires, de tapisseries semées de roses ; on en trouvait dans les appartements de Charles V – «une chambre blanche à rozes vermeilles» –, de Louis d'Orléans – «une pièce tendue de drap d'or à roses, bordé de velours vermeil» –, ou au château de Marguerite de Flandre à Germolles – «une chambre de roses blanches et vermeilles à champ vert». Les roses sont un motif récurrent du décor de Germolles, la duchesse en avait également fait orner les poutres des salles du château, comme en témoignent les comptes : «À Girart le Fort de la Roichelle en Poitoul paintre […] pour la façon de […] roses blanches et vermeilles de painture lesquelles ont esté mises et assises en limande es sales des chambres du chastel de Germolles.»

À l'intérieur comme à l'extérieur, le jardin de roses représentait l'aspiration à un lieu de bonheur idéal. En Allemagne, à la fin du Moyen Âge, le terme *Rosengarten* désignait un jardin de plaisance où se promener et se divertir, qu'il soit ou non fleuri de roses. L'expression «être dans un jardin de roses» était devenue synonyme d'«être heureux» (fig. 30a), retrouvant la tradition latine et son «vivre au milieu des roses».

Ainsi cette tapisserie, avec ses personnages flottant sur un fond abstrait de bandes colorées (peut-être les couleurs de son commanditaire, dont les armoiries auraient pu figurer sur les parties manquantes de la tapisserie), est avant tout une évocation des joies de la *reverdie* printanière et des occupations amoureuses qui lui sont associées, comme dans cette chanson du XVe siècle : «Tu me réjouis le cœur au fond de la poitrine, agréable passe-temps pour un oisif que d'être dans un jardin de roses.» É. A.

Fig. 30a
La Cour d'amour, Mayence, vers 1470-1480, tapisserie. Mannheim, Reiss Museum

Fig. 31a
Boccace, *Décaméron*,
Rouen, vers 1470,
peinture sur parchemin.
Paris, Bibliothèque
nationale de France,
ms. fr. 129, f° 1

31 | Boccace, *Décaméron*

(traduction française de Laurent de Premierfait)
Artiste sous l'influence tardive du
Maître de Bedford, Paris, vers 1430
Peinture sur parchemin
H. : 41,5 ; l. : 28,5 ; 306 f°s
Paris, Bibliothèque nationale de France,
département des Manuscrits, ms. fr. 239, f° 1

Bibliographie : BOZZOLO, 1973, p. 103-104 ; Paris, 1975, n° 107,
p. 60, fig. p. 61 ; BRANCA, 1999, III, n° 84, p. 214-218 et fig. 304
p. 215. L'édition du texte citée dans ce catalogue est celle de
BEC (C.), Boccace, *Décaméron*, Paris, 1994.

Rédigé lors de la grande épidémie de peste qui frappa Florence en 1348, le *Décaméron* fut achevé environ deux ans plus tard. Il connut en France une ample diffusion, grâce à la traduction qu'en fit, entre 1411 et 1414, Laurent de Premierfait.

L'artiste du présent exemplaire a distribué dans cette composition liminaire, habilement construite et riche en détails, les différents épisodes évoqués par Boccace dans son introduction. Tandis que, sur la gauche, clercs et fossoyeurs inhument les nombreuses victimes du fléau, au centre, à l'intérieur de l'église Santa Maria Novella, a lieu la rencontre des trois jeunes gens et sept jeunes femmes, narrateurs des nouvelles. Ceux-ci, sur la droite, quittent la cité pour la campagne florentine. Ils arrivent à l'entrée d'un jardin, bien protégé d'un mur élevé et fortifié. Le vol d'un chardonneret autour de la fontaine semble, tel un gage d'espérance, symboliser la salubrité et la force de la vie. Véritable paradis, ce jardin devient pour les jeunes gens l'endroit idoine pour se divertir l'esprit en racontant des histoires souvent frivoles. Ainsi escomptent-ils oublier le triste sort de leur ville et le danger d'une mort imminente. L'introduction à la «Troisième journée» décrit ce jardin merveilleux où les jeunes gens vont raconter bien des histoires d'amour : «Ce jardin était entouré et parcouru d'un bout à l'autre en maints endroits par des allées très larges, droites comme des flèches et couvertes de treilles qui donnaient l'impression de vouloir être cette année-là couvertes de raisins. [...] Ces allées étaient comme closes de haies de roses blanches et rouges et de jasmins qui permettaient, non seulement le matin mais aussi plus avant dans la matinée, de se promener partout à l'abri des rayons du soleil, sous une ombre agréable et parfumée. [...] Il y avait au milieu de ce jardin, une pelouse qui non seulement ne déparait pas mais accentuait la beauté de l'ensemble, d'une couleur si verte qu'elle en paraissait noire, diaprée de mille variétés de fleurs peut-être, et entourée de cèdres et d'orangers très verts et très luxuriants qui portaient tout à la fois leurs anciens et leurs nouveaux fruits et des fleurs encore [...]. Au milieu de cette pelouse se trouvait une fontaine de marbre très blanc, merveilleusement sculptée, où l'eau sourdait naturellement ou artificiellement [...]. La vue de ce jardin, de son parfait agencement, des plantes, de la fontaine et des ruisselets qui en dérivaient, enchanta à ce point chacune des dames et des trois jeunes gens qu'ils en vinrent à dire que si l'on pouvait créer le Paradis sur terre, on ne pouvait l'imaginer différent de ces lieux, ni concevoir comment le rendre encore plus beau.»

M.-T. G.

cat. 31

32 | Livre du Duc des vrais amants

Christine de Pizan, *Œuvres*
Maître d'Egerton et artistes collaborant
avec le Maître de la Cité des dames, Paris,
entre 1405 et 1408
Peinture sur parchemin
H. : 35 ; l. : 25,5 ; 98 f^os
Paris, Bibliothèque nationale de France,
département des Manuscrits, ms. fr. 836, f° 66v^o

Bibliographie : PORCHER, 1955, n° 150, p. 75 ; MEISS, 1967, p. 356 ;
Dictionnaire des lettres françaises, 1992, p. 282 ; GOUSSET, FLEURIER,
2001, p. 15-16, 93 et pl. 12 p. 44.

Au folio 66v^o de ce recueil des œuvres de Christine de
Pizan, une charmante peinture aux tons chatoyants
précède le *Livre du Duc des vrais amants*. Ce texte
appartient à la littérature courtoise, à laquelle Christine de Pizan (cat. 50) s'est dans un premier temps
consacrée, avant d'adopter par la suite un genre plus
didactique. Le *Livre du Duc des vrais amants*, écrit en
vers avec des insertions de lettres en prose et des pièces
lyriques, a pour thème l'amour impossible entre un
duc et une princesse. L'auteur y parle des amoureux
allant deviser en un pré verdoyant, sous l'ombre d'une
saulaie où le ru d'une fontaine coule « bel et clair ».
Cette description d'une campagne accueillante, propice au repos des cœurs en proie aux affres de l'amour,
a été traduite dans le langage pictural courtois du
Maître d'Egerton par l'image d'un jardin. À l'abri des
frondaisons et du mur protecteur, trois couples sont
assis sur l'herbe, de part et d'autre d'une imposante
fontaine, et semblent échanger des propos sur un ton
de confidence. Ainsi, rien ne peut mieux qu'un jardin
évoquer le *locus amœnus*, ce lieu agréable et paisible
vanté par les Anciens, qui recrée, même de manière
fugace, une parcelle du paradis perdu.   M.-T. G.

Fig. 32a
Christine de Pizan, *Cent ballades d'amant et de dame*,
Maître de la Cité des dames, Paris, vers 1410,
peinture sur parchemin.
Londres, The British Library, Ms Harley 4431, f° 376

III

LA QUÊTE DU PARADIS SUR TERRE

cat. 33

33 | L'auteur écrivant dans un verger*

Martin Le Franc, *Le Champion des dames*
Maître du *Champion des dames*, France du Nord,
entre 1467 et 1482
Dessin à l'encre, aquarellé sur papier
H. : 26,6 ; l. : 19,4 ; 444 f^os
Grenoble, Bibliothèque municipale, ms. 352, f° 437

Bibliographie : *Dictionnaire des lettres françaises*, 1992, p. 997-998 ;
AVRIL, REYNAUD, 1993-1994, n° 49, p. 100-101 et fig. 19 ;
CHARRON, 2001, p. 201-206. MARTIN LE FRANC, *Le Champion
des dames*, édition du texte par R. DESCHAUX, 5 vol., Paris, 1999.

Le débat sur le *Roman de la Rose* (cat. 27), lancé autour
de 1400, se poursuivit durant tout le XVe siècle :
vers 1440-1442, Martin Le Franc, clerc érudit et poète,
continuait à défendre Christine de Pizan (cat. 32 et 50)
et la cause des femmes dans son *Champion des dames*.
Dans cet ouvrage, qu'il dédia à Philippe le Bon, l'auteur se fait, comme le titre l'indique, le champion de
dames réelles ou mythiques.

Le manuscrit de la bibliothèque de Grenoble est
le plus abondamment illustré des dix manuscrits
conservés de cette œuvre, qui devait être imprimée
vers 1488 à Lyon. Il s'agit peut-être de l'exemplaire
réalisé pour Jean V de Créquy, conseiller et chambellan de Philippe le Bon, bibliophile et protecteur de
Martin Le Franc, ce qui confirmerait une datation stylistique dans les années 1465-1475. Ses cent soixante-
dix-neuf miniatures sont l'œuvre d'un artiste anonyme
très original, issu du milieu artésien-picard.

Sur la dernière image du manuscrit, l'auteur, Martin
Le Franc, représenté en train d'écrire dans un verger,
apparaît comme une sorte d'avatar de l'Amant-
songeur du *Roman de la Rose* (cat. 26, 27 et 28). Délais-
sant son rôle d'érudit et ses vêtements de clerc, il
apparaît dans ses habits de cour, en poète défendant
l'idéal courtois. Il est entouré du décor approprié à
son rôle : un verger à l'herbe délicate « en manière
d'un drap vert », selon l'expression de Pierre de Crescens, ombragé d'arbres et entouré de rosiers, dont le
décor continu de verdure stylisée évoque une tapisserie. Le cadre protecteur du jardin reconstitue un *locus
amœnus* propice à l'inspiration poétique. La fontaine
triangulaire, aux volumes puissants et inhabituels, est
révélatrice du style sculptural d'un artiste éloigné des
canons des peintres flamands contemporains. Près
de la fontaine, la silhouette de l'auteur évoque un
Narcisse qui aurait su se détourner de sa propre
image (cat. 26 et 29) et conserver sa vie en la vouant à
la défense de justes causes.   É. A.

34 | Coffret avec scène courtoise

Allemagne du Sud, vers 1485
Peinture au bismuth sur bois
H. : 12 ; L. : 29,5 ; p. : 21
Cologne, Museum für Angewandte Kunst,
inv. A 781

Bibliographie : Gotha, 1998, n° 46 ; Lienz, 2000, pl. 68 p. 82
et n° 1-9-3, p. 140.

Le romantisme allemand a créé au XIXᵉ siècle le terme générique de *Minnekästchen* (coffret d'amour courtois) pour qualifier des coffrets médiévaux de petit format. Cette nomenclature est anachronique : si on trouve dans les inventaires du Moyen Âge des mentions diverses d'«écrins» ou de «coffrets», elles ne spécifient pas de manière explicite leur utilisation dans le contexte amoureux.

La présence de peinture au bismuth pour le décor de ce coffret laisse penser qu'il s'agit bien d'une œuvre médiévale et non d'une création du XIXᵉ siècle. En effet, cette technique particulière, procédant de l'application en fine lasure de bismuth comme base picturale sur une préparation à la craie, apparut au XVᵉ siècle et était alors appréciée pour son aspect brillant. Son usage se répandit surtout en Allemagne méridionale et en Suisse, avant de tomber en désuétude, même au plus fort du style néogothique.

La scène courtoise est réservée au couvercle, tandis qu'un décor floral stylisé (œillets blancs ou lychnis dioïques) orne les côtés du coffret. Le couple occupant la composition principale correspond à des archétypes du répertoire formel de l'amour courtois, avec la fauconnière à gauche et le joueur de luth à droite, ce dernier usant de la musique comme moyen de conquête amoureuse ; la banquette* de verdure sur laquelle sont assis les personnages évoque un décor champêtre. Le caractère courtois de la scène est accentué par les inscriptions des banderoles placées au-dessus des deux personnages. Au-dessus de la femme, il est possible de lire : «[Da]s ist dy Freude min» («Cela est ma joie»). L'inscription au-dessus de l'homme indique que ce coffret était un cadeau, sinon un présent de mariage : «*Frow nemtt es in Truwen hin, so will ich unser Eygen syn*» («Femme, prenez-le en signe de fidélité, ainsi je deviendrai nôtre»).
M. M.

cat. 34

35 | Chansonnier

Bruges ?, 1511
Peinture sur parchemin
H. : 7,8 ; l. : 11 ; 30 f^{os}
Tournai, bibliothèque de la Ville, ms. 94, f° 17

Bibliographie : *Census-Catalogue of Manuscript Sources of Polyphonic Music 1400-1550*, American Institute of Musicology, Stuttgart, 1984, III, p. 217 ; KESSELS, 1987.

Ce chansonnier contient la partie de ténor *(tenores)* de vingt-deux pièces polyphoniques en français (quatorze), flamand (six) et latin (deux). Un manuscrit exactement similaire conservé à Bruxelles (Bibliothèque royale de Belgique, ms. IV. 90) contient la partie de soprano *(superius)*, mais les manuscrits correspondant aux deux autres parties *(altus et contratenor altus)* sont perdus. La date de 1511 apparaît au folio 21. À l'exception de deux motets *(Parce Domini, O vos omnes,* feuillets 9-11v°), ce manuscrit rassemble des pièces profanes anonymes qui ont pu être attribuées pour la plupart, notamment par comparaison avec celles des albums de musique de Marguerite d'Autriche (Bruxelles, Bibliothèque royale de Belgique, ms. 228 et 11239). Il s'agit d'œuvres des musiciens à la mode à la fin du XVe et au début du XVIe siècle : J. Ghiselin, Hayne van Ghizeghem, Loyset Compère, Jacques Obrecht, Jean Ockeghem, Pierre de la Rue et Josquin des Prez. Parmi elles, on trouve la très populaire chanson de ce dernier, *En lombre dung buissonnet* :

«En lombre dung buissonnet,
Tout au loing d'une rivière,
Trouvay-je Robyn, le filz Marquet,
Qui pryoit sa dame chière
Et lui dit en tel manière :
Je vous ayme. – Robyn, comment l'entendez-vous ?
Robyn, comment l'entendez-vous ? »

Toutes les pièces sont des chansons d'amour, mettant en musique les douleurs de la séparation ou les joies de l'amour et du printemps. Le décor peint du manuscrit illustre parfaitement le texte des chansons :

dans les marges, typiques de l'école ganto-brugeoise, alternent des fleurs (roses, ancolies, pensées, fleurs de pois, chardons) et des scènes printanières dans des jardins ou dans les bois. Souvent, la chanson est illustrée par une véritable mise en abyme : les amoureux sont figurés en train de chanter et de jouer de la musique, comme s'ils interprétaient le texte de la partition.

Ainsi, au folio 17 débute une chanson de Josquin des Prez, *Plus nulz regrets*, composée d'après un poème que Jean Lemaire de Belges écrivit en 1508, lors de la paix de Calais entre l'Empire et l'Angleterre, paix scellée par des fiançailles entre l'archiduc Charles (futur Charles Quint) et la fille d'Henri VII. Sa composition joyeuse répond aux cinq premières pièces du recueil, de nature élégiaque *(Allez regres, Les grans regrez, Va-t-en regrez, Venez regrez, Jour de regrez)*. De part et d'autre des notations musicales, un couple est représenté dans le jardin proche d'une demeure : la dame joue du luth, tandis que son compagnon, assis sur une banquette* de verdure, l'écoute. Les paroles de la chanson semblent former le dialogue entre les deux personnages. Célébrant les joies de la paix retrouvée grâce à l'union des deux princes («Joinctz et unis n'ayons plus nulz regrets, n'ayons plus nulz regretz»), le poème file la métaphore du renouveau printanier et amoureux :

«Sur nos preaux et jardinetz herbus
Luyra Phebus de ses rais ennoblis ;
Ainsi croistront noz boutoneaux barbus
Sans nulz abus et dangereux troubliz.
[...]
Se Mars nous tolt la blanche fleur de lis
Sans nul delictz, sy nous donne Venus
Rose vermeille, amoureuse, de pris,
Dont noz espritz n'auront regretz plus nulz. »

Plusieurs enluminures du chansonnier sont proches d'illustrations de calendriers, où les joies du printemps et de la *reverdie* sont montrées à travers le thème du jardin d'amour (cat. 36). Ainsi, celle du folio 17 correspond au thème illustrant fréquemment le mois d'avril :

cat. 35

les amoureux dans un jardin, faisant de la musique ou tressant des couronnes de fleurs ; au folio 13, la sérénade sur une barque est un thème classique pour l'illustration du mois de mai. L'enlumineur semble s'être inspiré d'un fonds de modèles circulant dans les ateliers brugeois, dont l'atelier s'inspirant du Maître du livre de prières de Dresde, spécialisé dans la production de livres d'heures de petit format (dont le chef-d'œuvre est le *Livre d'heures de Jeanne la Folle*, Londres, The British Library, Add. Ms 18852), et celui de Simon Bening, qui utilisa ces motifs dans ses livres d'heures pendant la première moitié du XVIe siècle (cat. 81). L'intérêt manifeste du peintre pour le paysage est aussi tout à fait caractéristique de ces ateliers. L'exécution de la reliure du chansonnier par Louis Bloc, relieur brugeois, tend à confirmer l'attribution du manuscrit à un peintre de Bruges. Le très petit format du chansonnier laisse imaginer que l'on pouvait s'en servir comme d'un « carnet de chants » pour chanter à l'extérieur, dans un jardin. É. A.

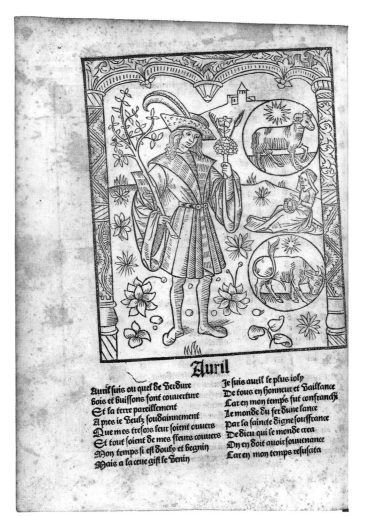

cat. 36

36 | Le printemps

Compost et kalendrier des bergères
Imprimé à Paris par Guy Marchant le 17 août 1499
Incunable, encre noire sur papier
H. : 25,8 ; l. : 19,5 ; 68 f^os
Paris, Bibliothèque nationale de France,
réserve des Livres rares, inv. V 1266

Bibliographie : *Dictionnaire des lettres françaises*, 1992,
p. 320-321.

Les calendriers des bergers, compilations de la fin
du XVᵉ siècle mêlant des considérations astrologiques,
médicales et religieuses, font partie des livres à succès
des débuts de l'imprimerie. Le plus diffusé, traduit
(en anglais et en allemand) et reproduit (jusqu'au
XVIIᵉ siècle) fut le *Compost et kalendrier des bergiers*,
édité pour la première fois à Paris en 1491 par le
libraire-imprimeur Guy Marchant. En 1499, celui-ci
imprima un *Compost et kalendrier des bergères*, variante
du précédent, qui ne devait pas connaître le même
succès et resta une édition unique. Deux bergères
étrangères, venues des terres du Prêtre Jean, y ensei-
gnent aux Parisiens l'arithmétique, l'astrologie, les
« sciences nouvelles et matières contemplatives ». Le
recueil comporte entre autres un calendrier et un
poème moralisé sur les quatre saisons. La même gravure sur bois est utilisée deux fois, pour illustrer le
mois d'avril et, plus loin, le printemps.

Bien que l'ouvrage soit destiné à un public modeste
(et imaginaire) de bergers, l'illustration met en scène
un couple d'allure aristocratique goûtant les délices
de la nature printanière : dans une prairie, un jeune
seigneur élégamment vêtu tient un bouquet de fleurs
dans une main et un rameau bourgeonnant dans
l'autre ; derrière lui, assise dans l'herbe, une jeune fille
tresse un chapel* de fleurs. Les signes du zodiaque
correspondant à avril, le bélier et le taureau, apparaissent dans des médaillons.

La double utilisation de cette image, représentant
à la fois l'occupation du mois d'avril et la saison du

printemps, amène un élément original, celui d'une forme de retour à l'Antiquité romaine, qui avait pour tradition de personnifier les saisons plutôt que les mois. Le printemps était alors figuré comme un jeune homme tenant des fleurs, couronné de fleurs ou de feuillage. Les personnifications des saisons avaient pratiquement disparu de l'iconographie médiévale, délaissées, dans les calendriers illustrant le cycle du temps chrétien, au profit de l'association entre le signe du zodiaque et l'occupation du mois glorifiant le labeur voulu par Dieu. C'est à la fin du XIVᵉ siècle, avec les *Tacuina* (cat. 79), que réapparurent les personnifications antiques des saisons : Hiver, vieillard frileusement enveloppé dans son manteau ; Printemps, couronné de fleurs ; Été, couronné d'épis de blés ; Automne, couronné de feuilles et de grappes de vigne. La gravure de ce calendrier des bergères est donc à la fois novatrice dans son illustration des saisons et parfaitement conventionnelle dans son illustration des mois.

Aux XIVᵉ et XVᵉ siècles, dans les manuscrits, les représentations des mois printaniers ne varient guère. Mars marque la reprise des travaux à l'extérieur, avec la taille des arbres ou de la vigne, dans les champs ou les jardins (cat. 63 et 81). Avril est le roi des mois, celui où l'on goûte les premiers rayons du soleil, le retour des fleurs et des premières feuilles aux arbres. L'occupation du mois n'est pas un labeur, mais le loisir, le plaisir pris à profiter de ces sensations, en général dans un jardin, lieu clos où la nature s'éveille en douceur. C'est là que les amoureux se retrouvent pour cueillir des fleurs, en faire des couronnes, se les offrir… Mai évoque aussi les occupations chevaleresques dans la nature, non plus dans le cadre du jardin clos, mais au grand air, dans les bois : chasse au faucon, chevauchée avec sa dame, promenade en barque, etc.

Le sentiment amoureux semblant suivre l'éveil de la nature, avril est le cadre par excellence du jardin d'amour. Le poème de Printemps dans le calendrier des bergères exprime à merveille cet attrait de l'homme médiéval pour le printemps, douce saison des fleurs et des amours. Voici « comme Printemps parle » :

« Printemps suis qui de ma nature
Ayme les fleurs et la verdure. […]
De mon chapeau sont naturelles
Les fleurs pour quoy tant sont plus belles
Nature me l'a composé
Tel. et dessus mon chief posé.
[…]
Ma fait ung don dame nature
quelle na fait a creature.
Cest bien savoir une couleur
Vive coucher sur une fleur
Soit iaune bleu vert ou vermeil
Jen suis pointre le non pareil
Hayes buissons boys espinetes
En ma saison sont de fleuretes
Couvers. aussi pomiers poiries
Tendus de mes tapisseries […].
Je suis celluy qui faiz florir
Arbres et tout boys renverdir
Vert est livree aux amoureux
qui tousiours sont mon temps ioyeux […].
Je dors IX moys puis ie mesveille
Et les endormis ie reveille […].
Je reveille gayes bergeres
sauncun aymant est qui sommeille
Je luy mez la puce en loreille
qui le fait penser en amour […].
Jeunes filletes en mon temps
Cueullent les fleuretes aux champs.
Desquelles font chapeaux honnestes
quelles portent dessus leurs testes
quant aux festes et dances vont
Pour leurs chapeaux plus gentes sont […]. »
É. A.

37 | Jeune fille ramassant des fleurs de sureau

Bâle, vers 1480
Tapisserie, laine et soie
H. : 44 ; l. : 52
Zurich, Musée national suisse, inv. LM 29307

Bibliographie : RAPP-BURI, STUCKY-SCHÜRER, 1990, n° 35, p. 192.

Les tapisseries produites au XVe siècle dans la région du Rhin supérieur ont souvent servi, comme les coffrets (cat. 25 et 34), de cadeaux de fiançailles ou de mariage. Les sujets profanes y sont majoritairement représentés et, sur ces tapisseries aux couleurs vives, nombreuses sont les compositions liées aux thèmes amoureux, notamment au jardin d'amour (en particulier la grande tapisserie du jardin d'amour aujourd'hui à Bâle, Historisches Museum, inv. 870. 741). Cependant, au milieu de ces jardins d'amour heureux, figurations joyeuses d'un univers idéalisé, se glisse parfois la représentation des souffrances de l'amour. C'est le cas sur ce fragment de tapisserie avec, à travers l'image du sureau perdant ses fleurs, l'évocation de l'amour blessé.

Dans la région du Rhin supérieur, le sureau, avec ses fleurs blanches, était connu comme symbole de fidélité, et on lui attribuait des pouvoirs magiques. Le jus tiré de ses fleurs et de ses baies était réputé être un remède contre l'infidélité. Une greffe de l'arbre sur lui-même devait accroître son pouvoir magique. Aussi suspendait-on à ses branches des lacs d'amour ou des anneaux aux mains entrelacées, pour garantir un amour fidèle.

Des pouvoirs magiques similaires étaient attribués dans les pays germaniques à la fleur de chicorée, qui entrait dans la composition de charmes d'amour : une personne touchée par une fleur de chicorée cueillie de la bonne manière se soumettait à un amour fidèle. Ainsi, sur le portrait de fiançailles du Maître du retable de Steizinger (Ulm, vers 1460, conservé au Cleveland Museum of Art), le jeune homme porte une fleur de chicorée dans ses cheveux et en offre une à sa fiancée.

Sur ce fragment de tapisserie, les fleurs du sureau pendent tristement, et plusieurs sont tombées à terre, signifiant ainsi que le charme est rompu. L'inscription sur les banderoles entourant la jeune fille est plus explicite encore : « L'inconstance du monde fait tomber les fleurs du sureau. » Cependant, la jeune fille, en défenseur de l'amour fidèle, ramasse avec constance les fleurs tombées pour les mettre dans son panier.

É. A.

38 | Le grand jardin d'amour

Maître des jardins d'amour (actif vers 1430-1445),
Flandre, vers 1440
Gravure sur cuivre
H. : 22,4 ; l. : 28,7
Berlin, Staatliche Museen zu Berlin, Preussischer Kulturbesitz, Kupferstichkabinett, inv. 316-1

Bibliographie : LEHRS, 1908-1934, I, n° 21, p. 324 ; SCHÜLER, 1932, p. 38 et suiv. ; SMITH-FAVIS, 1974, p. 62 et suiv. ; MOXEY, 1980, p. 125 et suiv., fig. 2 ; VIGNAU-WILBERG, 1984, p. 43 et suiv., fig. 1 ; BEVERS, 1994, p. 9 et suiv., fig. 1 ; *Das Berliner Kupferstichkabinett*, Berlin, 1994, IV.1 ; Gotha, 1998, n° 42, p. 203-204 ; WELZEL, 2001, p. 123-127.

Le Maître des jardins d'amour, qui doit son nom à plusieurs gravures consacrées à ce sujet, exerça son activité en Flandre entre 1430 et 1445. Max Lehrs a constaté qu'aucun autre graveur du XVe siècle ne montrait une telle proximité artistique avec le style

bourguignon développé sous Philippe le Bon (cat. 95). Ses personnages ont une silhouette étirée, au raffinement courtois, à la fois fragile et gracieuse. Son style riche en détails, fortement narratif, doit beaucoup à l'enluminure de son époque. La gravure du *Grand Jardin d'amour* impressionne d'ailleurs par sa richesse narrative, presque encyclopédique.

Ce jardin d'amour offre toutes les composantes du *locus amœnus* classique : traversé par un petit ruisseau, il est peuplé d'une multitude d'animaux, dont le singe enchaîné au premier plan. Le singe, qui symbolise le vice et le péché, se trouve habituellement figuré dans les illustrations de bas de page des manuscrits, représentant, en opposition avec le texte sacré, le monde des tentations terrestres. Cet aspect moralisant semble disparaître sur cette gravure au profit d'un exotisme recherché. Le cas de la licorne, qui peuple également ce jardin fabuleux, semble s'apparenter à celui du singe. Dans les bestiaires médiévaux, elle est symbole de virginité, puisque l'on considère qu'elle ne peut être capturée que quand elle se repose sur les genoux d'une vierge (cat. 13). Dans la poétique érotique des XIIIᵉ et XIVᵉ siècles, cette image est assimilée à la conquête de la femme, et l'amant courtois est fréquemment comparé à la licorne.

Le Maître des jardins d'amour semble avoir tracé cet univers avec toute la précision d'un enlumineur, alors qu'il est supposé avoir reçu une formation d'orfèvre. Cette œuvre, un *unicum*, est exemplaire dans la mesure où elle illustre parfaitement le processus de transfert d'iconographie du religieux au profane, le monde profane puisant dans le sacré pour constituer son propre langage pictural.

La composition se développe en trois plans successifs. Au premier plan, les trois couples assis forment une frise ouvrant sur la vue panoramique du jardin.

cat. 39

Fig. 39a
Couple d'amoureux à la fontaine, Maître b x g,
vers 1480, gravure sur cuivre.
Vienne, Graphische Sammlung Albertina

Leurs divertissements sont variés : de gauche à droite, le jeu de cartes, la musique et la confection d'un chapel* de fleurs. Le *Roman de la Rose* (cat. 26, 27 et 28) décrit l'amour comme une « maladie mout courtoise, ou l'en jeue et rit e envoise » (vers 2179-2180) : le jeu dans ses différentes manifestations permet à l'homme de faire la conquête de sa dame sur un mode ludique. Le centre de la composition est formé d'un autre groupe de trois couples se prêtant à la collation et à l'offrande de boisson, allusion non dissimulée au philtre d'amour. Le dernier plan est occupé par deux châteaux forts, soulignant ainsi l'aspect féodal de l'univers déjà évoqué.

La gravure reste un paradigme par rapport à l'iconographie du jardin d'amour : ce nouveau support artistique offre d'une part l'accès à une clientèle citadine et bourgeoise, et soumet d'autre part cette tradition iconographique à une sorte de mutation inexorable. De nouveaux éléments, tels que des travestis ironiques ou obscènes, vont alors faire leur apparition (cat. 205 et 220).   M. M.

39 | Collation dans un jardin

Maître b x g (actif à Francfort, vers 1475-1485),
vers 1480
Gravure sur cuivre
D. : 9
Paris, Bibliothèque nationale de France,
département des Estampes, inv. Ea 47e, rés. pet. fol.

Bibliographie : HÉBERT, 1982, n° 436, p. 107 ; Amsterdam/Francfort, 1985, n° 100 ; Gotha, 1998, n° 49, p. 108.

Cette gravure compose, avec trois autres du même format, une suite déclinant la représentation d'un couple dans un jardin clos, se divertissant selon les codes de l'amour courtois. Chacune de ces scènes se trouvant inscrite dans un cercle, il a été suggéré qu'elles avaient été inspirées par des vitraux (rondels) ornés de motifs similaires. L'œuvre du Maître b x g, continuateur du Maître du Hausbuch (cat. 40 et fig. 45a), témoigne d'une certaine prédilection pour les scènes profanes : son style est reconnaissable à ses personnages trapus aux traits juvéniles.

Fig. 39b
Couple jouant aux cartes, Maître b x g,
vers 1480, gravure sur cuivre.
Munich, Staatliche Graphische Sammlung

Fig. 39c
Couple jouant de la musique, Maître b x g,
vers 1480, gravure sur cuivre.
Oxford, The Ashmolean Museum of Art and Archeology

Les quatre gravures segmentent l'iconographie traditionnelle du jardin d'amour, la vue d'ensemble faisant
place ici à des scènes plus intimes, à des séquences
recouvrant différentes phases ou divers modes codi-
fiés de la conquête amoureuse : collation, couple à la
fontaine (fig. 39a), couple jouant aux cartes (fig. 39b),
couple jouant de la musique (fig. 39c).

Dans la *Collation dans un jardin*, le couple se tient
debout, de part et d'autre d'une table ronde, dans un
jardin clos par un muret auquel s'adosse une banquette* d'herbe. Un élément situé à droite de la composition mérite une attention particulière. Il s'agit
d'une aiguière posée dans un rafraîchissoir (motif que
l'on retrouve au premier plan de la gravure du *Couple
jouant aux cartes*, fig. 39b). Illustrant la manière habituelle de rafraîchir les boissons au XVᵉ siècle, ce motif
peut aussi avoir une signification moralisante : il repré-
senterait la volonté ou la nécessité de refroidir les bas
instincts. Ici, la femme devient l'actrice de la conquête
amoureuse en offrant la boisson à son compagnon.

La gravure du *Couple d'amoureux à la fontaine* forme
pendant à celle de la *Collation*. Cette scène doit beaucoup à la tradition romanesque de l'amour courtois,
notamment au rendez-vous à la fontaine et au philtre
d'amour magique de Tristan et Iseut. Les thèmes des
deux autres gravures appartiennent aussi aux *topoï* du
langage amoureux : le jeu de cartes est utilisé comme
métaphore érotique (*bettespile*, le «jeu du lit»), et la
musique est fréquemment mentionnée dans les
traités d'amour comme le «jeu doux» *(sueze minne-
spil)*. Le prédicateur strasbourgeois Jean Geiler von
Kaysersberg a stigmatisé dans plusieurs de ses sermons les «fous d'amour» qui se ridiculisent en
jouant du luth ou d'autres instruments à cordes pour
conquérir leur dame.

À travers différentes scènes sur la conquête amoureuse, le Maître b x g parvient à créer une chorégra-
phie subtile sur les sentiments partagés, témoignant
parfois d'une certaine réciprocité dans la distribution
des rôles.
M. M.

cat. 40

40 | Le couple amoureux

Maître du Cabinet d'Amsterdam, aussi appelé
Maître du Hausbuch (actif entre 1465 et 1500),
Rhin moyen, vers 1485-1488
Gravure à la pointe sèche
H. : 16,7 ; l. : 10,7
Paris, Bibliothèque nationale de France,
département des Estampes, inv. Ea 41 rés.

Bibliographie : HUTCHISON, 1972, p. 63 ; HÉBERT, 1982, n° 430,
p. 106 ; Amsterdam/Francfort, 1985, n° 75 ; Gotha, 1998, n° 5.

Il s'agit d'une des plus charmantes et touchantes représentations d'amour attribuées au Maître du Cabinet d'Amsterdam ou Maître du Hausbuch. Cette pointe sèche unique, très renommée, suscita une multitude de copies par les artistes contemporains du Maître – le Maître b x g, Wenzel von Olmütz ou encore Israhel Van Meckenem qui, pour la plupart, ont inversé la scène. L'œuvre est antérieure à 1488, car l'illustrateur de la *Chronica Hungariae* publiée à Augsbourg cette année-là s'est servi de la figure de la jeune femme de cette gravure pour la représentation de la reine Marie de Hongrie.

La scène reprend l'iconographie amoureuse du XIVe siècle en plaçant le jeune couple sur une sorte de *synthronos*. La gravure traduit en image le principe de l'amour courtois comme art du dialogue et de la conquête par la parole, héritage de l'*Ars amatoria* ovidien transmis par les *Arts d'aimer* des XIIIe et XIVe siècles. Drouart la Vache écrivait ainsi au XIIIe siècle : «Biau parler a amour aide, selonc la parole d'Ovide.»

L'homme a timidement mis sa main sur le genou gauche de la femme ; celle-ci baisse le regard conformément aux préceptes enseignés dès l'enfance aux jeunes filles de la noblesse. En signe de fidélité conjugale, elle tient un petit chien.

La gravure emprunte quelques éléments iconographiques classiques du thème du jardin d'amour : l'encadrement floral qui donne à la composition l'allure d'un retable sculpté profane, le motif de l'aiguière plongée dans un rafraîchissoir comme symbole de la modération du désir, ou encore le pot d'œillets à gauche qui enrichit la scène de fleurs aux vertus érotiques. L'œillet occupait une place privilégiée dans l'iconographie amoureuse du XVe siècle (cat. 86) et sa fleur apparaît fréquemment dans les représentations de fiançailles.

M. M.

11 | Musiciens jouant autour d'une fontaine

Israhel Van Meckenem, Rhin inférieur, vers 1480-1500
Gravure sur cuivre
D. : 17,4
Paris, Bibliothèque nationale de France,
département des Estampes, inv. Ea 48b rés.

Bibliographie : Bocholt, 1972, p. 83, fig. 109 ; HÉBERT, 1982, nº 692, p. 151 ; Lawrence/Washington DC, 1983, nº 65, p. 214-215 (concerne l'épreuve conservée à Washington DC, National Gallery of Art) ; HOLLSTEIN, 1986, XXIV, nº 511.

La scène centrale de cette gravure s'articule à partir d'une fontaine autour de laquelle un couple joue du luth et de la harpe. L'effet de symétrie est accentué par les deux arbustes en pot qui flanquent la fontaine. Cette composition structurée contraste avec le décor ornemental exubérant qui l'encadre : la ligne sinueuse du feuillage se développant telle une flamme serpentine évoque le décor végétal des gravures du Maître de la Passion de Berlin (cat. 22), qui était probablement le père de l'artiste, Israhel Van Meckenem.

Sans doute orfèvre de formation, celui-ci reçut plusieurs commandes publiques de Bocholt en Westphalie, ville dont il était citoyen et où il mourut en 1503. Ce graveur est l'un des plus prolifiques du XVᵉ siècle et, si son œuvre paraît un peu conventionnelle, il n'en demeure pas moins l'un des spécialistes de la variation artistique. On lui doit, entre autres, plus de deux cents copies d'après des gravures du Maître E. S.

L'œuvre présentée ici est à cet égard éloquente : Israhel Van Meckenem y reprend une composition du Maître E. S. (L., 203) en la signant (*Israhel*, devant la fontaine) et en l'inscrivant non plus dans un rectangle mais dans un cercle. Il procède par ailleurs à quelques modifications formelles, comme la suppression de deux arbres aux extrémités de la scène, ou l'ajout d'un chien, symbole de fidélité conjugale. Dans sa relecture artistique, le graveur de Bocholt transforme l'iconographie du jardin d'amour en un système d'éléments iconographiques, modulables selon le principe du thème et des variations. Ce type de gravure pouvait servir de modèle à des orfèvres, pour le décor de petits objets précieux.   M. M.

42 | La collation

Tournai?, vers 1520
Tapisserie, laine et soie
H. : 325 ; l. : 458
Paris, musée national du Moyen Âge – thermes de
Cluny (don sous réserve d'usufruit), inv. Cl. 22855

Bibliographie : JOUBERT, 1987, p. 168-178 ; Avignon, 1997, n° 55, p. 114.

Fig. 42a
La Collation dans un jardin d'amour,
Pays-Bas du Sud, début du XVIᵉ siècle, tapisserie.
Glasgow, The Burrell Collection,
Glasgow Museum and Art Galleries

Le thème du jardin d'amour s'est trouvé fréquemment illustré de manière monumentale par la tapisserie (fig. 42a), les cartonniers ayant pu prendre pour modèle les nombreuses gravures qui circulaient sur ce sujet (cat. 38, 39, 41, 43, 44 et 45). Ici, dans une série de quatre tapisseries illustrant les plaisirs de la chasse *(Collation, Intermède musical, Chasse à l'arbalète et au faucon, Retour de la chasse)*, l'épisode de la *Collation*, où les chasseurs marquent une halte, mêle le thème de la chasse comme conquête amoureuse à celui du jardin d'amour.

Un rideau d'arbres semble s'écarter pour découvrir au regard la noble compagnie se reposant dans une clairière. Au premier plan, est planté le décor de la chasse : deux dames conversent avec un chasseur abreuvant son faucon, un seigneur aide sa dame à descendre de sa monture, un cheval se désaltère dans un ruisseau, tandis qu'autour d'eux s'activent les valets, rappelant les oiseaux de proie, tenant les montures ou sautant d'un arbre…

Ces personnages entourent le groupe au deuxième plan, qui forme le centre de la composition. Deux couples s'y délassent, l'un en prenant une collation dans un jardin clos délimité par un muret, l'autre en se livrant aux plaisirs de l'amour. L'iconographie reprend très clairement celle des gravures germaniques des jardins d'amour (cat. 39, 41, 44 et 45), où se trouvent déclinés les loisirs agréables auxquels s'adonne une noble compagnie dans un jardin : collation, musique, danse, lecture, sieste… Transposée dans le milieu nordique, c'est l'ambiance que décrivait Boccace lorsque les héros du *Décaméron* se prélassaient, loin de la peste, dans un jardin (cat. 31) : « Ils firent dresser les tables autour de la belle fontaine et après avoir d'abord chanté six chansons et exécuté quelques danses, ils allèrent déjeuner […]. Servis dans les règles, dans le calme et l'élégance, ils dégustèrent

cat. 42

des mets délicieux et raffinés, puis, plus réjouis, ils se levèrent et s'adonnèrent de nouveau à la musique, à la danse et au chant jusqu'à ce que la reine juge bon [...] de laisser ceux qui le désiraient aller prendre quelque repos. Les uns prirent ce parti, les autres gagnés par la beauté du lieu s'y refusèrent et demeurèrent en ce jardin, qui pour lire des romans, qui pour jouer aux échecs ou au trictrac, tandis que les autres dormaient.» («Troisième journée – Introduction»)

Ici cependant, le temps a introduit une distance critique par rapport à une vision idéalisée de l'amour courtois, et la composition symétrique oppose le couple courtois et sa caricature. À gauche, assis sous un oranger, un couple goûte une collation servie par une suivante. Le seigneur tient son faucon sur le poing. Au-dessus d'eux, un héron est attaqué par deux faucons. La chasse au vol est un thème fréquemment représenté comme allégorie de la conquête amoureuse : la capture du héron y appelle à la prouesse d'amour. Le groupe rassemble ainsi un certain nombre de *topoï* composant une image codifiée de l'amour et de la maîtrise des passions. Mais à droite, comme par un effet de miroir, l'image dérape, et les appétits charnels se dévoilent. La suivante servant galamment à boire devient un fou tentateur brandissant sa marotte, la table bien dressée laisse place à une fontaine au jaillissement érotique, et le couple sagement assis se transforme en un couple se laissant aller à ses désirs; dans leur étreinte, le lapin qui apparaît entre les jambes de la dame est une allusion sans équivoque à Vénus et à la fécondité.

Ainsi, si cette tapisserie semble à première vue célébrer la «chasse d'Amour», la présence de cette scène lui donne une signification plus moralisatrice; comme dans les jardins d'amour du Maître E. S. (cat. 44 et 45), à travers le personnage du fou, c'est la folie de l'amour qui est critiquée, et l'illusion de l'amour courtois dénoncée. É. A.

43 | Jardin d'amour

Florence, vers 1465-1480
Gravure sur cuivre
D. : 19
Berlin, Staatliche Museen zu Berlin, Preussischer
Kulturbesitz, Kupferstichkabinett, inv. 169-24

Bibliographie : HIND, 1938, n° A. IV. 17, ill. 145.

cat. 43

Le thème du jardin d'amour, très fréquemment évoqué dans les arts figurés flamands ou germaniques (cat. 35, 38, 39, 40, 41, 42, 43, 44 et 45), fut moins souvent traité en Italie. Cette gravure en est un des exemples assez rares : elle semble avoir été réalisée d'après un modèle nordique.

On y retrouve tous les *topoï* du jardin d'amour, tant dans la structure du jardin (mur crénelé, banquettes* de gazon, rosiers grimpant sur des treillis*, fontaine), que dans les activités qui s'y déroulent, avec une jeune fille tressant un chapel* de fleurs, un couple jouant du luth et de la mandoline, et la table dressée pour la collation. À l'arrière-plan, le couple beaucoup plus explicite dans ses gestes amoureux évoque l'esprit satirique des gravures du Maître E. S. (cat. 44 et 45).

L'influence nordique rejoint ici le caractère leste des histoires racontées par les personnages du *Décaméron* (cat. 31 et 80). Cette gravure fait partie de toute une série à sujets courtois attribuée à l'atelier du Florentin Baccio Baldini, et ayant appartenu à un marchand et collectionneur de Leipzig, Ernst Peter Otto (1724-1799). Les motifs de pomme de pin ornant la robe de la jeune fille assise au premier plan se retrouvent dans plusieurs œuvres attribuées à Baldini, notamment dans la série des *Sybilles*. L'encadrement de la gravure, qui évoque un *tondo*, inscrit également l'œuvre dans le contexte italien.

Mais le reste du costume des personnages s'inspire clairement de modèles nordiques, de même que l'inscription sur la manche de la jeune femme : «ames droit». Ce type d'inscription amoureuse était fréquent sur les objets courtois : boîtes, coffrets (cat. 25 et 34), miroirs, peignes. Peut-être les gravures circulaires de ce «groupe Otto» étaient-elles destinées à être incrustées dans des boîtes ou des coffrets donnés en présent amoureux. É. A.

cat. 44

44 | Jardin d'amour aux joueurs d'échecs

Maître E. S. (actif entre les années 1440 et 1467),
Rhin supérieur, vers 1460
Gravure sur cuivre
H. : 16,8 ; l. : 21
Paris, Bibliothèque nationale de France,
département des Estampes, inv. Ea 40 rés.

Bibliographie : LEHRS, 1908-1934, II, nº 214, p. 304 ; FAVIS, 1974, p. 195 et suiv. ; MOXEY, 1980, p. 125 et suiv., fig. 1 ; HÉBERT, 1982, nº 122, p. 54-55 ; VIGNAU-WILBERG, 1984, p. 44, fig. 2 ; Munich/ Berlin, 1986-1987, nº 97 ; BEVERS, 1994, p. 18 et suiv., fig. 6 ; Gotha, 1998, nº 54, p. 114-115.

Trois couples sont disposés de manière symétrique dans un jardin clos d'une barrière de bois et d'une banquette* de verdure : le premier tresse un délicat chapel* de fleurs, le second joue aux échecs, tandis que le troisième chante. Le décor champêtre luxuriant montre la prédilection du Maître E. S. pour les plantes au feuillage lobé (violettes, cyclamens, trèfles), travaillées presqu'en réserve sur un fond structuré (cat. 21). Surnommé « le Van Eyck de la gravure », comme le rapporte Max Lehrs, le Maître E. S. était actif dans la région du Rhin supérieur, ce que les inscriptions en dialecte local sur certaines de ses gravures attestent. C'est sans doute à une formation d'orfèvre qu'il doit son goût pour les ornements ou objets décoratifs tels qu'agrafes, calices ou sceptres. Son style témoigne d'un certain maniérisme, notamment dans le dessin compliqué des drapés. L'œuvre du Maître E. S. fait aussi preuve d'une tendance caractéristique à la caricature dans l'exécution des visages.

Cette gravure marque une transition signifiante dans la représentation du thème du jardin d'amour, puisque l'iconographie habituelle fait ici place à des éléments ironiques, travestis dérivés des motifs traditionnels. L'évolution du processus iconographique est due à l'émergence d'un nouveau public : la bourgeoisie citadine s'accapare, adopte et adapte les sujets chevaleresques à travers le médium de la gravure. Des éléments de moralisation et de distance critique tels que le hibou ou la chouette, symboles de luxure, et le fou placé à l'extrême droite (reconnaissable à sa coiffure), évoquent cette perte de mémoire. Il faut souligner ainsi le mélange des registres : le fou chantant avec la dame esquisse un geste obscène, tandis que le couple situé au centre de la composition joue aux échecs, pratiquant un passe-temps seigneurial, relique de l'amour courtois. Les jeux, en particulier le jeu d'échecs, tiennent une place primordiale dans le comportement codifié de la conquête amoureuse, auquel ils offrent un contexte ludique. Par exemple, l'auteur de *La Clef d'Amors*, traité d'amour de la fin du XIIIᵉ siècle, enseigne à l'amant courtois que « les giuez des esches et des tables te sont propres et couvenables ».   M. M.

Fig. 45a
Jardin d'amour, *Livre de raison*, fᵒˢ 24vᵒ-25, Maître du Hausbuch ou Maître du Cabinet d'Amsterdam, Rhin moyen, vers 1480, peinture sur parchemin. Wolfegg, Fürstlich zu Waldburg-Wolfegg'sche Kunstsammlungen

Fig. 45b
« Tu ne seras pas adultère », détail du panneau des *Dix commandements*, Gdansk, vers 1480, peinture sur bois. Varsovie, museum narodowe

45 | Le grand jardin d'amour

Maître E. S. (actif entre les années 1440 et 1467),
Rhin supérieur, vers 1465-1467
Gravure sur cuivre
H. : 22,5 ; l. : 15
Paris, Petit Palais – musée des Beaux-Arts de la
Ville de Paris, collection Dutuit, inv. 136-1837

Bibliographie : LEHRS, 1908-1934, II, nᵒ 215, p. 304 ; FAVIS, 1974, p. 195 et suiv. ; Munich/Berlin, 1986-1987, nᵒ 98 ; MOXEY, 1980, p. 131, fig. 7 ; Paris, 1991-1992, nᵒ 18, p. 40 (concerne l'épreuve conservée au musée du Louvre) ; BEVERS, 1994 ; *Das Berliner Kupferstichkabinett*, Berlin, 1994, III, nᵒ 10 ; NASS, 1994, p. 185 et suiv. ; Gotha, 1998, nᵒ 56, p. 116-117.

Le Grand Jardin d'amour est à juste titre considéré comme un chef-d'œuvre du Maître E. S. : il a inspiré une des scènes du *Livre de raison* ou *Hausbuch* peint vers 1480 (fig. 45a). Cette gravure, dont cinq exemplaires nous sont parvenus, semble une sorte de contrefaçon du thème courtois du jardin d'amour : les protagonistes s'y laissent fourvoyer et ont un comportement débridé, tournant en dérision les codes de l'amour courtois. Surgit au premier plan la figure emblématique du fou avec son habillement et son capuchon habituels ; la dame qui l'accompagne tente de dévoiler son membre viril, geste qui, conformément à l'iconographie du sexe dénudé dans l'art religieux, traduit la punition pour adultère ou fornication dans l'Ancien Testament (Genèse, 9, 21 ; Jérémie, 13, 22). Derrière eux, deux couples sont à table ; tandis que l'un boit, l'autre se laisse aller à des attouchements érotiques. Certains auteurs y ont vu la marque d'une séquence narrative mettant en évidence différentes étapes de la conquête amoureuse. Elle serait dérivée des cycles narratifs de l'enluminure des XIIIᵉ et XIVᵉ siècles dans le contexte de certains *Arts d'aimer* illustrés. L'homme semble ici « brûler les étapes » et manque de la maîtrise de soi caractéristique de l'idéal courtois.

    La scène est clôturée par une palissade sur laquelle de rares oiseaux rappellent encore le lieu idéal du jardin d'amour miraculeusement peuplé. Par opposition visuelle à ces premiers personnages se laissant aller à la luxure, des chevaliers apparaissent au loin, se divertissant à la chasse au faucon ou participant à un tournoi devant la silhouette d'un château fort, dernier bastion de l'univers seigneurial.   M. M.

cat. 45

LA QUÊTE DU PARADIS SUR TERRE

46 | Fontaine de Jouvence

Strasbourg, vers 1430-1440
Tapisserie, laine et soie
H. : 89,5 ; l. : 115
Colmar, musée d'Unterlinden, inv. 161

Bibliographie : RAPP, 1976, p. 88-90, 127 et fig. 10 p. 148 ; RAPP-BURI, STUCKY-SCHURER, 1993, n° 92, p. 308-309 ; CAMILLE, 2000, p. 83-84.

Le thème de la fontaine de Jouvence est très répandu au XIVe siècle : il s'agit du pèlerinage qui mène de la vieillesse – figure exclue du verger* de Déduit (cat. 26) et donc des plaisirs de l'amour – vers la jeunesse retrouvée grâce à l'eau bénéfique de la fontaine de Jouvence. Le thème est lié à celui de l'amour courtois et des plaisirs du jardin d'amour. Comme souvent, l'esprit courtois s'est emparé d'un sujet religieux pour le replacer dans un contexte amoureux : la fontaine de Jouvence offre une sorte d'adaptation courtoise de la fontaine de Vie et du baptême. Au renouveau spirituel engendré par le baptême se substitue la transformation physique produite par la fontaine de Jouvence, qui redonne la jeunesse aux vieillards, et donc la capacité d'aimer. La fontaine de Jouvence est ainsi représentée sur nombre d'objets précieux du XIVe siècle : peignes, valves de miroirs ou coffrets d'ivoire, présents courtois donnés en gage d'amour. Elle apparaît aussi dans le contexte monu-mental, dans le décor de grandes salles, sous forme de fresques (comme celle du château de Manta, en Piémont, contemporaine de cette tapisserie) ou de tapisseries : plusieurs tapisseries avec une fontaine de Jouvence sont mentionnées dans les inventaires de Charles V et de Charles VI. La petite tapisserie bigarrée présentée ici était vraisemblablement destinée à orner un banc ou un siège.

Son esprit est cependant bien différent des objets précieux cités ci-dessus, et elle semble davantage tourner en dérision les valeurs courtoises que les exalter, ainsi que le feront une trentaine d'années plus tard le Maître E. S. dans ses gravures de jardins d'amour (cat. 44 et 45) ou, à sa suite, le Maître aux Banderoles dans la gravure de la *Fontaine de Jouvence* (fig. 46a). Comme ces gravures qui dénoncent un idéal courtois devenu factice, cette tapisserie offre une version érotique du thème de la fontaine de Vie.

Au centre de la composition, la structure de la fontaine de Jouvence reproduit fidèlement celle de la fontaine de Vie du jardin d'Éden (cat. 1, 2 et 3) : elle est entourée d'un mur crénelé fermé de portes – qui rappelle aussi le mur de *l'hortus conclusus*, avec la tour de David et la porte d'Ezéchiel (cat. 15) – et se compose d'un édicule gothique reposant sur un bassin à huit pans. Autour de la fontaine circulaire, deux univers s'opposent : en bas et à gauche, la vieillesse, en haut et à droite, la jeunesse retrouvée.

Fig. 46a
Fontaine de Jouvence, Maître aux Banderoles, Pays-Bas de l'Est, seconde moitié du XVe siècle, gravure sur cuivre. Paris, musée du Louvre

cat. 46

En une parodie de procession religieuse, les vieillards se pressent vers la fontaine : tels des pèlerins espérant être guéris de leur maladie auprès des reliques d'un saint, ils viennent rendre leur culte à Vénus. Comme les pèlerins, ils sont malades, estropiés, marchent avec des béquilles, sont portés sur un brancard, voire sur une brouette ou dans un panier! À peine trempés dans l'eau de la fontaine de Jouvence, ils retrouvent la jeunesse et ses joies.

Aux vêtements ternes des vieillards s'opposent les costumes élégants des jeunes gens, faits de feuillage et de fleurs, célébrant ainsi le printemps et l'amour retrouvés. Ils sont à l'image du Dieu d'Amour du *Roman de la Rose*, qui porte «robe de fleurettes». Dans leur chevelure, des chapels* de fleurs ou de

feuillage, l'ornement habituel des amants, symbolisent à la fois la jeunesse, l'amour et le printemps. Lancelot, Galeran et maints héros de romans courtois portent ainsi chapels de fleurs (roses, violettes) ou d'herbes odorantes (menthe, armoise). À peine redevenus jeunes, les personnages goûtent les plaisirs de l'amour, dans la fontaine, et ceux de la vie en plein air – le banquet ou la chasse au faucon.

Cependant, l'allégorie est ici ironique, voire grinçante. L'accent est mis sur la misère physique de la vieillesse, le désir de jeunesse devient luxure, et le modèle courtois tourne au cynisme dans les paroles des jeunes cavaliers inscrites sur la banderole au-dessus d'eux : «Puisque nous deviendrons vieux aussi, gardons notre argent.»   É. A.

L'amour des jardins

«Des choses qui peuvent être faites pour la délectation [...] des cours et vergers»

Pierre de Crescens, *Le Livre des prouffits champestres*, livre VIII, chap. IV

Élisabeth Antoine

C'est de délectation qu'il s'agira ici avant tout, dans des jardins d'agrément où, selon Albert le Grand, «on recherche le plaisir plus que le profit», et non du profit ou du rapport que procure le jardin vivrier de tout un chacun. Ce sont en effet les jardins d'agrément que les peintres ont représentés volontiers au XVe siècle, l'humble courtil* ne les ayant guère inspirés. Les sources écrites évoquent, elles aussi, davantage le jardin de plaisance, abandonnant le jardin vivrier à l'oralité du quotidien.

Des sources au vocabulaire

Albert le Grand est le premier, au chapitre XIV du septième livre de son traité *De vegetabilibus* (vers 1260-1265), à évoquer l'aspect d'un jardin d'agrément : sa description reflète certainement la réalité des jardins d'ornement du XIIIe siècle; établie sur un mode normatif, elle en fixe aussi l'aspect général pour plusieurs siècles. Le texte du dominicain allemand a en effet largement inspiré celui du Bolonais Pierre de Crescens sur le même sujet. Au livre VIII de l'*Opus ruralium commodorum* (cat. 49, 53, 82, 91, 92 et 93), Pierre de Crescens reprend des passages entiers du *De vegetabilibus*, tout en les nourrissant de ses propres réflexions[1]. Il aboutit ainsi à distinguer trois types de jardins en fonction du statut social de leur propriétaire : «des petits vergers d'herbes», «des vergers des moyennes personnes», «des vergers des royaulx et des autres nobles

Fig. I
Jardinier aplanissant
le gazon d'un verger*,
Petrus de Crescentiis,
Ruralia commoda,
Spire, vers 1492-1495.
Paris, bibliothèque
Mazarine, Inc. 1244

puissants et riches seigneurs ». La très large audience de l'ouvrage de Pierre de Crescens aux XIVe et XVe siècles, tant par le biais des copies manuscrites que par l'impression, mérite que l'on s'attarde sur ce texte, et en particulier sur certains termes employés par ces deux auteurs.

Le terme central, qui revient à chacun des « degrés » de cette hiérarchie des jardins, est celui de « verger » (*viridarium*). Il est hérité de la littérature courtoise des siècles précédents, où le verger*, à peine décrit, est le lieu obligé des épisodes d'amours secrètes, l'espace clos où se retrouvent les amants loin des regards indiscrets. Le verger, tout imprégné des vertus du *locus amœnus* de la poésie antique, est un avatar étymologique du *viridarium*, le jardin d'agrément des demeures romaines aisées. Sa qualité première, avant d'être planté d'arbres, est la *viriditas*, terme dont la traduction française, la « verdeur », a gardé l'ambivalence : verdoyance, mais aussi vigueur. Le verger est le lieu par excellence de la *reverdie*, cette renaissance joyeuse de la nature au printemps. C'est à ce lieu mythique d'un éternel printemps amoureux qu'Albert le Grand puis Pierre de Crescens donnent des attributs concrets, contribuant à inscrire dans la réalité les jardins fugitivement évoqués par la littérature courtoise. Le verger sera donc planté d'arbres d'espèces variées (non pas pour le rapport, à la différence du *pomerium*), car il faut profiter à l'ombre des plaisirs du jardin, de la musique des oiseaux et du vent dans les feuillages.

Fig. J
Sainte Anne
et sa parenté, *Heures
d'Étienne Chevalier*,
Jean Fouquet,
vers 1452, peinture
sur parchemin.
Paris, Bibliothèque
nationale de France,
ms. nouv. acq.
lat. 1416, f° 1v°

L'autre élément indispensable à la *viriditas* du jardin est le préau*, prairie ou pelouse fleurie, transposé au XVᵉ siècle dans les tapisseries mille fleurs (cat. 29). *Prael* dans la littérature des XIIᵉ-XIIIᵉ siècles, *préau* dans les comptes des XIVᵉ et XVᵉ siècles, le terme recouvre plusieurs notions et évolue d'ailleurs au cours du temps : s'il paraît au départ évoquer spécifiquement la prairie fleurie qu'Albert le Grand situe au cœur du verger* et dont Pierre de Crescens fait l'élément majeur des « petits vergers d'herbes », par métonymie, le terme désignant la partie semble petit à petit s'appliquer au tout et désigner tout jardin comportant des plates-bandes fleuries ou « carreaux* » de plantations, et non plus seulement une prairie fleurie. Par extension, le terme est devenu souvent l'équivalent de verger ou de jardin ; préaux et jardins sont plus fréquemment mentionnés dans les comptes au XVᵉ siècle, au détriment du « verger », réservé à une utilisation plus littéraire.

Il n'est pas inutile de souligner que la première mise en forme théorique du jardin d'agrément est faite par un religieux et que, par conséquent, ce concept n'est pas absent des monastères. L'équivalence entre jardin médiéval, jardin monastique et jardin de simples est en effet par trop simpliste. Selon le modèle de Saint-Gall, une abbaye riche et puissante pouvait « spécialiser » ses jardins, avec un jardin de simples à côté de l'infirmerie, un jardin potager destiné à l'alimentation des moines, et un *viridarium*, verger offert à la promenade et au délassement, qui, sur le plan de Saint-Gall, fait en même temps office de cimetière, tel le *viridarium* romain où l'on conservait les urnes des ancêtres. Mais, dans la plupart des cas, simples, plantes potagères et d'ornement se trouvaient rassemblées en un seul jardin, pour des raisons d'espace, mais aussi parce que bien des plantes pouvant être consommées avaient des vertus médicinales et, souvent, des qualités ornementales. Quant au cloître, il est la métaphore du jardin, plus qu'un jardin véritable : parfois planté de gazon, avec sa fontaine ou son arbre central, il offre l'image spirituelle du jardin d'Éden et renvoie au jardin du Paradis céleste, auquel les moines aspirent par leur prière.

Si l'abbaye disposait de suffisamment d'espace pour dégager le jardin d'agrément de celui, utilitaire, destiné à l'alimentation et à la médecine, il prenait alors la forme décrite par Albert le Grand, modèle commun au monde religieux et au monde laïque : la configuration du jardin des nonnes illustrant l'histoire de la feuille de chou dans la *Vie des Pères* (cat. 10) ne diffère en rien des jardins laïques de la même période. Le modèle prescrit par Albert le Grand, relayé par Pierre de Crescens, est donc largement partagé. Les archives le confirment : de Cologne à Bologne, de Londres à Paris ou à la Toscane, à quelques nuances près, un même idéal est recherché dans la forme du jardin. On y trouve, au centre, une pelouse carrée, plantée de «mottes» ou plaques de gazon : une fois les mottes foulées au pied et aplanies à coups de maillet (fig. I), l'herbe sort ensuite de terre «par manière de cheveux» et couvre la terre «en manière d'un drap vert». Autour, sont plantées des bordures mélangées de fleurs (rosiers, violettes, lis, iris) et d'herbes «aromatiques et de suave odeur» (basilic, sauge, hysope, marjolaine, sarriette, menthe). Une banquette* ou siège de gazon, formée à l'une des extrémités de la pelouse, permet de profiter du jardin. La description passe alors par un point obscur : *post cæspitem,* écrit Albert le Grand, «après les mottes», dit la traduction française de Pierre de Crescens, il y aura «grant compagnie d'herbes médicinales et diverses»; l'auteur revient-il en arrière et se réfère-t-il aux herbes plantées autour de la pelouse *(per quadratum),* ou parle-t-il d'une autre partie du jardin où, au-delà de la pelouse, seraient plantés des carrés *(per quadratum)* d'herbes médicinales? L'ambiguïté de la formulation ne permet pas de trancher.

Il faut, en tout état de cause, retenir, quelle que soit leur disposition dans l'espace, la plantation dans le verger* d'arbres, de fleurs et d'herbes «de suave odeur». Qu'il soit princier ou de «moyenne condition», laïque ou religieux, le jardin, à la fin du Moyen Âge, se caractérise par la présence simultanée de végétaux qui se verront, aux siècles suivants, séparés : fleurs, simples, arbres et souvent aussi légumes.

La présence des arbres et des arbustes est indispensable ; ils procurent l'ombre nécessaire au repos : on ne saurait se tenir dans un jardin pour y converser, lire, jouer de la musique ou danser s'il fallait rester en plein soleil et y perdre le teint d'ivoire des personnes de condition. Si l'ombre du noyer est réputée néfaste, les arbres fruitiers sont particulièrement appréciés : pommiers, poiriers, pruniers et cerisiers figurent en bonne place dans les jardins royaux. À Saint-Pol, Charles V fit planter des cerisiers, transformant une partie des jardins en cerisaie, dont le nom demeure encore inscrit dans la toponymie parisienne (rue de la Cerisaie), en dépit de la destruction de l'hôtel et de ses jardins au XVIe siècle. Toujours à Saint-Pol, à la fin du XIVe siècle, Charles VI faisait planter poiriers, pommiers, grenadiers, cerisiers et pruniers. L'éventail des arbres fruitiers plantés pour le duc de Bedford à l'hôtel des Tournelles durant sa régence parisienne est plus varié et reflète le goût médiéval pour certains fruits peu consommés aujourd'hui : figuiers, poiriers, pommiers, «coigniers», mais aussi cormiers [sorbiers], merisiers, néfliers[2].

Les fruits sont considérés comme des mets de choix, offerts parfois en cadeau à des visiteurs de marque[3]. Ils sont *a fortiori* des objets de prix et de curiosité lorsqu'ils sont le produit de greffes ou entes* merveilleuses. La présence des arbres, et tout particulièrement des fruitiers, est en effet appréciée dans les jardins car elle permet la recherche de «singularités», la réussite de greffes étranges faisant la valeur d'un jardin et la fierté de son propriétaire (cat. 59). On cherchera à greffer pommier sur saule, pêcher et amandier sur prunier, à obtenir des cerises sans noyaux ou couleur d'azur…

Quant aux fleurs, leurs variétés sont assez limitées. Dans les comptes, les rosiers, rouges («vermaulx») et blancs, arrivent en tête de liste des commandes et des renouvellements de fleurs. Ils sont suivis par les lis (cat. 15), les iris (cat. 23 et 98) souvent appelés «flambes», les ancolies, les violettes, les giroflées ou «violiers», le terme désignant de manière assez large des fleurs de tonalité pourpre ou violette (cat. 102), et, à la fin du XVe siècle, les œillets rouges ou blancs, présents dans tous les jardins (cat. 48 et 86). L'iconographie apporte son complément à ce catalogue : lorsque les peintres ont figuré les fleurs du jardin de manière suffisamment réaliste, on y trouve la présence obligée de pensées, pâquerettes, pivoines, pervenches, muguet.

Pour pallier cet éventail restreint, les fleurs sont associées aux «bonnes herbes», plantes médicinales ou condimentaires qui peuplent le jardin d'agrément tout autant que les fleurs d'ornement. Albert le Grand pose en effet le principe que le *viridarium* est conçu pour le plaisir de deux sens, la vue et l'odorat. La vue est réjouie par la diversité des couleurs des fleurs et de leurs feuilles, contrastant avec le tapis vert de la pelouse, l'odorat se délecte des parfums mélangés des fleurs et des herbes. C'est pourquoi les herbes sont un complément nécessaire dans le jardin de plaisance : elles apportent le camaïeu de vert de leurs feuilles, la touche colorée de leurs fleurs, et la force de leur fragrance. Ainsi, dans les jardins de Charles V au Louvre, on trouvait, en compagnie de rosiers et de «violiers», sauge, hysope, menthe, lavande, romarin, persil, sarriette et marjolaine[4]. On y plantait également des carrés de fraisiers, répertoriés parmi les «bonnes herbes». Les fraisiers sont l'image même de la polyvalence des jardins de plaisance : leur fruit comble le goût; fruits rouges, fleurs blanches et feuilles vertes finement découpées ornent le jardin et l'enrichissent de leur signification symbolique; les feuilles du fraisier, divisées en trois, évoquent la Trinité, ses fleurs blanches, la pureté, et ses fruits, tantôt les plaisirs de l'amour charnel, tantôt au contraire les œuvres du juste. Dans les pays germaniques, les fraises étaient, selon la légende, la nourriture des bienheureux : à la saint Jean, la Vierge emmenait les petits enfants des limbes cueillir des fraises au Paradis. Elles étaient déjà fort appréciées ici-bas : en 1376, Marguerite de Flandre envoyait quatre femmes chercher des fraisiers sauvages dans les bois pendant soixante jours pour remplacer par des plants de fraisiers les choux et les blettes du jardin de Rouvres.

Des «bonnes herbes» aux légumes, il n'y a qu'un pas, facilement franchi : si Albert le Grand et Pierre de Crescens ne mentionnent pas de légumes dans leur description du verger*, les réservant à un «jardin d'herbes*» où se côtoient plantes médicinales, condimentaires et légumes, ceux-ci sont cependant présents dans les jardins de plaisance. Dans nombre de jardins princiers du XIVe siècle, les légumes apparaissent à côté des fleurs et des bonnes herbes. Les jardins du

Fig. K
Histoire de Simona,
de Pasquino et de la
sauge empoisonnée
par un crapaud,
Boccace, *Décaméron*,
Quatrième journée,
septième nouvelle,
Pays-Bas du Sud,
1432, peinture
sur parchemin.
Paris, bibliothèque
de l'Arsenal,
ms. 5070, f° 168

Louvre de Charles V sont plantés, dans des carreaux* distincts, de choux, de courges, de laitues et de poireaux, aussi bien que de roses et de lavande. D'après les comptes de la Chambre apostolique, le jardin situé au pied du palais des Papes en Avignon, où Clément VI aimait à se promener, était surtout planté de légumes et d'herbes : en dehors de la pelouse, de rosiers et de treilles couvertes de vignes (cat. 81), ce sont surtout les épinards (cat. 79), les choux (verts et blancs), les blettes, les poireaux, le persil, la sauge et la marjolaine qui occupent le jardin[5]. Il faudrait encore citer la « maison de plaisance » parisienne qu'Isabeau de Bavière cède en 1390 à Louis d'Orléans, « accompagnée de saulsaie, d'un jardin rempli de fraisiers, de lavande, romarin, fèves, pois, cerisiers, treilles, haies, choux et porées pour les lapins, de chènevis pour les oiseaux[6] ».

Ainsi, le principe d'Albert le Grand selon lequel le jardin est destiné au plaisir de la vue et de l'odorat s'est élargi au cours du temps, et le jardin de la fin du Moyen Âge convie à une véritable fête des sens : « petits fruits » (fraises, groseilles, framboises, mûres), fruits et légumes y réjouissent le goût – la nonne du conte de la feuille de chou (cat. 10) ne peut s'empêcher de croquer sur place une feuille de chou verte et tentatrice –, l'herbe « chevelue » et les feuillages variés provoquent le toucher et, discrètement, le chant des oiseaux dans les arbres (ou les volières), mêlé au son rafraîchissant de l'eau s'écoulant d'une fontaine, flatte l'ouïe. Le bonheur qu'apporte le jardin, c'est le plaisir des sens allié à la paix de l'âme, l'harmonie avec soi-même et avec la nature.

Jardins de treilles et «jardins d'oiseaux»

Le goût pour les jardins aux derniers siècles du Moyen Âge est le reflet d'un intérêt croissant pour la nature, une nature cependant revue et corrigée par l'homme, et entièrement dominée par celui-ci. Le jardin est une portion de nature, précieusement protégée de la nature sauvage par sa clôture, qui constitue l'espace du jardin, auquel elle donne toute sa valeur (cat. 78). Les murs extérieurs, de pierre ou de brique lorsqu'il s'agit de jardins de puissants seigneurs, définissent l'espace. À l'intérieur, de façon plus légère, les clôtures de bois se multiplient, divisant le jardin en formes géométriques. Dans les jardins modestes, ce sont des plessis*, dans les jardins précieux, les clôtures de bois sont disposées de manière moins rustique, en palis* ou en treillis* (cat. 78). Elles entourent les carreaux* de plantations et bordent les allées. Les plus fréquemment évoqués sont les treillis losangés (fig. J et L). Ils sont présents notamment dans les jardins des résidences royales à Paris (palais de la Cité, Louvre, Saint-Pol), et représentés à maintes reprises dans l'enluminure. Selon Sauval, les treillis de ces jardins royaux étaient armoriés : «elles [les treillis losangés] étoient remplies de fleurs de lis et quelquefois pliés [sic] de sorte, qu'elles representoient les armes de France, celles des enfans de France et des Princes du sang[7]».

La présence de constructions de verdure renforce le caractère architecturé des jardins. À côté des treillis, un jardin de plaisance se doit en effet de comporter une ou plusieurs tonnelles, berceaux de bois couverts de verdure, le plus souvent de vigne (cat. 81 et fig. K). Appelées trailles, tonnes ou berceaux, les tonnelles font l'agrément de la promenade dans le jardin. Les plus riches propriétaires font également construire des pavillons de verdure dans leur jardin. Pierre de Crescens recommande vivement leur aménagement aux rois et autres «nobles puissants et riches» : ainsi, le roi – et les autres seigneurs –, «quand il aura fait ses grandes et grosses besognes et aura fait satisfaction à ses gens», pourra même s'y «rafraîchir en remerciant Dieu et glorifiant le souverain Seigneur, qui est cause, auteur, commencement et fin de toutes bonnes délectations». Il propose deux méthodes de construction : soit un «palais à chambres» fait entièrement d'arbres fruitiers ou d'oliviers, saules ou peupliers palissés* et conduits*, donc un pavillon formé d'arbres vifs, soit un pavillon à la structure de bois recouverte d'«arbres verts et de vignes». La première solution semble utopique, ou du moins difficilement réalisable dans un laps de temps court. La seconde, en revanche, était plus courante. Dans les années 1360, le Grand Jardin du Louvre était orné de cinq pavillons entièrement couverts de vignes, quatre circulaires et un carré, appelé «la grande salle carrée», devant la tour de la Fauconnerie[8]. Ils abritaient des sièges de gazon, cet élément si caractéristique du jardin médiéval (cat. 82).

Dans ses prescriptions sur l'ordonnancement du verger*, Albert le Grand réclame déjà la présence d'une banquette* couverte d'herbe menue, où le promeneur pourra s'asseoir pour jouir en toute quiétude des couleurs et des parfums variés du jardin. Pierre de Crescens le copie fidèlement, et les comptes aussi bien que les représentations font toujours apparaître dans les jardins de plaisance des XIVe et XVe siècles ces banquettes tapissées de carrés d'herbe fraîche. Souvent, une tonnelle en demi-berceau au-dessus de la banquette offre son ombrage et forme

Fig. L
Émilie dans son jardin,
Boccace, *Théséide*,
attribué à Barthélemy d'Eyck,
vers 1465, peinture sur parchemin.
Vienne, Österreichisches
Nationalbibliothek, ms. 2617, fᵒ 53

un abri protecteur. La peinture représentant Émilie dans son jardin, dans la *Théséide* enluminée pour René d'Anjou par Barthélemy d'Eyck (fig. L), semble la quintessence du jardin médiéval : Émilie, tressant un chapel* de fleurs, assise sur une banquette* tapissée d'herbe, s'adosse à une clôture de treillis losangés où grimpent rosiers rouges et blancs. Une tonnelle couverte de vigne longe le mur crénelé fermant le jardin. La porte et les baies ouvertes dans ce mur de verdure, avec leurs menuiseries et leurs écoinçons armoriés, évoquent les pavillons décrits par Sauval dans les jardins de Charles V.

La présence bienfaisante de l'eau, comme dans le *locus amœnus* antique, est le dernier élément indispensable à l'agrément du jardin. Albert le Grand, puis Pierre de Crescens recommandent la construction d'une fontaine dans le verger*, qui donne «grant plaisance». La gravure illustrant le livre VIII de l'édition par Peter Drach de l'*Opus ruralium commodorum* (cat. 49 et 82) montre les serviteurs en train de préparer le bassin de la fontaine : ils creusent la fosse et apportent pierres et canalisations (fig. M). De la fontaine de Vie paradisiaque à celles de Narcisse et de Jouvence, la fontaine est toujours présente dans les représentations de jardins. Les sources écrites en gardent la mémoire dans les jardins princiers. Dans les jardins du palais des Papes, c'est la célèbre fontaine du Griffon, que Clément VI fit édifier en 1345 et entourer l'année suivante de pelouse, afin de profiter d'une vue agréable depuis sa chambre à coucher[9]. À Saint-Pol, un lion de pierre polychrome sculpté par l'imagier Jean de Saint-Romain surmontait le pilier central d'une grande fontaine commandée par Charles V pour agrémenter un des préaux*[10]. Le lion est en effet l'ornement le plus fréquent des fontaines (cat. 1, 3, 9, 23, 29 et 42), quoique, à la fin de la période, le Manneken-Pis lui fasse concurrence aux Pays-Bas (cat. 86).

D'autres architectures de verdure faisaient l'attrait et la curiosité des jardins princiers : les labyrinthes de verdure, appelés «maison de Dédale» ou «maison Dedalus», dont quelques exemples sont attestés par les sources écrites. La mention la plus ancienne concerne celui du parc d'Hesdin (cat. 95), restauré en 1338. Un peu plus tard, en 1378, les comptes du jardin du duc de Bourgogne à Rouvres mentionnent la «maison de Dalus tenant par dehors au jardin Madame[11]». En 1431, le duc de Bedford fera détruire celui qui se trouvait dans les jardins de l'hôtel des Tournelles[12] pour rénover complètement les plantations de ces derniers, tandis qu'en 1477, René d'Anjou fait refaire «le dedalus» des jardins de Baugé[13].

Dans les jardins des plus riches propriétaires, à l'agrément de la végétation se mêle celui des animaux exotiques ou sauvages, tenus en captivité dans une ménagerie ou des volières. Du temps de Charles V, chacun des jardins royaux avait un «hôtel des lions» : la Cité, le Louvre et Saint-Pol où étaient aussi gardés des sangliers. Les papes, dans leurs résidences avignonnaises, avaient également d'importantes ménageries, où l'on nourrissait lions, chameaux, ours, sangliers et cerfs[14]. Les comptes de René d'Anjou abondent en détails concernant ses ménageries, tant en Provence qu'en Anjou : dromadaires, loups, léopards, «chèvres sauvages» et «moutons estranges» se succèdent autour de lions que l'on doit remplacer presque chaque année. Le climat angevin en effet ne semble guère leur réussir, malgré tous les efforts du roi : en 1453, la mort du lion Martin est annoncée par son «lionnier», Guillaume Sebille ; un an plus tard, c'est au tour

du lion Dauphin d'être en « grand dol » : le roi René enjoint que l'on n'épargne « ni denier, ni maille » et que l'on requière des chirurgiens pour sauver la bête, qui meurt cependant, quelques mois plus tard. Sa mort semble provoquer plus d'émoi que celle, dix ans plus tard, de Guillaume lui-même, « étranglé » par un des léopards du roi, le jour de Pâques fleuries[15].

Moins dangereux, les oiseaux rares ou de proie faisaient aussi partie des curiosités agrémentant les jardins princiers, dans de petites cages ou de grandes volières. Les papes d'Avignon semblent les avoir particulièrement appréciés : autruches, paons et grues peuplent leurs jardins ; les comptes permettent de reconstituer leur alimentation et même leur vaisselle (cat. 96) : en 1317, on achète un demi-quintal d'amandes pour les oiseaux exotiques du pape, tandis qu'en 1373, c'est un apothicaire qui fournit des grains pour les petits oiseaux et du pain pour la pâtée des rossignols de Grégoire XI[16]. Le pèlerin Hans von Waltheyn, de passage à Aix, évoque de manière poétique la vaste volière que René d'Anjou fit aménager dans ses jardins aixois, comme un véritable « jardin d'oiseaux[17] ».

Oiseaux exotiques dans des volières, bêtes sauvages dans des « logis » relèvent d'une même esthétique et de la conception mise en œuvre dans les jardins, celle d'une maîtrise de la nature et de ses curiosités. L'espace du jardin est celui d'un univers mis en ordre : de dimensions restreintes (le jardin diffère des parcs ou des réserves à gibiers), il est parfaitement structuré par ses clôtures qui dessinent des formes géométriques. Les allées rectilignes, de sable, de gravier ou parfois de coquillages concassés (cat. 72), passent entre des plates-bandes carrées ou rectangulaires. Les plantations y sont toujours contenues dans de strictes limites, soit dans leurs carreaux* entourés de briques ou de treillis*, soit dans de gros pots, comme les œillets (cat. 40, 48, 70 et 86), ou la sauge, le basilic et la marjolaine, que les manuscrits italiens figurent dans de superbes pots de faïence. La taille en plateaux* ou en gradins* des arbres traduit cette vision graphique et structurée de l'espace (cat. 87 et fig. N). À l'intérieur de l'espace clos du jardin, les pavillons de verdure forment autant de petits enclos, d'où le jardin sera appréhendé par séquences successives. Le plaisir du jardin vient de la régularité de son ordonnancement alliée à la diversité des sensations qu'il procure. Le regard y saisit des espaces limités, sans jeux de perspective ni ouverture sur de vastes horizons. L'on ne cherche pas à intégrer le jardin dans le paysage : son caractère fortement architecturé en fait plutôt une chambre de verdure au sens propre du terme, un prolongement de la demeure, dont on acclimaterait les aménagements à la nature. La position du chapitre consacré au verger dans le *De vegetabilibus* est à cet égard fort significative : il s'agit du dernier chapitre du livre traitant de l'acclimatation des espèces des forêts ; le jardin de plaisance y apparaît donc comme une portion de forêt domestiquée.

La construction de galeries, espaces de transition entre demeure et jardin, s'inscrit dans cette vision : sur un ou deux niveaux, ces architectures ouvrent sur le jardin, tout en introduisant souvent, par leur décor, le jardin dans les intérieurs. Ainsi, la galerie de la reine à l'hôtel Saint-Pol était ornée de scènes d'enfants cueillant des fleurs et des fruits dans des arbres, tandis qu'en 1431-1432, le duc de Bedford faisait construire à l'hôtel des Tournelles une galerie aux murs peints de courges en fleur[18].

Jardiniers, gardes et concierges

Qui travaillait dans ces jardins ? À la lecture des comptes, il apparaît que la fonction de jardinier n'est pas encore bien définie en cette fin du Moyen Âge, et que le terme même de jardinier recouvre des réalités diverses.

Les métiers, parfois, se chevauchent : ainsi, la corporation des chapeliers de fleurs réunit au XIIIe siècle fleuristes et jardiniers. Dans son *Livre des métiers* (vers 1268), Étienne Boileau décrit le statut des chapeliers de fleurs parisiens, dont les journées de travail sont strictement réglementées : «Nul chapelier de fleurs ne doit ni ne peut faire cueillir au jour du Dimanche en ses courtils* nulles herbes, nulles fleurs pour faire chapeaux.» Ces «chapeliers» ne sont donc pas uniquement vendeurs de fleurs coupées, ils sont aussi producteurs : ainsi, en 1376, Philippe le Hardi fait appel à Regnaut Bertaut, «chapelier de Semur», pour s'approvisionner en roses nouvelles à planter dans les jardins de Rouvres.

Plus généralement pourtant, les producteurs, que nous appellerions aujourd'hui pépiniéristes, sont qualifiés de jardiniers dans les comptes : lorsque le duc de Bourgogne achète fleurs et pots pour les jardins de son hôtel de Bruges en 1447, il s'adresse à Jacquemart du Bois, «jardinier demourant à Lille» (achat de romarins, marjolaines, violiers [giroflées?] et «autres fleurs»), et à Guillaume Martens, «jardinier demourant à Bruges» (achat d'églantiers, romarins, «violiers», marjolaines, rosiers doubles blancs et rouges, lavandes, cyprès, bottes d'osier pour lier les treilles et les espaliers, chantepleures*)[19].

À côté de ces horticulteurs qui n'en ont pas encore le nom, les comptes font apparaître d'autres «jardiniers», les responsables du jardin, qui sont parfois bien éloignés du travail de la terre. Le terme désigne alors celui qui, en véritable intendant, administre les travaux dans les jardins aussi bien que dans les bâtiments environnants. Souvent, il est appelé «jardinier et concierge» : c'est le cas pour le jardin royal du palais de la Cité.

À propos des jardins du roi René à Aix-en-Provence, cette responsabilité est évoquée successivement sous les termes de «concierge», «gardien et gouverneur», «recteur et administrateur», «jardinier du roi» ou encore «jardinier du jardin du roi». Ces «jardiniers du roi» ont exercé d'autres fonctions au cours de leur carrière : viguier pour l'un, bailli ou «tapissier du roi» pour d'autres. C'est dire que leur rôle était bien d'administrer, et non de planter le jardin. En effet, toujours dans le cas des jardins d'Aix, la partie potagère du jardin était donnée à bail à un *ortolanus* ou «ortolan» (la plupart de ceux-ci étaient d'ailleurs en général des Italiens venus de la côte ligure)[20].

Il reste enfin les «jardiniers jardinant», ceux qui, véritablement, travaillent le jardin, tels Michel Brun et Barthélemy Allegret qui passent l'été à arroser le verger du pape, plantent choux, épinards, persil, sauge et marjolaine, et redressent les clôtures. Dans le cas des jardins pontificaux à Avignon, ces *ortolani* sont aussi responsables des animaux : Michel Brun est *ortolanus pape* (jardinier du pape) et *custos ferarum* (garde des bêtes sauvages), Barthélemy Allegret, *cultillerius* (jardinier) et *custos cervorum pape* (garde des cerfs du pape). Au Louvre, du temps de

Fig. M
Construction
d'une fontaine dans
un verger*, Petrus
de Crescentiis,
Ruralia commoda,
Spire, vers 1492-1495.
Paris, bibliothèque
Mazarine, Inc. 1244

Charles V, ce sont Périn Durant, Jean Caillou, Geoffroy Le Febvre, Jean Dudoy, Étienne de La Groye et Sevestre Vallerin qui œuvrent au milieu des choux et des roses[21]. À Rouvres, deux frères, Jehan et Jacquemart Petit, travaillent en permanence au jardin de Marguerite de Flandre[22].

Dans les jardins s'activent encore beaucoup d'autres personnes : serviteurs, hommes et femmes de peine y sont employés à la journée. Leurs tâches ne différant guère des travaux des champs, ils sont considérés comme des ouvriers et non comme des jardiniers. C'est parmi ce personnel payé à la journée qu'apparaissent les femmes, qui travaillent beaucoup dans les jardins, mais en sont rarement les responsables (cat. 50). À Rouvres, elles accomplissent un certain nombre de tâches qui semblent leur être spécifiquement dévolues : le sarclage régulier des carreaux* (cat. 54 et 55) ou la cueillette des fleurs pour Marguerite de Flandre; la lavande est ensuite envoyée par tonneaux dans les demeures de la duchesse en Flandre, tandis que l'on distille les roses et les lis pour en faire des eaux précieusement conservées dans des fioles. Mais les femmes participent également à des travaux lourds : lorsqu'il s'agit d'apporter du sable pour les allées, du fumier ou de la terre pour les carreaux, elles les portent dans des écuelles ou des « brochons » sur leur tête.

Ce sont les tâches quotidiennes des jardiniers que nous avons voulu évoquer en guise d'introduction à la troisième section de cet ouvrage, qui traite des aspects concrets des jardins à la fin du Moyen Âge : y sont rassemblés des outils qui donnent à voir les permanences séculaires de ce travail. Ceux-ci ne diffèrent pas fondamentalement, dans leurs formes, d'outils de jardin actuels; la différence essentielle vient de l'utilisation parcimonieuse du métal au Moyen Âge, qui conduit à fabriquer certains outils entièrement en bois, comme le râteau – dont on ne conserve pas d'exemple en raison de la dégradation de son matériau – ou à ne les doter

d'un fer qu'à leur extrémité, comme la bêche. La seule forme ayant complètement disparu est celle de la chantepleure*, qui se transforme au XVIe siècle en arrosoir muni d'une anse et d'une pomme, d'un usage plus commode. Les objets énumérés dans l'inventaire du moine *ortolanus* responsable des jardins de l'abbaye d'Abingdon en 1389 sont ceux que l'on trouve encore aujourd'hui dans la cabane du jardinier : quatre échelles, une hache, une scie, trois vrilles, deux tamis, une corde, deux fourches, un panier à grains, un boisseau, un maillet, un déplantoir, deux paires de cisailles, une faux et deux faucilles, trois pelles et trois bêches, deux râteaux, des pots, des gobelets et des plats, du matériel pour pêcher, et pour faire du vin et du cidre[23]. Accompagnant les objets archéologiques, sont ici présentées des enluminures et des gravures figurant des jardiniers en train de les utiliser.

Puis, à travers les manuscrits enluminés, sont montrées les structures caractéristiques des jardins de la fin du Moyen Âge : clôtures de plessis* et de treillis*, tonnelles, banquettes* de verdure, taille et conduite* des arbres, pavillons et loggias, pavement des allées dans certains cas. Les trois beaux manuscrits enluminés de l'*Opus ruralium commodorum* (cat. 91, 92 et 93) mettent en scène des jardins exemplaires : jardins d'herbes* ou jardins de plaisance, dont la disposition en carrés réguliers parcourus par des allées rectilignes correspond à l'idéal poursuivi. Les manuscrits de Pierre de Crescens, présents dans toutes les bibliothèques royales, sont aussi les témoignages

de l'intérêt que portent les princes à leurs jardins, espaces de retrait et d'intimité, mais aussi éléments de luxe et de raffinement participant d'une politique d'ostentation du pouvoir.

Les comptes nous font connaître aux XIVe et XVe siècles les jardins des rois de France dans leurs résidences parisiennes (la Cité, le Louvre, Saint-Pol) ou à la périphérie (Vincennes, Saint-Ouen), ceux des papes en Avignon, ceux des ducs de Bourgogne, en Bourgogne (Rouvres, Germolles) ou aux Pays-Bas (Bruges, Bruxelles, Gand, Lille, Hesdin), et les nombreux jardins de René d'Anjou dans ses possessions du Barrois, d'Anjou et de Provence. Ces jardins sont illustrés ici par des objets ou des peintures : écuelles pour nourrir les oiseaux des papes (cat. 96), représentation d'une fête dans le parc d'Hesdin (cat. 95) – cet exemple unique d'un véritable « parc d'attraction » –, et figure de René d'Anjou écrivant dans son étude à côté de son jardin (cat. 94).

L'intérêt de René d'Anjou – qui mandait que son jardin d'Angers soit « le mieux et le plus gentement fait que faire que pourra » – pour les jardins et la botanique est bien connu. Il est emblématique d'un goût plus largement partagé pour une figuration réaliste des plantes. Au XVe siècle, l'évolution est générale vers un système de représentation perspectif et illusionniste, mais elle se manifeste tout particulièrement par l'éclosion de fleurs peintes en trompe l'œil dans les marges de manuscrits le plus souvent religieux. Ce goût pour les *naturalia*, apparu dans le contexte artistique, précipite l'évolution des livres scientifiques, qui suivent cette transformation. Au début du XVIe siècle, la représentation illusionniste des fleurs fait irruption à l'intérieur des demeures : bouquets et natures mortes vont remplacer chapels et jonchées de fleurs.

Notes

1. Il n'existe malheureusement pas d'édition critique disponible du texte de Pierre de Crescens. Une édition très lacunaire a été publiée par Maurice Genevoix, *Les Profits champêtres*, Paris, 1965. Nous nous référons dans ce catalogue au texte de l'édition française de 1486 (cat. 53), qui n'est pas paginée.

2. Sauval (H.), *Histoire et recherches des antiquités de la Ville de Paris*, Paris, 1724, II, p. 283.

3. Dyer (C.), « Jardins et vergers en Angleterre au Moyen Âge », *Jardins et vergers en Europe occidentale (VIIIe-XVIIIe siècle)*, Flaran, IX, Auch, 1989, p. 161.

4. Antoine (É.), « Jardins de plaisance », *Paris et Charles V*, Paris, 2001, p. 154.

5. Gagnière (S.), « Les jardins et la ménagerie du palais des Papes d'après les comptes de la chambre apostolique », *Avignon au Moyen Âge. Textes et documents*, Avignon, 1988, p. 104-106.

6. Sauval, *op. cit.*, II, p. 73.

7. *Ibid.*, p. 283.

8. Antoine, *op. cit.*, p. 156.

9. Gagnière (S.) et Granier (J.), *Le « Griffon » de Clément VI. Contribution à l'étude du palais des Papes*, Avignon, 1966.

10. Antoine, *op. cit.*, p. 162.

11. Olivesi (F.), *Marguerite en son jardin. Le jardin du château de Rouvres dans la seconde moitié du XIVe siècle*, mémoire de maîtrise en histoire (dactylographié), université Paris-I Panthéon-Sorbonne, 2001, p. 47.

12. Sauval, *op. cit.*, p. 284.

13. Lecoy de la Marche (A.), *Extraits des comptes et mémoriaux du roi René pour servir à l'histoire des arts au XVe siècle*, Paris, 1873, n° 253, p. 92.

14. Gagnière, « Les jardins et la ménagerie du palais des Papes […] », *op. cit.*, p. 106-108.

15. Lecoy de la Marche, *op. cit.*, p. 27-45.

16. Gagnière, *op. cit.*, p. 107-108.

17. *Der Pilgerfahrt des Hans von Waltheyn im Jahre 1474*, F. E. Welti (éd.), Berne, 1925, p. 28.

18. Sauval, *op. cit.*, II, p. 281.

19. Schayes (A.G.B.), « Analectes archéologiques, historiques, géographiques, etc. XXXIV : Travaux de reconstruction et d'embellissement exécutés au palais des ducs de Bourgogne à Bruges en 1445, 1446, 1449 », *Revue de l'Académie d'archéologie de Belgique*, 12, 1855, p. 97-100.

20. Coulet (N.), « Jardins et jardiniers du roi René à Aix », *Annales du Midi*, CII, 1990, p. 280-284.

21. Berty (A.) et Legrand (H.), *Topographie historique du Vieux Paris. I : Le Louvre et les Tuileries*, 1868-1886, p. 181-199.

22. Olivesi, *op. cit.*, p. 77.

23. Cité par Harvey (J. H.), *Mediaeval Gardens*, Londres, 1981, p. 114.

47 | Gant

Angleterre (trouvé à Bankside, Londres), XVe siècle ?
Cuir
L. : 25 ; l. : 14,5
Londres, Museum of London, inv. 79.142

Bibliographie : inédit.

Conservé dans d'anciens terrains marécageux situés à côté de la Tamise, ce gant d'ouvrier fut découvert en 1979 au cours de travaux de construction dans le voisinage de l'ancienne centrale électrique de Bankside (aujourd'hui la « Tate Modern »). Il est très usé ; une entaille accidentelle affectant l'empaumure avait été recousue. On a trouvé des gants similaires sur le Mary Rose, le navire d'Henri VIII qui sombra près de Portsmouth en 1545. Ce type de gant devait donc être largement utilisé pour l'exécution de gros travaux.

Les hommes travaillant à la taille ou à la greffe des arbres sont fréquemment représentés portant des gants (fig. 47a). L'achat de gants apparaît régulièrement dans les comptes concernant les jardins : ils font partie de l'équipement de base renouvelé annuellement. Ainsi, au cours de l'année 1333-1334, le jardinier de l'abbaye de Glastonbury (Somerset), Thomas of Keynesham, a dépensé six deniers pour l'achat de quatre paires de gants destinées aux serviteurs qui travaillaient aux vignes et dans le jardin.

J. Cl. et É. A.

Fig. 47a
Février, page du calendrier
du *Livre d'heures Huth*, cat. 48.
Londres, The British Library,
Add. Ms 38126, f° 2v°-3

cat. 47

48 | Serviteurs transportant des œillets en pot

Livre d'heures Huth (à l'usage de Rome)
Collaboration entre plusieurs artistes : Simon
Marmion, Maître du Livre de prières de Dresde,
Jan Provoost? et Maître des scènes de David du
Bréviaire Grimani?, Valenciennes, Gand et Bruges,
vers 1480
Peinture sur parchemin
H. : 15 ; l. : 10,8 ; 259 f^os
Londres, The British Library, Add. Ms 38126, f° 110

Bibliographie : KENYON, 1912, n° 13, p. 16-19, ill. 13-16 ;
Malibu/New York/Londres, 1983-1984, n° 4, p. 31-39 ;
BRINKMANN, 1997, I, n° 21, p. 388, II, pl. coul. 29 et ill. 156-165.

Ce livre d'heures provenant de l'ancienne collection
Huth est un des plus beaux exemples de l'enluminure
flamande de la fin du XVᵉ siècle. Son décor associe
plusieurs peintres et plusieurs centres artistiques :
le Maître du Livre de prières de Dresde (Bruges)
(cat. 50 et 99), pour l'enluminure du calendrier qui
ouvre le manuscrit, Simon Marmion (Valenciennes)
dit le « prince d'enluminure », peut-être associé à Jan
Provoost (Bruges) (cat. 23 et 109) pour les enluminures
en pleine page et les petites enluminures, et, pour les
bordures florales des marges, un peintre de Gand,
peut-être le Maître des scènes de David du Bréviaire
Grimani (cat. 76).

cat. 48

Ces dernières sont typiques du goût pour le décor floral des marges devenu la marque particulière de l'école ganto-brugeoise dans le dernier quart du XVe siècle et au début du XVIe (cat. 99). Ce décor se compose généralement de fleurs coupées qui semblent jetées sur le fond d'or ou de couleur, et sont peintes avec un réalisme et un rendu botanique tout à fait neufs.

Ici, tandis que débute le texte du septième psaume pénitentiel, illustré par le roi David en prière (il passait au Moyen Âge pour être l'auteur des Psaumes), se déroule dans les marges une scène beaucoup plus prosaïque avec des serviteurs transportant un pot d'œillets. De façon originale par rapport au décor habituel des marges ganto-brugeoises, c'est donc ici la fleur toute entière, plantée, qui est représentée, une fleur d'ailleurs atteinte de gigantisme par rapport aux petits personnages qui la transportent. En réalité, c'est la femme qui pousse la brouette et ses œillets géants, tandis que son compagnon, qui porte vaillamment une branche d'œillets sur l'épaule, l'accompagne du geste.

Cette petite scène domestique montre les instruments du travail quotidien au jardin : la brouette en bois, plane, très allongée, dont la forme apparaît dès le premier tiers du XIVe siècle dans le *Psautier Luttrell* (Londres, The British Library), et le pot d'osier tressé. Une des activités majeures des jardiniers est en effet le transport : déblaiement de la terre quand on prépare de nouveaux carreaux*, apport de terre ou de fumier, transport des semis et des plantes à rempoter, transport au jardin des plantes gardées à l'intérieur pendant l'hiver.

L'osier est beaucoup utilisé au jardin : pour la fabrication des haies et des tonnelles (cat. 11, 23, 27, 43, 80, 81, 87, 91 et 93), pour le tressage de fins plessis*, comme dans les structures circulaires autour des arbres (cat. 25), ou encore pour la confection de paniers ou de corbeilles aux usages variés (cat. 49, 79 et 92) : transport ou, ici, véritables pots de fleurs. Les pots de fleurs en osier (cat. 87) sont toutefois moins fréquents que ceux en terre (cat. 73, 74, 75 et 76).

Dans les marges, les pâquerettes représentées avec leur fine tige et leurs feuilles délicates semblent bien timides à côté des magnifiques œillets rouges ou œillets giroflées qui dominent la composition de la page. Le peintre a figuré ceux-ci dans toutes les phases possibles de leur floraison : en bouton, à peine ouverts, complètement épanouis. Cette attention minutieuse témoigne du goût pour les œillets qui se manifeste en Occident au dernier quart du XVe siècle. L'œillet simple *(Dianthus caryophyllus)* était cultivé plus anciennement en Occident : on en trouve au milieu du XIVe siècle dans les jardins de la reine d'Angleterre Philippa de Hainaut et leur première représentation semble dater de l'*Herbier Belluno*, vers 1415 (Londres, The British Library, Add. Ms 41623, fo 38 vo). Dans cet herbier*, l'œillet simple est dénommé *Occulus [sic] Christi*, dont pourrait dériver le terme français d'œillet. L'acclimatation de la culture de l'œillet double à la fin du XVe siècle devait en faire une fleur très à la mode. Fort apprécié pour son odeur poivrée, l'œillet apparaît dans de nombreuses représentations de jardins de la fin du XVe siècle, souvent sous la forme d'œillet simple, comme sur ce livre d'heures ; il est cultivé soit en pot (cat. 40, 70 et 86), cerclé de tuteurs qui tiennent ses tiges fragiles et cassantes, soit en plates-bandes, avec parfois un système de treillis* pour soutenir les tiges.

É. A.

49 | Jardinier plantant des lis

Petrus de Crescentiis, *Ruralia commoda*
Imprimé à Spire par Peter Drach vers 1492-1495
Incunable, encre noire sur papier
H. : 29,3 ; l. : 21,7
Paris, bibliothèque Mazarine, Inc. 1244, fo 49 vo

Bibliographie : Lawrence/Washington DC, 1983, p. 168-170 (concerne les mêmes illustrations dans l'édition allemande conservée à la bibliothèque du Congrès, Washington DC) ; HILLARD, 1989, no 697, p. 192.

L'*Opus ruralium commodorum*, ou *Ruralia commoda*, écrit par le juriste bolonais Pierre de Crescens (ou Pierre de Crescents ou Pier de' Crescenzi ou Petrus de Crescentiis) au début du XIVe siècle (cat. 53), fut rapidement traduit du latin original en italien, puis en français en 1373 (cat. 53, 91, 92 et 93), en allemand en 1474, et même en polonais au XVIe siècle. Il fait partie des premiers livres imprimés dans la seconde moitié du XVe siècle, et ses éditions successives suivent les progrès rapides de l'imprimerie.

En 1471, l'édition princeps du texte latin est imprimée par Johannes Schlusser à Augsbourg. Douze autres éditions latines sont répertoriées jusqu'au milieu du XVIᵉ siècle. Vers 1492, Peter Drach imprima à Spire la première édition latine illustrée d'une centaine de gravures de plantes, reprises pour la plupart de l'*Ortus sanitatis* de Meydenbach publié l'année précédente à Mayence. Il utilisa les mêmes gravures dans les éditions qu'il fit ensuite paraître en allemand sous le titre *Petrus de Crescentiis zu teutsch mit Figuren*.

Le livre VI des *Ruralia commoda* forme au cœur de ce traité d'économie domestique comme un livre à part, dans la tradition du *Livre des simples médecines* (cat. 100) et des herbiers* (cat. 98 et 101). Cent vingt plantes y sont présentées par ordre alphabétique et, dans cette édition, illustrées. L'auteur décrit leur nature selon la théorie d'Hippocrate, explique comment les cultiver, et dit surtout quelles sont leurs vertus thérapeutiques.

Au verso du folio 49, un jardinier est en train de planter des lis (*De lilio*). La gravure le montre en pleine activité, entouré des instruments de son travail : le panier d'osier tressé dans lequel les jardiniers transportaient aussi bien les jeunes plants à repiquer que le terreau ou la mauvaise terre à déblayer du jardin, la serpette dans un fourreau attaché à sa ceinture (cat. 53, 58, 59, 60, 61 et 62) ; à ses pieds, une bêche en bois au manche en forme de tau.

Au Moyen Âge, par souci d'économiser le métal, la partie tranchante de la bêche est aussi en bois, et seule son extrémité est pourvue d'une semelle métallique fixée par des rivets. La lame représentée ici a une forme arrondie et symétrique.

La forme des fers de bêche a évolué au cours du temps, comme le montrent aussi bien les représentations que les objets trouvés en fouilles : arrondi pour les périodes les plus hautes (cat. 51), le fer adopte une forme de plus en plus carrée (cat. 7, 8, 50, 52, 76, 89 et 91). C'est un élément qui doit être renouvelé fréquemment, ainsi qu'en témoignent les comptes : à l'abbaye de Glastonbury (Somerset), en 1333-1334, on revend cinq lames de bêches usagées pour deux deniers et demi, et on rachète cinq nouvelles lames pour dix deniers ; pour les jardins londoniens de Bridge House, au pied du pont de Londres, on dépense sept deniers en 1397-1398 pour acheter deux fers de

cat. 49

bêche. Quant à la poignée, elle oscille entre une forme en triangle ou en tau (la plus fréquente), sans qu'il y ait d'évolution chronologique entre ces deux types, ni de typologie géographique.

Le lis, symbole de chasteté si fréquemment figuré dans l'art médiéval, est présenté ici pour son utilité dans les jardins : on lui prête des vertus médicinales et cosmétiques. Citant Pline l'Ancien, Pierre de Crescens attribue au lis le pouvoir de guérir les morsures de serpent aussi bien que les empoisonnements dus aux champignons. Sa racine, réduite en poudre et mélangée à de l'eau de rose, est utilisée pour nettoyer le visage et en ôter «les fronces». Marguerite de Flandre faisait ainsi préparer des eaux à partir des fleurs de son jardin, «aigue rose, rouge et blanche, plantain, aigue de lyx et autres plusieurs aigues», conservées ensuite dans des fioles.   É. A.

50 | Christine de Pizan maniant la « pioche d'Interrogation »

Christine de Pizan, *Die Lof der Vrouwen*
(traduction en flamand de *La Cité des dames*)
Maître du Livre de prières de Dresde, Bruges, vers 1475
Peinture sur parchemin
H. : 30,5 ; l. : 21 ; 333 f^os
Londres, The British Library, Add. Ms 20698, f° 17

Bibliographie : BRINKMANN, 1997, I, n° 20, p. 388, II, ill. 71-74.
L'édition citée est CHRISTINE DE PIZAN, *Le Livre de la Cité des dames*,
E. HICKS et T. MOREAU (éd.), Paris, 1986.

La Cité des dames fut composée par Christine de Pizan (cat. 32) entre 1404 et 1405. L'ouvrage, qui s'inspire à la fois du *Décaméron* et du *De claribus mulieribus* de Boccace, est une défense des femmes contre la littérature misogyne, notamment celle de Jean de Meun dans le *Roman de la Rose* (cat. 26, 27 et 28). Il met en scène l'auteur et trois vertus, Raison, Droiture et Justice, qui lui confient la tâche de construire une cité inexpugnable pour les femmes illustres. Ce manuscrit est une traduction en flamand de l'œuvre, exécutée en 1475 pour le maire de Bruges, Jan de Baenst.

Au début du livre VIII, Dame Raison s'adresse en ces termes à Christine de Pizan : «Lève-toi mon enfant!

Sans plus attendre, partons au Champ des Lettres ; c'est en ce pays riche et fertile que sera fondée la Cité des Dames […]. Prends la pioche de ton intelligence et creuse bien.»

Le peintre a illustré cette allégorie au folio 17, de manière très terre à terre : transformée en jardinière, Christine de Pizan creuse avec une bêche ferrée (celle de son intelligence !) le Champ des Lettres, devenu un jardin clos de plessis*. La scène offre une version féminine, ou féministe, des illustrations de l'*Opus ruralium commodorum* de Pierre de Crescens où l'on voit le maître donner des ordres à son jardinier (cat. 91, 92 et 93). Christine de Pizan manie avec ardeur la «pioche d'Interrogation», sous la forme d'une bêche à lame entièrement métallique, exemple précoce de l'aboutissement de l'évolution de cet outil.

Si les femmes sont peu représentées en train de travailler dans les jardins, en revanche elles apparaissent fréquemment dans les comptes mentionnant les salaires des jardiniers. Elles occupent rarement la fonction de responsable du jardin, mais sont employées comme femmes de peine travaillant à la journée pour exécuter de gros travaux. Charles V, pourtant, eut pour jardinière de l'hôtel Saint-Pol, dans les premières années de son acquisition, une certaine Jeanne la Bouchère.   É. A.

51 | Bêche

Angleterre (trouvée dans les marais de la rivière Lea, Walthamstow, Londres), XIᵉ-XIVᵉ siècle
Fer et bois
L. : 56,5 ; largeur de la lame : 15,5
Londres, Museum of London, inv. C794

Bibliographie : inédite.

Au Moyen Âge, les bêches étaient principalement réalisées en bois, bandé de fer : une bordure en fer, ou «fer de bêche», entourait la lame pour la préserver d'une usure trop rapide. De nombreux fers de bêche ont été découverts en contexte archéologique (cat. 52) ; ici, ce qui est rare, une grande partie du corps en bois de la bêche nous est parvenue. Cette bêche est asymétrique : elle comporte un rebord d'un seul côté permettant à l'utilisateur d'y poser le pied.

À l'époque médiévale, la rivière Lea était une voie de communication importante, notamment pour les chalands apportant les céréales des fermes d'Essex et du Hertfordshire sur les marchés de Londres. Elle se jetait dans la Tamise à l'est de la capitale. Les terres des deux rives étaient fréquemment inondées en hiver mais asséchées en été, où elles servaient de pâturage pour le bétail, une pratique qui perdura jusqu'à l'époque moderne. Cette bêche – trouvée lors de la construction d'un réservoir au début du XXᵉ siècle – servait peut-être à creuser des rigoles pour favoriser le drainage des terrains.

Des bêches asymétriques de ce type apparaissent fréquemment dans les manuscrits enluminés depuis le XIᵉ siècle. Les bêches symétriques, pouvant être utilisées tant avec le pied droit qu'avec le pied gauche, sont plus nombreuses dans les illustrations médiévales plus tardives.   J. Cl.

52 | Fer de bêche

Angleterre (trouvé à Londres), XVᵉ-XVIᵉ siècle
Fer
L. : 23,7 ; largeur de la lame : 15,5
Londres, Museum of London, inv. 8050

Bibliographie : Guildhall Museum, 1908, nᵒ 257, p. 298.

La lame des bêches médiévales pouvait avoir diverses formes : triangulaire (cat. 76), arrondie (cat. 51), ou encore rectangulaire, comme celle de cet exemple fragmentaire, originellement de forme symétrique. Les lames rectangulaires telles que celle-ci semblent plus courantes à partir du XIVᵉ siècle (cat. 7, 8, 50, 76, 89 et 91).   J. Cl.

cat. 52

cat. 51

53 | Les travaux des champs et des jardins

Pierre de Crescents, *Livre des Ruraulx Prouffitz*
Imprimé à Paris par Jean Bonhomme
le 14 octobre 1486
Incunable, encre noire sur papier
H. : 29,5 ; l. : 21,5
Paris, Bibliothèque nationale de France,
réserve des Livres rares, inv. Rés. S. 284

Bibliographie : SORBELLI, 1933, nº II, p. 355-356 ; NAÏS, 1957, nº 2, p. 111-112 ; TOUBERT, 1984.

Le *Livre des Ruraulx Prouffitz* est la version française imprimée pour la première fois en 1486 du livre de Pierre de Crescens, *Liber ruralium commodorum*, écrit en latin au début du XIVe siècle. L'ouvrage de Pierre de Crescens est le plus important traité d'agronomie médiévale, et fut l'un des livres les plus réédités à la fin du Moyen Âge (cat. 49 et 82).

Son auteur était né à Bologne vers 1233, où il avait fait des études de logique, de médecine, de sciences naturelles et surtout de droit. Entre 1268 et 1298, sa carrière de juge et d'assesseur le mena dans diverses villes d'Italie du Nord, lui permettant d'observer paysages et cultures variés. Il semble qu'il se soit retiré de la vie publique après 1298, et ait alors partagé son temps entre Bologne et sa résidence de Villa dell'Olmo, dans la campagne bolonaise, où il rédigea son traité entre 1305 et 1309. Le livre est dédié à Charles II d'Anjou, roi de Sicile et de Jérusalem, ainsi qu'à Aymeric de Plaisance, abbé du monastère dominicain de Bologne.

Son ouvrage, souvent considéré comme un plagiat, s'inscrit dans la tradition médiévale : Pierre de Crescens a compilé les auteurs anciens, tout en ajoutant ses propres notations. En réalité, il fit œuvre originale en reliant l'enseignement des autorités au fruit de ses observations sur le terrain. Les livres traitant d'agriculture et d'élevage se réfèrent principalement à Palladius et à Varron. Deux livres sur les douze du traité concernent les jardins proprement dits : le livre VI sur les jardins d'herbes* et le livre VIII sur les vergers*, c'est-à-dire les jardins de plaisance. L'auteur y emprunte au *De vegetabilibus et plantis* d'Albert le Grand et au *Livre des simples médecines* de Platearius (cat. 100).

L'ouvrage connut un grand succès : traduit en français en 1373, il fut copié en de nombreuses versions manuscrites (cat. 91, 92 et 93). Ce fut aussi un des premiers titres édités lors des débuts de l'impression : l'édition princeps du texte latin fut imprimée à Augsbourg en 1471, sur les presses de Johannes Schlusser ; quinze ans plus tard, en 1486, les libraires parisiens Antoine Vérard (le 10 juillet) et Jean Bonhomme (le 14 octobre) en publiaient la traduction française. Le *Livre des Ruraulx Prouffitz* connut quatorze éditions successives jusqu'en 1540, avant d'être supplanté par le *Théâtre d'agriculture* d'Olivier de Serres.

La gravure qui illustre les livres III et VII de l'édition de Jean Bonhomme montre le travail des ouvriers dans les champs autour de la demeure. On y voit les vêtements que portaient jardiniers ou paysans, hommes de peine travaillant à l'extérieur. Le trait caractéristique du costume est le chapeau de paille aux larges bords pour se protéger du soleil, dont l'efficacité est ici redoublée par le linge protégeant la nuque et le cou. Beaucoup d'outils sont communs aux travaux des champs et du jardin : ici, une fourche entièrement en bois et une faux ; les instruments de plus petite taille sont portés dans un fourreau attaché à la ceinture : couteau (cat. 62), serpette (cat. 60 et 66), plantoir. É. A.

54 et 55 | Griffes à trois dents

54 Normandie (trouvée à Saint-Vaast-sur-Seulles, Calvados), XIVe siècle
Fer
L. : 11 ; l. : 9,5
Caen, musée de Normandie, inv. D. 87. 6. 384

55 Normandie (trouvée à Grentheville-Trainecourt, Mondeville, Calvados), XIIIe-XVe siècle
Fer
L. : 12 ; l. : 8
Caen, musée de Normandie, inv. D. 89. 3. 358

Bibliographie
54 : BLANGY, 1889 (sur la fouille du site) ; 55 : inédite.

Pratiquement seuls les outils qui comprenaient une partie ou un renfort métallique ont pu traverser les siècles : bêches ferrées (cat. 51 et 52), sarcloirs, griffes, faucilles (cat. 56), forces (cat. 57) ou binettes (fig. 54-55a).

Pourtant, au Moyen Âge, d'autres outils intervenaient dans la mise en culture de la terre, après sa préparation à la bêche et à la binette : lorsqu'ils étaient entièrement en bois ou dans une autre matière organique, ils ont rarement résisté à l'épreuve du temps, et nous sont connus essentiellement par l'iconographie. C'est le cas du râteau, utilisé pour préparer le sol (enlever les cailloux, aplanir la surface) ou ramasser l'herbe coupée, et que l'iconographie des travaux des champs (calendriers des livres d'heures ou tapisseries) montre toujours entièrement en bois.

Après la préparation du sol, le jardinier pouvait s'aider d'un plantoir pour effectuer ses plantations. Les plus anciens prennent la forme d'un simple manche de bois dont la pointe est durcie à la flamme, ou de morceaux de corne ou d'os : objets modestes détruits au cours du temps, ou pas toujours identifiés lors des fouilles.

Lorsque le jardin est planté, il reste à l'entretenir. C'est le but du sarclage, travail périodique, qui permet d'éliminer les mauvaises herbes et d'aérer superficiellement la terre. Pour effectuer cette besogne, on utilise un sarcloir, sorte de houe au fer divisé en deux dents, ou une griffe servant à biner les plantes les plus délicates. Les deux griffes présentées ici, dont l'une

cat. 54

Fig. 54-55a
Jardinier avec une binette, Petrus de Crescentiis,
Ruralia commoda, Spire, vers 1492-1495.
Paris, bibliothèque Mazarine, Inc. 1244

conserve quelques fragments de son manche en bois, ont été trouvées en Normandie, l'une sur un site castral incendié au XIVe siècle et abandonné au siècle suivant, l'autre sur un site d'habitat rural.

Présents, comme tous les outils complètement ou partiellement métalliques, dans les sources écrites (inventaires, comptes, redevances) en raison de leur coût ou de leur valeur marchande, les sarcloirs apparaissent peu dans l'iconographie des travaux du jardin ou des champs. C'est très vraisemblablement parce que le sarclage est avant tout une tâche féminine et que les femmes, vues comme des travailleurs d'appoint, sont rarement figurées en jardinières (cat. 50). La répartition des tâches apparaît très clairement dans les comptes concernant les jardins de Marguerite de Flandre au château de Rouvres : le sarclage est la tâche principale des femmes, qui, du mois de février au mois de mai, sarclent régulièrement les carrés de fraisiers, de lis, d'hysope, de sauge et d'oseille. Ainsi, pour l'année 1379, l'activité majeure des femmes employées au jardin est bien le sarclage (cent quatre-vingt-huit journées), suivie par le travail lié aux légumes (cent quarante journées), puis celui des fleurs (cent dix journées); la même année, les hommes n'ont été employés que seize journées à sarcler, tandis qu'ils en ont passé deux cent quarante à préparer la terre («arer», «fessorer», «fouir» et «refouir»), cinquante-trois à s'occuper des légumes et quarante-cinq des treilles.   É. A.

56 | Faucille

Normandie (trouvée à Saint-Vaast-sur-Seulles,
Calvados), milieu du XIVᵉ siècle
Fer
L. : 29,5 ; l. : 2
Caen, musée de Normandie, inv. D. 87. 6. 57

Bibliographie : HALBOUT, PILET, VAUDOUR (dir.), 1987, nº 830, p. 209.

La faucille (*falcula* en latin classique, *falcicula* en
bas-latin) est avant tout l'instrument agricole utilisé
depuis l'Antiquité pour couper le blé. Comme la
faux, qui sert à faucher les prés, elle est aussi utilisée
au Moyen Âge dans les jardins.

Cette faucille, trouvée en Normandie, peut être
située au milieu du XIVᵉ siècle par son environnement.
Des comptes contemporains attestent bien la présence
de la faucille parmi les outils du jardinier, et en montrent l'utilisation, souvent associée à la faux, selon
l'étendue de l'herbe à couper dans le jardin. Ainsi, les
comptes de l'année 1333-1334 concernant les jardins
de l'abbaye de Glastonbury (Somerset) mentionnent
l'achat ou le renouvellement d'outils : une faucille
(huit deniers) pour nettoyer le jardin, une hache,
cinq nouvelles bêches avec de nouvelles lames en fer
(cat. 51 et 52), quatre binettes en fer (fig. 54-55a).

Les comptes du château de la duchesse de Bourgogne à Rouvres dans les années 1370-1380 montrent
aussi l'entretien régulier du jardin avec faux et fau-

cilles ; en juillet 1379, un homme de peine est payé
« pour soier grans erbes autour des treilles du jardin
par là où Madame se va esbatre ». Les préaux* ne sont
pas en reste et sont régulièrement fauchés : une fois
coupée, l'herbe est portée dans les chambres et jetée
sur le sol en jonchées parfumées (« laquelle herbe fut
portée es chambres de madite dame, Jehan monseigneur et mes damoiselles et en plusieurs lieux »). Au
milieu du XVᵉ siècle, les pratiques sont les mêmes,
et, en 1446-1447, l'archevêque de Rouen payait un
certain Raoul l'Erbier « pour avoir fauqué le […] prael
de son hôtel ».
                                                    É. A.

57 | Paire de forces

Normandie (trouvée à Grentheville-Trainecourt,
Mondeville, Calvados), XIIIᵉ-XVᵉ siècle
Fer
Caen, musée de Normandie, inv. D. 88. 5. 1
L. : 25,3 ; l. : 5,9

Bibliographie : inédite.

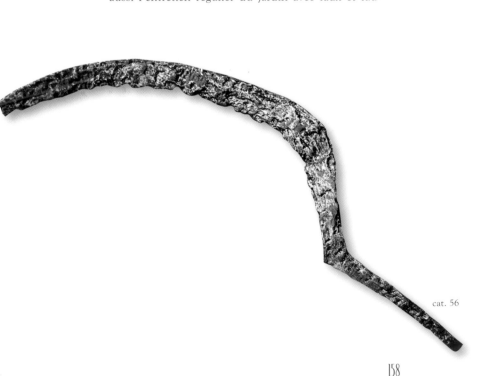

cat. 56

cat. 57

Alors que les ciseaux aux branches rivetées n'apparaissent qu'au XIVᵉ siècle, les forces, forgées d'une seule pièce et dont les lames sont reliées par un ressort en ruban, sont connues depuis la plus haute Antiquité (on en trouve dans des tombes de la Tène I, vers 475-300 avant J.-C.). Elles sont très utilisées au Moyen Âge et souvent représentées, notamment dans les calendriers de livres d'heures où la scène bucolique de la tonte des moutons par des bergères est fréquemment choisie afin d'illustrer le mois de juin. Mais les forces sont aussi employées au jardin, pour couper l'herbe poussant dans des endroits difficiles à atteindre avec la faucille (cat. 56), ou sur de petites surfaces à traiter avec minutie, comme le sommet des banquettes* de gazon.   É. A.

58 | Février : émondage et greffe des arbres

Livre d'heures à l'usage de Limoges
Maître du Missel de Jean de Foix, Toulouse, vers 1490
Peinture sur parchemin
H. : 18 ; l. : 12 ; 108 fᵒˢ
Paris, bibliothèque Sainte-Geneviève, ms. 2697, fᵒ 2

Bibliographie : KÖHLER, 1896, II, nᵒ 2697, p. 456 ; PECQUEUR, 1961, p. 80 ; LEMAÎTRE, 1987, p. 15-16 ; CASSAGNES-BROUQUET, 1988.

Les calendriers médiévaux associent tantôt l'oisiveté, tantôt le travail au mois de février : soit l'on reste chez soi à se chauffer au coin du feu, soit il faut aller dans les bois couper des branches pour faire des fagots (… et pouvoir ensuite se chauffer au coin du feu). Plus rarement, comme sur ce livre d'heures, c'est la saison de la taille, voire de la greffe des arbres, activité en général liée au mois de mars (cat. 63).

Cette enluminure associe, à droite, le signe du poisson et, à gauche, un paysan qui effectue des greffes. Il s'est servi de la scie posée derrière lui pour couper les branches maîtresses de l'arbre, et est en train d'enter* les greffons dans l'arbre, après l'avoir incisé avec la serpette qu'il porte à sa ceinture. Petits couteaux (cat. 62) et serpettes sont indispensables à l'art de la greffe, un des plaisirs du jardinier (cat. 59).

cat. 58

L'identification des armoiries figurant sur ce livre d'heures a conduit à en attribuer la commande à un membre d'une grande famille limousine, Katherine de Rochechouart-Mortemart, et à situer sa réalisation au début du XVe siècle. Cette datation est cependant tout à fait incompatible avec le style des enluminures, qui est celui de la fin du XVe siècle. François Avril y a reconnu la main du Maître du Missel de Jean de Foix, peintre actif à Toulouse à la fin du XVe siècle.   É. A.

59 | L'art de la greffe

La Manière d'enter et planter en jardins
Imprimé à Paris par Jean Maurand, vers 1492
Incunable, encre noire sur papier
H. : 19,3 ; l. : 13,8 ; 4 fos
Paris, Bibliothèque nationale de France,
réserve des Livres rares, inv. Rés. S 713, fo 1

Bibliographie : *Bibliothèque nationale. Catalogue des incunables*, II, fasc. 2, Paris, 1982, p. 212.

Le succès de l'ouvrage de Pierre de Crescens, le *Livre des prouffitz champestres*, visible à ses nombreuses copies manuscrites (cat. 91, 92 et 93) et ses tout aussi nombreuses éditions (cat. 49, 53 et 82), se manifeste également à travers la publication d'ouvrages se plaçant sous son autorité, comme ce petit traité sur la greffe des arbres, qui débute ainsi : «Cy commence le jardinier qui enseigne comment on peut subtilement enter et édifier en jardins plusieurs choses bien estranges et tres plaisantes en pratiquant aucunes choses du livre pierre de cressensis qui fut moult expert a scavoir choses naturelles. »

Les arbres greffés sont un ornement très recherché dans les jardins du Moyen Âge, ils font la fierté de leur propriétaire et du bon jardinier, comme l'écrit Pierre de Crescens au huitième livre de son ouvrage : c'est «grant plaisance d'avoir en un verger* diverses entes* merveilleuses et en un arbre plusieurs et divers fruits».

La Manière d'enter et planter en jardins est un opuscule composé de quatre feuillets de texte, illustré par une xylographie montrant des jardiniers en train de greffer des arbres. Différents stades du travail sont visibles : l'incision de l'arbre, la mise en place du greffon et les greffes terminées, qu'il faut, selon Pierre de Crescens, «bien estoupper de cire et lier bien par-dessus». Les jardiniers utilisent des serpettes (cat. 60); l'un d'entre eux porte une serpette à talon (cat. 64 et 65) à la ceinture.

L'ouvrage est une succession de conseils pour obtenir des prodiges qui feront la singularité du jardin : «pour avoir des pesches plus tost deux moys que les autres», pour avoir des cerises et des pêches parfumées comme des épices (la greffe doit être enduite de miel et de «bonnes espices. Cest assavoir du clou de giroffle et du gingembre et de la canelle»), pour avoir des cerises jusqu'à la Toussaint, pour faire durer les fruits, ou encore pour qu'un houx donne des roses… On y trouve aussi la méthode pour conserver des roses fraiches pendant toute l'année, déjà prônée par Pierre de Crescens et par le *Ménagier de Paris*. Le traité s'achève avec diverses recettes pour tuer les fourmis.

Diffusé grâce à l'imprimerie, le savoir sur l'art de la greffe n'avait pas attendu la fin du XVe siècle pour se développer : dès que les comptes conservés évoquent les travaux dans les jardins, apparaissent les greffes. Ainsi, à Ripton, un des domaines de l'évêque de Winchester, en 1265-1266, après la plantation de cent vingt-neuf pommiers et pêchers, un jardinier est payé durant huit jours pour effectuer des greffes sur les jeunes arbres. Marguerite de Flandre, n'ayant sans doute pas confiance dans le talent des jardiniers travaillant à Germolles, fait appel à des spécialistes extérieurs pour effectuer des greffes dans les jardins du château : en 1386, Pinot le Refieu vient de Beaune pour greffer des cerisiers; en 1389, c'est un jardinier de Fauverney et son gendre qui sont employés «pour faire plusieurs antes».

Les «trucs» de jardinier diffusés par ce petit traité correspondaient certainement à une demande, car plusieurs variantes de cet ouvrage ont été imprimées à Paris dans les années 1480-1490, proposant toutes sortes de greffes étranges et se revendiquant toujours de Pierre de Crescens. Cependant, elles ne reprennent pas intégralement cette autorité : ainsi, dans ce traité imprimé par Jean Maurand, ne figure pas la recette de Pierre de Crescens pour avoir des cerises de toutes les couleurs, y compris d'azur…   É. A.

cat. 59

60 | Serpette

Picardie (trouvée au hameau du Bellé,
commune de Neuilly-en-Thelle), XIVe siècle
Fer
L. : 19,7
Senlis, musée d'Art, inv. de fouille no 10

Bibliographie : *L'Ile-de-France médiévale*, Paris, 2000, I, p. 257 ;
LEGROS, 2001.

La serpette est l'outil essentiel du jardinier médiéval.
Associée à un petit couteau, elle sert à toutes les
besognes de taille et de coupe dans le jardin (le séca-
teur n'apparaîtra qu'au début du XIXe siècle). Le jardinier l'utilise pour la taille et l'émondage des branches
des jeunes arbres, mais aussi pour la coupe des branchages nécessaires à la construction des haies, plessis*,
palis*, treillages*, etc. C'est la besogne de la fin de
l'hiver, habituellement représentée dans les calendriers au mois de mars.

Si la serpette à la lame concave est universellement
répandue en Occident, au moins depuis l'Antiquité
romaine, cet outil connaît des variantes de forme
en fonction des régions (cat. 61), ou des travaux spécifiques, comme la serpette à talon pour la taille de
la vigne (cat. 63, 64 et 65). Les serpettes les plus
anciennes sont entièrement métalliques, tandis que
les plus répandues à la fin du Moyen Âge avaient un
manche en bois comme celle-ci, retrouvée sur le site
du hameau du Bellé, habitat du XIVe siècle formé de
fermes entourées de parcelles cultivées (jardins,
champs et vergers).

Le marché passé en 1275 entre les moines de
Fécamp et un dénommé Humbert, chargé de l'entretien d'une de leurs vignes, montre bien à quel point
la serpe est l'outil de base du jardinier, renouvelé
chaque année : afin d'entretenir la vigne, celui-ci
reçoit six deniers pour acheter une serpe et quatre
deniers pour des gants.   É. A.

Fig. 60a
Pierre de Crescent, *Le Livre des prouffis
champestres et ruraux*, détail du cat. 92.
New York, The Pierpont Morgan Library,
Ms M 232, fo 27

cat. 60

61 | Serpe

Angleterre (trouvée à Tabernacle Street, Londres),
XVIe siècle
Fer et bois
L. : 27,5 ; largeur de la lame : 10,5
Londres, Museum of London, inv. 7822

Bibliographie : inédite.

Les serpes servaient à l'entretien des haies et des
taillis, ainsi qu'à de nombreux travaux forestiers et de
jardinage (cat. 60). Ce type de serpe, dont la lame
porte au dos une pointe, sorte d'ergot tranchant, est
devenu une forme traditionnelle dans l'est de l'Angleterre : la «Suffolk *hook*», ou serpe du Suffolk, est
encore utilisée de nos jours.

Cette serpe fut découverte en 1902 dans un secteur
situé immédiatement au nord de la ville médiévale
de Londres, secteur qui, au XVIe siècle, était encore
composé pour une large part de champs et de jardins.
Une partie du manche en bois (hêtre) est encore présente dans la douille. J. Cl.

62 | Émondoir

Angleterre (trouvé à Londres), XVe ou XVIe siècle
Fer et bois
L. : 14,7
Londres, Museum of London, inv. A3143

Bibliographie : London Museum, 1940, p. 124, pl. XXIII, 4.

Les petits couteaux à lame recourbée comme celui-ci
étaient généralement utilisés pour la taille de la vigne
et des plantes de jardin ; ils sont fréquemment représentés dans des enluminures médiévales figurant des
hommes au travail dans les jardins ou les vignobles.
J. Cl.

cat. 61

cat. 62

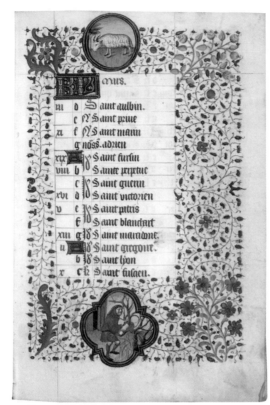

cat. 63

Fig. 63a
Jardinier liant des
vignes sur des treilles,
Petrus de Crescentiis,
Ruralia commoda,
Spire, vers 1492-1495.
Paris, bibliothèque
Mazarine, Inc. 1244

63 | Mars : la taille de la vigne

Livre d'heures à l'usage de Rome
Provence, vers 1460-1470
Peinture sur parchemin
H. : 24 ; l. : 16 ; 162 f^{os}
Amiens, Bibliothèque municipale, ms. Les. 19 B, f° 3

Bibliographie : Paris, 1993-1994, n° 130, p. 239-240 ; Amiens,
1998-1999, n° 18, p. 63-65.

Dans les calendriers de la fin du Moyen Âge, mars
est le mois de la remise en état des jardins (cat. 76) et
celui de la taille des vignes, les deux travaux pouvant
être liés quand il s'agit d'élaguer une tonnelle couverte de vignes (cat. 81). En dépit des variations de
l'iconographie des occupations des mois en fonction
des époques et des régions, la taille des vignes apparaît de manière immuable au mois de mars. Ce travail
suit le rythme de croissance de la vigne, qu'il faut
tailler après les dernières gelées mais avant qu'elle ne
débourre. Déjà à l'époque carolingienne, les poèmes
sur les mois de l'année lient mars et la taille de la
vigne : « Mars déploie des soins attentifs dans les
vignes », ou encore : « Voici Mars retenant sa serpette,
il veut tailler la vigne ». Les instructions de Barthélemy l'Anglais, au livre IX du *Livre des propriétés des
choses* (vers 1230-1240), sur la façon dont les mois doivent être représentés dans les calendriers, témoignent
d'une tradition iconographique déjà bien établie :
« Mars est fait en paincture comme ung vigneron
parce que en cellui temps, il est saisons de copper les
vignes. » Le peintre provençal qui a enluminé, dans les
années 1460-1470, le calendrier du livre d'heures présenté ici s'inscrit dans cette tradition : le mois de mars
est illustré, dans la partie supérieure, par le bélier
dans un médaillon et, dans la partie inférieure, par
la scène de la taille de la vigne dans un quadrilobe,
avec un paysan armé de sa serpette à talon, appelée en
provençal *poudo* ou *poudaduiro*.

La scène serait figurée de la même manière par
des peintres nordiques : la limite de l'extension de la
culture de la vigne est en effet beaucoup plus septen-
trionale au Moyen Âge qu'aujourd'hui. En témoignent les serpettes à talon pour la taille de la vigne

présentées dans cette exposition, trouvées l'une à Paris et l'autre en Picardie (cat. 64 et 65).

La vigne est en effet très appréciée, pour le vin qu'elle produit bien sûr, mais aussi pour son caractère décoratif dans les jardins, où elle tapisse treilles et tonnelles. Les grappes de vigne des treilles des jardins n'étaient en général pas consommées comme raisin de table, mais récoltées pour fabriquer du verjus : ainsi un inventaire de 1428 cite des bancs de bois qui ont été rompus «en cueillant le verjus des treilles» des jardins du palais de la Cité.

Les travaux nécessités par l'entretien des vignes couvrant les architectures de verdure sont fréquemment mentionnés dans les comptes, qu'il s'agisse de ceux des jardins de Philippe le Hardi à Germolles – «onze journées d'ouvriers de bras, la seconde semaine de mars, pour tailler la vigne qui est alentour des tonnes dudit jardin» –, ou de ceux du Louvre de Charles V – «Item, pour avoir planté d'un côté et d'autre desdites treilles et pavillons dix-sept cents et demi de ceps de vigne, huit francs d'or» (1368-1371).

É. A.

cat. 64

cat. 65

64 et 65 | Serpettes à talon pour la taille de la vigne

64 Paris (trouvée rue de la Collégiale), XIIIᵉ siècle
Fer et bois
L. : 26 ; largeur de la lame : 6,5
Paris, Commission du Vieux Paris, inv. 617

65 Picardie (trouvée au hameau du Bellé,
commune de Neuilly-en-Thelle), XIVᵉ siècle
Fer
L. : 24,5
Senlis, musée d'Art, inv. de fouille n° 210

Bibliographie
64 : BRUT, LAGARDE, 1993, p. 92 ; Paris, 1999, n° 248, p. 133-134 ;
65 : *L'Ile-de-France médiévale*, 2000, I, p. 105 et 257 ; LEGROS, 2001,
p. 5 et fig. 21, p. 6.

Le talon au dos de la lame de ces serpettes donne à ces deux outils une forme caractéristique, bien reconnaissable dans l'iconographie (cat. 63) : il s'agit de la serpette du jardinier ou du vigneron, la *falx vineatica* connue depuis l'Antiquité romaine, où elle est représentée notamment sur des stèles funéraires, et décrite de manière précise par Columelle dans le *De re rustica* (IV, 25). Le talon, parfois triangulaire, le plus souvent trapézoïdal comme sur ces deux exemples, constitue une hachette qui sert à couper les sarments superflus ; la partie en forme de serpe, à deux tranchants, permet de tailler la branche à fruits et de couper le bois mort (dos tranchant). Également appelée dans l'Antiquité *falx putatoria* (du latin *putare* : tailler, élaguer, émonder), elle était aussi utilisée par les jardiniers pour l'élagage et la greffe des arbres (cat. 59). La soie venait s'emmancher dans un manche en bois, dont des fragments subsistent sur l'exemplaire trouvé à Paris, rue de la Collégiale.

Cette serpette pourrait avoir été employée dans le cadre d'un jardin à treilles – l'emplacement de sa découverte correspondant au jardin de la cure Saint-Marcel au XVIIIᵉ siècle – ou dans celui d'une vigne, un de ces «clos» présents dans le Paris médiéval. Non loin de là, la montagne Sainte-Geneviève était plantée de vignes, notamment le «clos Bruneau», sur l'emplacement duquel ont été tracés les actuels passage du Clos-Bruneau, rue des Carmes et rue Jean-de-Beauvais, tandis que dès 1219 était installé un pressoir dans les ruines des anciens thermes gallo-romains qui jouxtent l'hôtel de Cluny. L'analyse des restes organiques trouvés rue de la Collégiale a montré la présence de pépins de raisin dans toutes les couches archéologiques, associés à des amandes de noyaux de prunes : elle ferait donc plutôt pencher pour la première hypothèse. Le travail de la vigne nécessitait aussi d'autres outils, tels que la serpe sans talon et le petit couteau (cat. 66), notamment lors de la cueillette des grappes.   É. A.

cat. 66

66 | Petite serpette

France, XVIᵉ siècle
Acier et ivoire teint
L. : 9,4
Écouen, musée national de la Renaissance, Ecl. 13429

Bibliographie : Paris, 1936, nº 935, p. 111.

Cette petite serpette, avec son manche teint en vert, le décor de rinceaux et l'inscription «Prené en gré ce petit don» sur sa lame, évoque le versant noble du jardinage. Certaines activités sont en effet pratiquées au jardin par des dames et des gentilshommes : les travaux délicats, comme la cueillette des fleurs, des fruits ou des grappes de raisin, accomplis avec ce type d'outil, ou l'art de la greffe (cat. 59). Le jardinage comme occupation noble se développera encore davantage au XVIᵉ siècle, ainsi qu'en atteste l'apparition de «trousses de jardiniers» aux outils ouvragés.

L'inscription figurant sur le manche de cette serpette matérialise le lien entre jardinage et atmosphère courtoise : l'objet lui-même était-il offert en présent amoureux, ou était-il destiné à accompagner une offrande galante de fleurs ou de fruits ?   É. A.

cat. 67

cat. 68

67 et 68 | Chantepleures*

Angleterre (trouvées à Londres), XVe siècle (67),
XVIe siècle (68)
Céramique
H. : 30,5 (67) et 26 (68)
Londres, The British Museum, inv. MME 1856. 5-7.
1598 (67) et MME 1896. 2-1. 44 (68)

Bibliographie : GWILT, 1850, p. 343-346.

Le terme «chantepleure» désigne un type de vase servant à arroser les plantes en pot ou dans une plate-
bande. Dotée d'un col étroit et d'une large panse, la
chantepleure se remplissait par immersion. On régu-
lait l'écoulement de l'eau par les trous du fond en

posant le pouce sur l'embouchure. Son nom, «chante
et pleure», vient peut-être du bruit que fait l'eau en
s'écoulant.

Une tapisserie, probablement fabriquée à Tournai
ou à Bruxelles vers 1450-1460, montre l'usage de ce
vase dans un jardin (cat. 70). Tandis qu'un homme
joue avec son chien et un bâton, sa dame, vêtue de
beaux atours, vide une chantepleure sur des fleurs
entourées de tuteurs dans un pot en céramique. Cette
tapisserie montre que ce type de vase était utilisé aussi
bien en Flandre qu'en France ou en Angleterre.

Les deux pièces présentées ici ont été trouvées à
Londres au XIXe siècle : la première près de Winches-
ter House, dans Winchester Street ; la seconde dans
Liverpool Street. La matière rouge et le décor en

blanc de la première indiquent qu'elle a été fabriquée dans l'Essex (au nord-est de Londres), au XVᵉ siècle. La seconde provient de Londres ou de ses environs ; d'un type plus tardif, elle comporte une anse et date probablement du début du XVIᵉ siècle.

Ces vases remplis par immersion étaient d'un usage moins pratique que les arrosoirs que l'on remplit par une large embouchure et que l'on vide par un long bec ou une pomme. Les arrosoirs à long bec remplacèrent complètement les chantepleures, quoique l'on trouve encore des exemples de celles-ci jusqu'au XVIIᵉ siècle.

Le motif de la chantepleure présente un intérêt historique : il fut en effet adopté comme emblème par Valentine de Milan en 1407, après l'assassinat à Paris de son mari le duc d'Orléans. La duchesse prit alors pour devise «plus ne m'est rien», exprimant ainsi le terrible chagrin dont elle devait mourir l'année suivante. L'emblème et sa devise figurent sur sa tombe dans l'église des Cordeliers à Blois. La signification symbolique de cet emblème était donc largement admise au début du XVᵉ siècle.   J. Ch.

69 | Étui à couteaux

France, début du XVᵉ siècle
Cuir
L. : 38 ; l. : 6,5
Londres, The British Museum, inv. MME 1855. 12-1. 118

Bibliographie : DALTON, 1906, nº 60, p. 423-430 ; DELGRANGE, 2000, nº 13, p. 6.

Cet étui en cuir contient un jeu de quatre couteaux, deux grands et deux petits, dont les manches sont finement ornés d'émaux. Il était fermé sur le côté par des lacets, aujourd'hui manquants, qui attachaient le rabat à la partie principale. L'ouverture de l'étui traverse le haut du décor.

La partie supérieure du décor, correspondant aux manches des couteaux, comporte deux motifs accolés : une chantepleure* (cat. 67, 68 et 70) ou arrosoir dont l'eau s'écoule sur une branche de feuillage, et les lettres O et Y entrelacées. La lettre Y s'achève en un rinceau élaboré. La partie inférieure du décor représente un homme en tenue de travail. Il porte un man-

teau retenu par une ceinture, des chausses nouées sous les genoux, des bottes et un chapeau rond à bord. Il tient une houe sur son épaule droite. Une bourse, un couteau, un court bâton et une serpette sont attachés à sa ceinture. Il marche d'un pas décidé, la tête haute et en balançant le bras gauche vers l'avant. Au-dessus de lui, l'inscription en caractères gothiques «J'endure» peut signifier «Je suis endurci» ou «Je continue».

Chaque manche de couteau est orné d'un blason émaillé à l'enseigne de France dans une bordure engrêlée, componé de gueules d'argent, accolé du blason du Hainaut et de Hollande. Ces armoiries avaient été identifiées par O. M. Dalton comme étant celles de Jean sans Peur, après son mariage avec Marguerite de Bavière, comtesse de Hainaut et de Hollande. Récemment, Dominique Delgrange a corrigé cette attribution en reconnaissant les armes du duc Jean de Touraine, fils de Charles VI, qui épousa Jacqueline de Hainaut en juillet 1406 et fut Dauphin de France de 1415 à sa mort, deux ans plus tard. Entre les deux blasons figure l'inscription «s'il plaist à dieu». Il est probable que ces couteaux ont été réalisés pour leur mariage en 1406.

L'étui, qui ne comporte ni les armes ni la devise de Jean de Touraine ou de Jacqueline de Hainaut, porte en revanche les lettres O et Y entrelacées. On y a vu une référence à Ysabel, fille du duc de Bourgogne Jean sans Peur qui, à six ans, fut mariée à Olivier, comte de Penthièvre. Le mariage eut lieu en juillet 1406, comme celui de Jean et Jacqueline. La simultanéité des deux mariages pourrait expliquer cette association d'armes et d'initiales par un échange de cadeaux ; peut-être existait-il réciproquement un jeu de couteaux aux armes d'Ysabel et d'Olivier, avec les initiales de Jacqueline et de Jean sur l'étui. Toutefois, le décor de l'étui qui nous intéresse ne va pas dans le sens de cette interprétation : une chantepleure, un paysan à l'allure résolue et une devise mélancolique semblent des motifs peu appropriés pour un cadeau de mariage.

Quoi qu'il en soit, cet étui offre une représentation de jardinier médiéval, avec ses vêtements de travail et ses outils. Peut-être cette image suggère-t-elle que la culture du sol est une activité qui perdure au-delà des mariages et des deuils.   J. Ch.

cat. 69

70 | Couple sous un dais

Tournai ou Pays-Bas du Sud, vers 1450-1460
Tapisserie, laine et soie
H. : 245 ; l. : 192
Paris, musée des Arts décoratifs, inv. 21121

Bibliographie : KURTH, 1917, p. 89-90, fig. 21.

Sur un fond de fleurettes (cyclamens, œillets, ancolies, chardons, fraisiers, ellébores, pensées, pâquerettes, bourrache), deux anges écartent les pans d'un dais, laissant apparaître un couple élégant à l'allure mélancolique. Tandis que l'homme joue négligemment avec un petit chien, la dame arrose des œillets en pot à l'aide d'une chantepleure*. Très proche stylistiquement des *Personnages dans un jardin de roses* (cat. 30), cette tapisserie suscite elle aussi bien des interrogations quant à sa signification exacte. La présence de la chantepleure a conduit parfois à voir dans ce couple Louis d'Orléans et son épouse Valentine Visconti, la duchesse ayant pris une chantepleure pour emblème en signe de deuil après l'assassinat de son mari en 1407 : mais le costume des personnages, qui évoque la mode du troisième quart du XVe siècle, ne cadre guère avec cette hypothèse. Il semble peu vraisemblable que cette tapisserie soit le portrait de personnages réels ; elle appartient plus probablement à un cycle de scènes courtoises dont la signification reste à déchiffrer.

La chantepleure, utilisée parfois comme emblème des larmes et du deuil, avait cependant avant tout une fonction utilitaire, qui apparaît très clairement sur cette tapisserie : ayant relevé son pouce, la jeune femme laisse l'eau s'écouler du fond du vase/arrosoir sur ses fleurs. Les ustensiles de jardin représentés ici sont des objets raffinés, à l'image de l'élégance de leur propriétaire : la chantepleure blanche est ornée d'un décor bleu, tout comme le pot contenant les œillets, au bord crénelé et à motifs de rinceaux de vigne bleus ; peut-être s'agit-il de faïences ?

Les chantepleures servaient à arroser de petites plates-bandes ou, comme ici, des fleurs en pot. Elles étaient largement répandues au XVe siècle : des chantepleures de qualité plus courante ont été retrouvées en parfait état de conservation en Angleterre (cat. 67 et 68), et leur usage est également attesté dans les domaines bourguignons, soit par les représentations (cat. 69), soit par les comptes. Pour l'année 1447, les comptes du palais des ducs de Bourgogne à Bruges mentionnent l'achat par Guillaume Martens, jardinier, de « deux pots de terre troués de plusieurs trous pour servir à mouiller les dits romarins et autres fleurs » (*i.e.* marjolaines, « violiers » [giroflées ?], rosiers rouges et blancs, églantiers).

É. A.

71 | Noyaux, pépins et coquilles de fruits

Avignon (trouvés à Avignon, place de la Principale),
vers 1390
Restes végétaux
L. : 0,1 à 2,3
Avignon, Service archéologique de Vaucluse,
inv. AVI. PRI. 96. 878

Bibliographie : inédits.

Le puits d'une auberge du centre-ville d'Avignon, établie sur le parvis de l'église paroissiale Notre-Dame-
de-la-Principale, a été scellé dans les dernières années
du XIVe siècle par un réaménagement de cette place.
Son comblement a livré un ensemble représentatif de
l'équipement d'une taverne, comptant plus de deux
cents gobelets en verre, une cinquantaine de chopes,
des marmites et des seaux. Les conditions d'enfouis-
sement anaérobie ont favorisé, au fond de ce puits,
la conservation des rejets végétaux et des matériaux
putrescibles. Ont ainsi été recueillis des assiettes et
coupelles en bois tourné, des cuillères en buis, des
couteaux et divers objets (boîte à cachets, flûte, tou-
pies, peignes, etc.).

Un volume relativement considérable de débris
végétaux, résultant de la consommation de fruits,
permet de se faire une idée assez exacte de la production des vergers locaux. Parmi une masse de pépins
de raisin mêlés à de rares graines de cucurbitacées

Fig. 71a
Cerises, *Tacuinum
sanitatis*, cat. 79.
Rouen,
Bibliothèque
municipale,
ms. 3054, fo 8
(détail)

Fig. 71b
Melons, *Tacuinum
sanitatis*, cat. 79.
Rouen,
Bibliothèque
municipale,
ms. 3054, fo 18
(détail)

cat. 71

(melons?, fig. 71b), l'essentiel des rejets provient de récoltes arboricoles. On reconnaît des coques et cerneaux de noix, des coquilles de noisettes, des testas d'amandes, des noyaux d'olives, de prunes, de pêches et de cerises (fig. 71a). Ces derniers, sphériques, montrent des caractères sauvages et rustiques proches de ceux des noyaux des griottes actuelles. On relèvera l'absence de variétés exogènes (abricots, pépins d'agrumes) et d'espèces peu cultivées en Provence calcaire (bogues et pelures de châtaignes).

Ces restes végétaux sont présentés ici par variété dans des coupelles de terre cuite contemporaines, dont certaines proviennent du même contexte archéologique. Ces coupelles en céramique calcaire, sans décor extérieur ou revêtues d'un émail à motifs polychromes à l'intérieur, courantes à la fin du XIVe siècle, avaient des usages variés (palettes à peinture, ramequins, présentoirs, etc.).   D. C.

72 | Coquilles de coques *(Cardium edule)*

Angleterre (trouvées à la Monnaie royale,
East Smithfield, Londres), Moyen Âge
L. : 0,2 ; l. : 0,2 environ (chaque coquillage)
Londres, Museum of London, inv. MIN86 <11852>

Bibliographie : inédites.

Le genre *Cardium* est présent dans le monde entier, mais en Angleterre, la seule espèce ayant une importance économique est la coque *C. edule.* Quoique ces coquillages comestibles aient été consommés en quantités très importantes au Moyen Âge et au début de l'époque moderne, relativement peu de leurs vestiges ont été découverts en contexte archéologique à Londres, car la plupart des coquilles vides étaient ramassées, écrasées et utilisées dans les jardins pour faire des parterres, des chemins, voire des grottes. Les coquilles broyées mettaient parfaitement en valeur les plantes et les ornements de jardin, et leur utilisation dans des jardins londoniens est attestée dans les documents contemporains. Les archives de Bridge House, la demeure du personnel chargé de l'entretien du pont de Londres, les mentionnent dans les jardins situés au pied du pont, où étaient produits fruits, légumes et plantes médicinales pour le personnel. L'une des références les plus connues à l'utilisation de coquilles comme matériau de pavement se trouve dans une comptine anglaise :

«*Mary, Mary, quite contrary,*
How does your garden grow?
With silver bells and cockle shells,
And pretty maids all in a row, row, row,
And pretty maids all in a row.»

«*Marie, Marie, toute contrariante,*
Comment pousse ton jardin?
Avec des clochettes d'argent et des coquilles de coque,
Et de jolies demoiselles toutes alignées,
Et de jolies demoiselles alignées.»

Cette chanson avait sans doute une signification politique et religieuse, aujourd'hui assez obscure ; mais, considérée dans son sens premier, elle évoque tout simplement un jardin anglais où des allées de coquilles broyées sont bordées de rangées de «clochettes d'argent» *(Helesia carolina)* et de «jolies demoiselles», vraisemblablement des marguerites *(Bellis)* ou des soucis *(Calendula).*   H. F.

cat. 72

cat. 73

73, 74 et 75 | Pots de fleurs

Région d'Avignon (trouvés dans les jardins
de l'hôtel de Brion, Avignon), seconde moitié
du XIVe siècle
Céramique à glaçure monochrome
Avignon, collection de Brion, musée du Petit Palais
73 H. : 13,5 ; d. : 43
74 H : 8 ; d. : 25 ; inv. E 006
75 H : 8 ; d. : 25 ; inv. D 001

Bibliographie : DÉMIANS d'ARCHIMBAUD *et alii*, 1980, p. 67-68,
fig. 23 et 25 ; *Aujourd'hui le Moyen Âge*, 1981, n° 484, p. 99.

Ces pots ont été trouvés en fouille dans les jardins
de l'hôtel de Brion, tout proche du palais des Papes
(cat. 96). Le trou percé dès l'origine dans leur fond et
l'absence de couverte intérieure indiquent bien qu'il
s'agissait de pots de fleurs. Quinze exemples de ce
type ont été mis au jour sur le site, presque tous couverts d'une glaçure verte : un seul grand pot (cat. 73)
et quatorze plus petits, dont un de couleur blanche
(cat. 75). Deux larges anses permettaient de transporter
avec facilité ces pots de forme très simple.

Les pots en terre sont les plus utilisés dans les jardins du Moyen Âge : ils peuvent être posés dans les
jardins, servir à faire des semis repiqués ensuite dans
les parterres (cat. 76), être rentrés pendant l'hiver, ou
orner les intérieurs (cat. 103 et 107).

Fig. 73a
Mars, détail du
calendrier du *Livre
d'heures de Jeanne
la Folle*, Gand ou
Bruges, 1496-1506,
peinture
sur parchemin.
Londres,
The British Library,
Add. Ms 18852,
f° 3v°

cat. 74

cat. 75

Des pots de forme circulaire, dont on a trouvé des exemplaires en fouille, sont fréquemment représentés dans les jardins flamands (cat. 76 et fig. 73a). D'autres types de pots, aux formes plus élaborées et au décor en couleur, apparaissent sur des représentations de jardins sophistiqués, évoquant des faïences italiennes (cat. 70, 86 et 90). Plus rustiques, des pots constitués de planches de bois cintrées sont utilisés dans les pays germaniques, tandis que les pots ou les corbeilles en osier sont universellement répandus (cat. 48 et 87). L'auteur du *Ménagier de Paris* (vers 1393) donne à sa jeune épouse des conseils avisés sur la culture des fleurs en pot : « Les violettes et la giroflée sont semées en mars ou plantées à la Saint-Remi. *Item*, dans les deux cas, à l'approche des gelées, il faut les mettre en pot quand la lune entre dans son dernier quartier, afin de pouvoir les mettre à l'abri du froid dans une cave ou dans un cellier ; pendant la journée, on peut les sortir à l'air et au soleil. Il faut les arroser assez tôt afin que l'eau soit absorbée et la terre sèche lorsqu'on les rentre ; il ne faut surtout pas les enfermer mouillées le soir. »

Les pots de fleurs retrouvés sur le site de l'hôtel de Brion ont probablement été produits en Avignon ou dans la région, dans la seconde moitié du XIVe siècle. L'occupation de ce site au cœur de la cité pontificale durant cette période n'est pas certaine : il pourrait s'agir de la livrée cardinalice du puits de la Saunerie, ou de l'hôpital ou orphelinat de Jujon.   É. A.

Fig. 74-75a
Détail de la marge
d'un livre d'heures,
Pays-Bas du Sud,
vers 1500,
peinture sur parchemin.
Bruxelles, Bibliothèque
royale de Belgique,
ms. IV 480, f° 119v°

Martius ht dies
xxxj . Luna
xxx

iij	d	
	e	
xj	f	
	g	Adriani mrs.
xix	a	
viij	b	
	c	
xvj	d	Cypriani epi
v	e	
	f	
xiij	g	
ij	a	Gregorij pape
	b	
x	c	

cat. 76, f° 3v°

76 | Mars : les travaux au jardin

Livre d'heures
Maître des scènes de David du Bréviaire Grimani,
Gand ou Bruges, vers 1500
Peinture sur parchemin
H. : 10,4 ; l. : 7,5 ; 234 fᵒˢ
Paris, Petit Palais – musée des Beaux-Arts de
la Ville de Paris, inv. L. Dut. 36, fᵒˢ 3vᵒ-4

Bibliographie : RAHIR, 1899, p. 18.

Mars est traditionnellement représenté dans les calendriers comme le mois de la remise en état du jardin (fig. 76a) : la température permet de nouveau le travail à l'extérieur mais les beaux jours ne sont pas encore suffisamment revenus pour les activités seigneuriales en plein air ; c'est au mois d'avril que la bonne société profite de son jardin (fig. 76b), y tresse des chapels* de fleurs (cat. 27, 36, 38, 43, 44 et 92) ou s'y promène (cat. 78), tandis qu'en mai on partira à la chasse au faucon passer de longues journées dans les bois.

Sur cette double page, le peintre montre les serviteurs occupés à l'entretien général du jardin. À gauche, au pied de treilles dont la taille constitue aussi un des travaux du mois de mars (cat. 63 et 81), un serviteur retourne la terre pour créer de nouveaux carrés de plantations. Deux hommes l'assistent, transportant du fumier dans des brouettes en bois ; l'un d'entre eux, coiffé d'un grand chapeau, manie une pelle de forme triangulaire (cat. 52). À droite, dans un jardin clos de plessis* et formé de plates-bandes carrées rehaussées et entourées de briques, deux serviteurs

s'affairent. L'un retourne la terre, l'autre s'apprête à repiquer des semis ou des plantes qui ont passé l'hiver en pot à l'intérieur.

Une demeure comme celle dépeinte sur cette enluminure était probablement habitée toute l'année par son propriétaire, et les travaux au jardin s'y enchaînaient selon une routine quotidienne. Dans le cas de plus grand seigneurs, qui partageaient leur temps entre plusieurs résidences, les travaux de remise en état précédant l'arrivée du maître prenaient des proportions plus importantes. Ainsi, les séjours du duc et de la duchesse de Bourgogne dans leur château de Rouvres dans les années 1380 provoquent à chaque fois un branle-bas général, en particulier dans les jardins : on «fait net tout yceux jardins adfins quil fuissent trouvé plus plaisens et plus bel». Des filles du village sont employées pour arracher les mauvaises herbes dans le jardin et dans la cour du château – «en avoir remessey toute la plus grande partie de la court du chastel de Rouvres, pour lesbatemens de Jehan monseigneur et de mes demoiselles» –, ou pour faucher l'herbe qui a envahi les allées du jardin.

Le peintre du calendrier, accordant une place mineure au signe du zodiaque (ici le bélier qui apparaît dans le ciel), a en revanche déployé les scènes d'occupations des mois sur tout l'espace de la page, servant de fond à la liste des saints. Il s'est visiblement délecté à peindre de véritables paysages et à rendre de façon pittoresque les détails de la vie quotidienne. Il évoque parfaitement l'atmosphère du mois de mars : la silhouette des arbres est encore dépouillée, mais le ciel hivernal s'éclaircit et la lumière se fait plus chaude.   É. A.

77 | Sainte Dorothée

Rhin supérieur, vers 1450
Vitrail
H. : 88 ; l. : 43
Paris, musée national du Moyen Âge – thermes
de Cluny, inv. Cl. 3274

Bibliographie : PERROT, 1977, III, n° 51, p. 176-178.

Le culte de sainte Dorothée était très répandu à la fin
du Moyen Âge dans les pays germaniques et en Italie.
Sainte Dorothée faisait partie des quatorze saints
consolateurs et formait, avec sainte Barbe, sainte
Catherine et sainte Marguerite (cat. 22), le groupe des
virgines capitales, les quatre saintes vierges également
vénérées à la fin du Moyen Âge. La légende de la
sainte, décapitée à Césarée de Cappadoce au début du
IVe siècle pour avoir refusé de sacrifier aux idoles, est
rapportée par des *Acta* apocryphes.

Tandis qu'on emmène Dorothée au supplice, le
jeune scribe Théophile raille la martyre et l'apos-
trophe ainsi : «Si tu vas au jardin du Paradis, épouse
du Christ, envoie-moi des pommes ou des roses du
paradis de ton époux.» La sainte lui promet de lui
envoyer des roses et des pommes du Paradis et, alors
qu'elle se recueille avant d'être décapitée, un ange
(ou l'Enfant Jésus selon les récits) lui apparaît, tenant
une corbeille de roses et de pommes. Dorothée fait
porter la corbeille à Théophile, qui se convertit, et
sera décapité à son tour sur le champ.

L'épisode de l'Enfant Jésus apportant un panier
de roses et de fruits à sainte Dorothée, image de la
récompense réservée aux âmes dévotes pour leur
amour de Dieu (les fleurs) et leurs bonnes œuvres (les
fruits), détermina l'iconographie de la sainte. Celle-ci,
rarement figurée avant le XIVe siècle, est souvent représentée couronnée de roses, tenant ou recevant de
l'Enfant Jésus un panier de fruits ou de roses. Son
attribut, la corbeille de roses, a fait de Dorothée la
sainte patronne des fleuristes et des jardiniers en
Italie et dans les pays germaniques. Les jardiniers
au sens actuel du terme n'étaient en effet pas encore
assez nombreux pour former une profession à part.
Ce n'est qu'au XVIe siècle que se structurent véritablement les corporations de jardiniers, avec leurs sta-
tuts, leurs jetons et leur saint patron. En France, elles

cat. 77

ne se placeront sous le patronage de saint Fiacre,
l'ermite défricheur ayant pour attribut une bêche,
qu'au XVIIe siècle.

Ce vitrail, situé stylistiquement au milieu du
XVe siècle, est représentatif de la période d'apogée du
culte de la sainte dans les pays germaniques. Provenant de la collection Soltykoff, il est entré dans les
collections du musée au XIXe siècle, avec trois autres
vitraux du même style : une *Annonciation* en deux
panneaux et un *Saint Bernard*. On ignore dans quelle
église ils étaient placés à l'origine.   É. A.

78 | Avril : le préau* fleuri

Calendrier d'un *Livre d'heures à l'usage de Coutances*
Normandie?, troisième quart du XVe siècle
Peinture sur parchemin
H. : 23,4 ; l. : 17,2
Paris, musée national du Moyen Âge – thermes
de Cluny, inv. Cl. 22715

Bibliographie : DU SOMMERARD, 1883, n° 1820, p. 149.

Illustrant le calendrier du mois d'avril (cat. 36), un
damoiseau cueille joyeusement des fleurs dans un jardin épanoui. La prairie fleurie est bordée à l'arrière-
plan d'une clôture de branchages tressés, des plessis*,
que le peintre a soulignés d'or pour les faire ressortir
sur le fond de ciel bleu.

Les plessis sont le type de clôture le plus répandu
dans les jardins «de moyennes personnes» au
Moyen Âge : ils sont formés de branches entrelacées
(saule, coudrier ou châtaignier), et leur nom vient du
bas latin *plaxare* (tresser), qui donna en ancien français *plaissier*. Ils apparaissent sur les représentations
de toutes sortes de jardins – potagers, jardins de
simples, voire comme clôture de champs –, tandis que
les jardins d'agrément raffinés adoptent des clôtures
plus architecturées, telle celle que montre la célèbre
enluminure du jardin de Déduit (cat. 27).

D'une manière ou d'une autre, les jardins du Moyen
Âge sont toujours clos. Ils le sont pour des raisons
conceptuelles : héritier du jardin d'Éden fermé de
murs (cat. 1 et 2) et de l'*hortus conclusus* du Cantique
des cantiques (cat. 11, 13, 14, 15 et 16), le jardin médiéval est, par essence, une forme close. Mais il l'est aussi
pour des raisons pratiques : cet espace d'intimité et
de retrait doit être protégé des incursions extérieures,
humaines ou animales, pour pouvoir se soustraire à
une nature sauvage et à une société parfois violente.

Les plus privilégiés parmi les propriétaires de jardins ne sont pas à l'abri de ces préoccupations ; ainsi
René d'Anjou se soucie en 1456 des jardins de son
château des Ponts-de-Cé, dont les haies «sont toutes
rompues, et [où] les pourceaux y entrent par faulte de
cloustère, qui gastent tout» et qu'il faudrait «tout à
l'entour clourre et murer de mur».

Selon le statut social du propriétaire et selon
l'emplacement du jardin, les clôtures empruntent

cat. 78

des formes variées : murs de pierre ou de briques
(cat. 10, 28, 86, 88, 91, 92, 93 et 94), palissades de
planches ou de pieux (cat. 9, 13 et 45), ou haies vives
d'épineux ; Pierre de Crescens, dans l'*Opus ruralium
commodorum*, recommande à cet usage les rosiers
blancs, qui «font très bonnes et fortes haies pour ce
qu'ils ont bonnes branches et fortes espines et si se
retendent et entrelacent en telle manière que l'on ne
peult passer parmy pour les espines qui arrestent
a force». Les clôtures en bois prennent des formes
diverses : simples plessis (cat. 5, 6, 8, 22, 50, 82 et 83),
claies ou palis* (cat. 23, 80 et 87), treillis* (cat. 43) et,
à la fin de la période, balustrades (cat. 7, 27 et 86). Les
treillages d'osier semblent être progressivement rem-
placés dans la seconde moitié du XVe siècle par des
barrières de bois plus solides ; un mandement de
René d'Anjou évoque ces transformations : en 1471,
il demande que l'on refasse les treilles de son jardin
d'Angers, «renversées par les grands vents d'avant
la Toussaint, voulant qu'elles soient construites de
charpenterie bien ouvrée, belles et bien faites».

Les clôtures sont omniprésentes dans le jardin, où elles se démultiplient pour compartimenter l'espace intérieur en entourant les plates-bandes ou le préau (cat. 91). Elles sont une structure fondamentale du jardin médiéval, espace à la fois clos et cloisonné. Leur importance transparaît dans les comptes concernant les jardins, où l'activité majeure des jardiniers consiste à construire ou à réparer les haies, et à s'approvisionner en pieux, poutres («merriens») et liens d'osier pour entretenir les clôtures.

Ainsi, pour le jardin de Marguerite de Flandre à Rouvres, les serviteurs sont régulièrement envoyés dans les bois couper «paulx [pieux] es bois de chassaigne et de boulouze» dont ils feront des haies de «paulx, espines et verges […] surespiné par dessus». Ils passent de nombreuses journées à ramasser «javelles» (les branchages qui seront tressés pour former les clôtures) et «sanchos» (les liens d'osier

servant à attacher les treillis). Il faut sans cesse réparer ces clôtures fragiles, on le voit aussi bien dans les jardins des papes en Avignon – en 1347, dépenses faites pour «relever les treilles et tailler les rosiers», en 1350, achat de «cannes ou de roseaux pour réparer les treilles» – que dans ceux du Louvre de Charles V – en février 1363, «Pierre Hubert, faiseur de treilles», est payé «pour avoir relié les haies losangées d'entour lesdits jardins […] et drecié environ la moitié desdites hayes que le vent avoit abatues».

Ici, tout à la joie printanière de cueillir un bouquet de fleurs, le jeune homme symbolisant avril ne se soucie guère de ces tâches matérielles. L'inscription en tête des feuillets de ce calendrier indique que le livre d'heures dont ils proviennent était la propriété en 1553 de «Françoys de Briqueville, Sieur et chatelain de Laulnes, Auzebosc, Argueil, Sainte Croix et capitaine de Sainct Lo».   É. A.

79 | La cueillette des épinards

Tacuinum sanitatis
Italie, seconde moitié du XVᵉ siècle
Peinture sur parchemin
H. : 25,2 ; l. : 17,2 ; 53 fᵒˢ
Rouen, Bibliothèque municipale, ms. 3054
(Leber 1088), fᵒ 24

Bibliographie : LEBER, 1839, I, nᵒ 1088, p. 165 ; OMONT, 1888, I, nᵒ 3054, p. 78-79 ; Milan, 1958, nᵒ 81, p. 37 et pl. LII ; COGLIATI ARANO, 1976, p. 43-45 ; Rouen, 1988, p. 30 ; MOLY MARIOTTI, 1993.

Dans les jardins potagers ou les jardins de simples, les clôtures tressées sont présentes sous des formes multiples : délimitation des carrés de plantations, clôture extérieure du jardin, etc. (cat. 5, 6, 8, 22, 50, 82 et 83). Parfois, elles prennent des formes plus complexes, comme dans ce jardin potager dont la porte même, fermée par une serrure, est constituée de tressages : alors que les œuvres nordiques montrent des plessis* formés de branchages de saule, d'osier ou de châtaignier entrelacés, sur ce feuillet d'un manuscrit italien, le tressage semble fait de bottes de roseaux liées entre elles. D'autres feuillets de cet ouvrage ou de manuscrits comparables illustrent l'utilisation des tressages pour construire de petits édifices utilitaires dans le jardin : poulailler, cabane à outils. On tresse aussi des corbeilles d'osier qui serviront à transporter les plantes, comme sur cette enluminure, où la jeune fille porte gracieusement sur sa tête la corbeille où elle a rassemblé sa récolte d'épinards.

Ce manuscrit, un *Tacuinum sanitatis*, fait partie des traités de santé du Moyen Âge, que l'on peut schématiquement diviser en deux catégories : les herbiers* alphabétiques et les *Tacuina*, où les rubriques se succèdent de manière méthodique. La tradition des *Tacuina* remonte au traité d'hygiène du médecin arabe Ibn Bûtlan, qui fut traduit en latin dès le XIIᵉ siècle et copié maintes fois en Occident, tout d'abord sans illustrations puis, à partir de la fin du XIVᵉ siècle, dans des manuscrits enluminés.

Le manuscrit de Rouen, tardif, est incomplet : d'une part, il ne traite que d'une partie des matières habituellement présentées dans les *Tacuina* ; d'autre part, sur certains feuillets, le texte a été copié mais l'illustration manque. La composition de la page laisse la part belle à la peinture, le texte sur chaque matière étant succinct. À la page consacrée à l'épinard, il est dit que cette plante soigne la toux et les affections pectorales, mais est mauvaise pour la digestion. L'épinard est pourtant beaucoup consommé : avec les blettes et diverses salades, il fait partie des « herbes » et, à ce titre, de l'alimentation de base. Les épinards figurent dans l'« agenda du jardinier » proposé par le *Ménagier de Paris* (vers 1393) : « Les épinards viennent en février. Leur feuille est longue et dentelée comme celle du chêne. Ils poussent par touffes, comme les poireaux. Il faut les faire blanchir en les faisant bouillir, puis les faire bien cuire. Les bettes viennent après. » Le pape Clément VI semble en avoir été fort friand, car on ne cesse d'en planter dans ses jardins en Avignon, avec des choux, du persil, de la marjolaine et de la sauge.

Les *Tacuina* doivent leur célébrité à quatre manuscrits somptueusement enluminés, joyaux de la peinture gothique internationale, attribués aux ateliers lombards autour de Giovannino dei Grassi et de la cour des Visconti. Quelques manuscrits du XVᵉ siècle dérivent de ces modèles, notamment celui de Rouen, dont certains feuillets reprennent très fidèlement des compositions du *Theatrum sanitatis* de la bibliothèque Casanatense à Rome (ms. 4182), ainsi qu'un *Tacuinum* lacunaire, appartenant à un collectionneur parisien, qui suit le même modèle et semble former le complément de celui de Rouen. Différents peintres ont participé au décor du *Tacuinum* de Rouen, qui paraît avoir été réalisé en plusieurs étapes jusqu'à la fin du XVᵉ siècle, voire jusqu'au XVIᵉ siècle. L'écriture humanistique utilisée pour les titres et les notices en situe la réalisation dans la seconde moitié du XVᵉ siècle.

L'étude stylistique confirme cette datation : en effet, certaines pages copient des compositions des *Tacuina* de la fin du XIVᵉ siècle mais, à certains détails, il est visible que le peintre ne baigne plus dans l'atmosphère qui a inspiré la création des *Tacuina* lombards. Ainsi, alors que dans ceux-ci, les enluminures consacrées aux arbres sont peuplées de personnages formant des scènes courtoises, le peintre de ce manuscrit s'est « débarrassé » des personnages, et l'arbre apparaît seul sur la page (fig. 71a et 71b). Surtout, même lorsqu'une composition est reprise directement, comme au folio 24, elle subit des modifications

NAtura f & h i j Meliuſ exeis pluuia infuſe.
Nutrimentum tuſci & pectori Nocumentum :
degeſtionem impediunt. Remotio nocumenti ſuffri
xe cum muri.

cat. 79

subtiles qui montrent un décalage chronologique : les personnages ont perdu leur houppelande ou les grandes manches en biais si caractéristiques de la mode autour de 1400. Cette simplification du costume, en supprimant les arabesques et les lignes courbes des chutes de plis, contribue à l'impression de raideur qui se dégage de personnages dépourvus de l'animation et de la grâce poétique de leurs modèles lombards.

Pour mieux situer cet épigone tardif, il faudrait pouvoir retracer l'histoire du *Theatrum sanitatis*, dont les vicissitudes ne sont pas connues, ou celle de l'hypo-thétique modèle commun au *Theatrum sanitatis* et au *Tacuinum* de Vienne (Österreichisches National-bibliothek, ser. nov. 2644). Le *Tacuinum* aujourd'hui en mains privées apporte quelques éléments au puzzle ; il appartenait au XVIᵉ siècle au prince Hartmann II de Liechtenstein : peut-être y a-t-il là un lien avec le *Tacuinum* de Vienne, qui porte les armoiries de Georges de Liechtenstein, évêque de Trente entre 1390 et 1409, ou avec son modèle ?   É. A.

80 | Masetto, jardinier des nonnes

Boccace, *Décaméron*
(traduction française de Laurent de Premierfait)
Paris, troisième quart du XVe siècle
Peinture sur parchemin
H. : 37,5 ; l. : 26,5 ; 318 f^{os}
Paris, Bibliothèque nationale de France,
département des Manuscrits, ms. fr. 240, f° 61

Bibliographie : *Catalogue général des manuscrits français*, 1868, n° 240, p. 20 ; BRANCA, 1999, n° 94 et fig. 348, p. 244 ; GOUSSET, FLEURIER, 2001, p. 23, 94, pl. 31 (f° 137v^o) et p. 60.

Masetto, jeune paysan du village de Lamporecchio, grand, fort, bien fait de sa personne et quelque peu rusé, feint d'être sourd-muet pour se faire plus facilement embaucher comme jardinier dans une abbaye de jeunes religieuses, songeant qu'il y a là une aventure à tenter : ainsi débute sur un ton léger la première nouvelle de la troisième journée du *Décaméron* (cat. 31). Après avoir montré à l'intendant du monastère ses capacités de bûcheron, le jeune homme est accepté comme jardinier du couvent.

L'enlumineur a figuré au premier plan Masetto, les yeux baissés, l'air faussement sage, arrivant, la hache sur l'épaule, à l'entrée de l'abbaye où l'attend l'intendant qui désigne déjà les pièces de bois à couper. La large porte du monastère, jouxtant la chapelle, laisse voir le jardin de la communauté, entouré de hautes claies où s'accrochent des rosiers grimpants. Ces claies, presque aussi élevées que les murs, sont faites de tiges assez minces mais suffisamment solides pour ne pas être déformées par les plantes qui les garnissent. Elles sont façonnées ici de manière relativement lâche, ce qui donne de la légèreté à la clôture et laisse les roses épanouies occuper tous les interstices, formant ainsi une paroi de feuillages et de fleurs.

La suite de l'histoire est repoussée au second plan où l'artiste a synthétisé deux épisodes qui se passent tour à tour avec deux moniales, puis avec leur abbesse. De l'autre côté de la vaste pelouse, Masetto, ensommeillé ou faisant semblant de dormir, repose au pied des rosiers. Le vent retroussant ses vêtements dévoile sa nudité. Cette vue aiguise la concupiscence de deux nonnes qui s'apprêtent à réveiller le jeune homme pour l'emmener, non loin de là, dans une cabane et le soumettre à une activité tout autre que le jardinage.

M.-T. G.

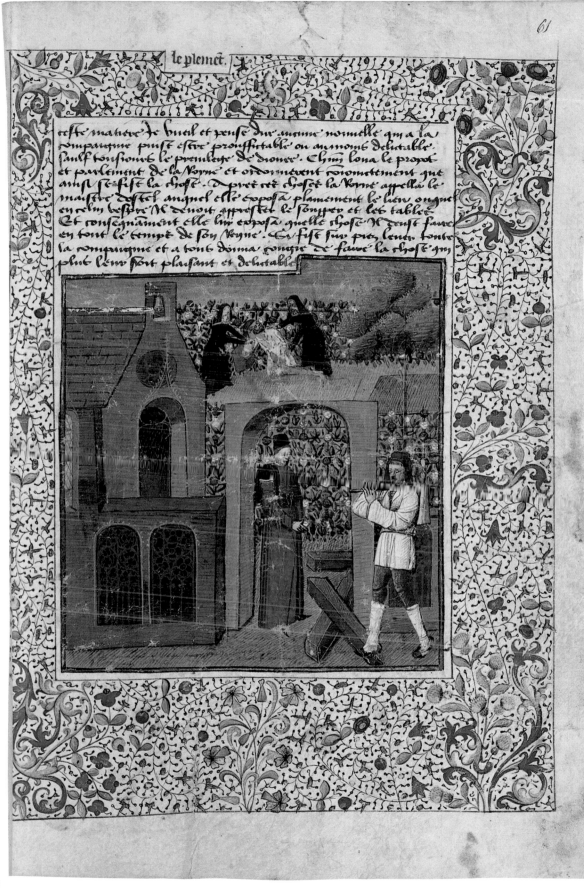

cat. 80

81 | Mars : la réparation des tonnelles

Livre d'heures à l'usage de Rome
Atelier de Simon Bening, Bruges ou Gand,
vers 1510-1520
Peinture sur parchemin
H. : 19,5 ; l. : 13,5 ; 249 f⁰ˢ
Rouen, Bibliothèque municipale, ms. 3028
(Leber 142), f⁰ 3v⁰

Bibliographie : LEBER, 1839, I, n⁰ 142, p. 24-25 ; OMONT, 1888, II,
p. 74 ; DOGAER, 1987, p. 171-177 ; Rouen, 1988, p. 22 ; *Patrimoine
des bibliothèques de France*, 9, 1995, p. 146-147, p. 150.

Au Moyen Âge, un jardin, pour être agréable, se doit
de comporter des architectures de verdure : pavillons
ronds ou carrés, et tonnelles pour se promener à
l'ombre. Les tonnelles sont couvertes de vigne, parfois
de houblon, et aussi de plantes grimpantes parfumées – roses ou jasmin. Celle qui est représentée sur
ce calendrier est encore nue : on est en mars, la vigne
qui la couvre ne déploiera son feuillage qu'à la belle
saison. En attendant, les serviteurs remettent le jardin
en état après l'hiver : tandis que l'un bêche au pied
d'un arbre, l'autre, monté sur une échelle, taille la
vigne grimpante (cat. 63), dont les branchages jonchent le sol, et lie soigneusement les tiges restantes au
berceau de bois de la tonnelle.

La création et l'entretien des tonnelles, de même
que ceux des clôtures (cat. 78), occupent fort les
jardiniers. Les comptes les font apparaître sous des
noms divers : «tonnes», «chariots», «volliers». Au
château de Germolles, on paiera les jardiniers pour
quatre-vingt-deux «toises de tonnes tout faites à neuf
de perches de saulces et de verges» ; dans les jardins
du château de Bruges, ce sont des «grans haulx et
longs chariotz […] tous entrailliez de bois de sauch».

cat. 81

Le contrat passé en 1454 avec un certain Patart
pour l'entretien du jardin de René d'Anjou aux
Ponts-de-Cé montre la part importante de travail que
le jardinier doit consacrer aux structures du jardin :
il «sera tenu de faire ung grant préau, avecques ung
autre préau à paveillon, toutes les tonnelles ou volliers,
curer toutes les arbres, tailler touz les dits volliers,
faire les allées, lever les rosiers, faire les acoudouers
et mectre bois partout où il en fauldra, semer les dits
jardrins, luy fournissant de semences, bescher lesdits

Fig. 81a
Avril, calendrier
d'un livre d'heures,
France de l'Ouest,
Tours?, vers 1500,
peinture
sur parchemin.
Tours,
Bibliothèque
municipale,
ms. 2283, f⁰ 4

jardrins et les mectre à point, les plus beaux que faire se pourra […]. »

« Mettre bois partout où il faudra » est bien une tâche essentielle du jardinier, comme en témoigne le plus ancien document concernant la corporation des jardiniers parisiens : le chef-d'œuvre requis pour avoir accès à la maîtrise ne concerne ni les plantations, ni les greffes, mais consiste à mettre « un quarteron de merrien en bon ouvrage et suffisant, au dire et rapport des maistre jurez jardiniers ». La plus grande partie de cette ordonnance de police du 8 février 1473 consiste d'ailleurs à réglementer la hauteur et la grosseur des perches et échalas pour les treilles et les vignes, ou le mode de ligature des bottes d'osier.

En mars, la végétation dénudée du jardin peint par Simon Bening laisse apparaître les structures de bois : berceau de la tonnelle et clôture de treillis autour des carrés. L'atelier de Simon Bening, actif à Bruges pendant la première moitié du XVIe siècle, a eu une vaste production, participant avec d'autres peintres au décor de manuscrits qui marquent les sommets de l'enluminure flamande à la fin du Moyen Âge (*Bréviaire Grimani*, *Bréviaire Mayer van den Bergh*, *Hortulus animae*, *Heures Spinola*) et exécutant des œuvres moins prestigieuses, comme ce livre d'heures. Pour sa production courante (trente-deux livres d'heures lui sont attribués aujourd'hui), l'atelier a utilisé et réutilisé un certain nombre de modèles, notamment pour les calendriers, dont les scènes se répètent d'un manuscrit à l'autre.

L'histoire de ce manuscrit n'est pas connue avant son entrée dans la collection du bibliophile rouennais Leber, au XIXe siècle. Il est parfaitement représentatif de la peinture ganto-brugeoise du début du XVIe siècle, avec ses marges illusionnistes (cat. 99). Dans les marges des feuillets illustrant le mois de mars, sur un fond jaune doré apparaissent violettes, myosotis, pâquerettes, soucis, véroniques ; une mouche et un papillon posés sur ces fleurs entretiennent l'illusion du trompe-l'œil. Plus loin, roses, vignes, mûres et de superbes paons ornent les marges. Le décor du manuscrit semble avoir fait l'objet de deux campagnes assez éloignées dans le temps : sur une partie des marges (après le folio 90) figurent entre autres des tulipes et des anémones cultivées, espèces acclimatées en Europe vers 1560. La peinture de ce manuscrit aurait donc été achevée dans la seconde moitié du XVIe siècle.   É. A.

82 | Jardinier préparant une banquette* de gazon

Petrus de Crescentiis, *Opus ruralium commodorum*
Imprimé à Spire par Peter Drach, vers 1492-1500
Incunable, encre noire sur papier
H. : 27 ; l. : 19,5
Paris, Bibliothèque nationale de France,
réserve des Livres rares ; inv. Rés. mS. 16

Bibliographie : Lawrence/Washington DC, 1983, n° 37, p. 168-170
(concerne les mêmes illustrations dans l'édition allemande
conservée à la bibliothèque du Congrès, Washington DC) ;
HILLARD, 1989, n° 697, p. 192 (concerne l'exemplaire de cette
édition conservé à la bibliothèque Mazarine).

cat. 82

Une des gravures illustrant l'ouvrage de Pierre de Crescens (cat. 49 et 53) montre avec précision le travail des jardiniers pour fabriquer la structure la plus caractéristique des jardins de la fin du Moyen Âge, la banquette d'herbe.

Celle-ci est citée dès le XIIIᵉ siècle par Albert le Grand dans son *De vegetabilibus* comme un des éléments que l'on se doit de trouver dans le verger* *(viridarium)* ou jardin de plaisance. Pierre de Crescens qui, au livre VIII de l'*Opus ruralium commodorum*, reprend des passages entiers d'Albert le Grand en les développant, fait figurer le siège de gazon dans sa description des «petits vergers d'herbes». On doit y trouver «un siège bien ordonné à plaisance» et formé de «belles mottes», qu'il faut abriter d'une structure recouverte de feuillage, de la vigne si possible, «qui sera ployée de telle sorte que les feuilles fassent de l'ombre sur le siège». En effet, le plaisir que procure le jardin est celui du repos dans un lieu abrité du soleil, d'où l'on jouit des parfums et des couleurs des plantes, du chant des oiseaux, de la musique de l'eau de la fontaine et du vent dans les feuillages. Car c'est à la fois le délassement et le bon air que l'on vient chercher dans le jardin, comme l'exprime l'auteur à la fin du paragraphe consacré aux «petits vergers» : «l'on recherche communément dans les jardins le plaisir, la délectation et la santé plus que le profit».

La gravure figure le jardinier en plein travail dans un jardin clos de plessis*. Armé de sa bêche ferrée (cat. 49 et 52), il s'affaire à construire l'assise de la banquette. Plusieurs matériaux étaient utilisés au Moyen Âge. Dans les pays germaniques, la structure est faite de planches de bois (cat. 21, 39, 41, 44, 45, 83 et 84), dans d'autres pays d'Europe, de briques ou de pierres. L'assise est ensuite emplie de terre, et, au sommet, tapissée de plaques de gazon taillées à la dimension de la banquette. Les serviteurs sont envoyés quérir dans les bois de l'herbe destinée à faire la prairie du préau* et à tapisser les banquettes. Les mentions en sont fréquentes dans les comptes, sous des appellations diverses selon les régions : «wason» en Flandre, «tourbe» en Normandie, «talus» ou «mottes» en Bourgogne. Pour les jardins de Marguerite de Flandre à Rouvres, on va chercher des mottes de gazon dans les bois de la Fauverney : une fois en place, elles sont arrosées et aplanies «pour estre plus fermes emprès les sièges, afin que les motes se tiegnent mieux» (1378-1379). L'herbe est tassée à l'aide de maillets en bois jusqu'à ce qu'elle repousse en formant un tapis vert naturel. Parfois les côtés de l'assise eux-mêmes étaient recouverts de terre et tapissés de gazon, comme on le voit sur une illustration du *Psautier Luttrell*, ou sur l'enluminure de la *Théséide* (fig. L), où Émilie tresse un chapel* de fleurs assise sur une banquette entièrement gazonnée.　　　É. A.

83 | Vierge à l'Enfant sur un banc de gazon

Martin Schongauer (Colmar, vers 1450 – Brisach, 1491), vers 1475-1480
Gravure sur cuivre
H. : 12,2 ; l. : 8,4
Paris, Bibliothèque nationale de France, département des Estampes, inv. Ea 47 rés.

84 | Jeune femme tenant un écu à la licorne

Martin Schongauer (Colmar, vers 1450 – Brisach, 1491), vers 1480
Gravure sur cuivre
D. : 7,8
Paris, Bibliothèque nationale de France, département des Estampes, inv. Ea 47 rés.

Bibliographie
83 : LEHRS, V, 1908-1934, n° 36, p. 185-186 ; HÉBERT, 1982, n° 226, p. 72 et ill. p. 74 ; Colmar, 1991, n° G19, p. 288 (concerne les épreuves de Bâle et de Vienne) ; Munich, 1991, n° 36, p. 114-116 (concerne l'exemplaire conservé à Munich).
84 : LEHRS, V, 1908-1934, n° 96, p. 343-344 ; HÉBERT, 1982, n° 292, p. 82-83 ; Colmar, 1991, n° G56, p. 324-325 ; Munich, 1991, n° 96, p. 194-195 (concerne l'exemplaire de la collection Otto Schäfer, Schweinfurt).

Figurée aussi bien dans le cadre profane du jardin d'amour que dans l'ambiance spirituelle des *Vierge dans un jardin de paradis*, la banquette* de gazon est une des structures emblématiques du jardin médiéval, comme le montrent ces deux gravures de Martin Schongauer, très largement diffusées l'une et l'autre.

La première, la *Vierge à l'Enfant sur un banc de gazon*, évoque la composition de la *Vierge au buisson de roses* (fig. 19b) peinte par Schongauer en 1473, reprise de manière dépouillée. La Vierge n'est pas figurée comme reine des cieux, mais comme servante du Seigneur, une Vierge d'Humilité dont le banc de gazon se serait substitué à la prairie. La Vierge *hortus conclusus* est ici représentée dans un jardin clos de simples plessis* d'osier. Nouvelle Ève, la Vierge tend une pomme à l'Enfant Jésus, dont le sacrifice rachètera l'humanité déchue après le péché originel.

Cette gravure est connue par près de vingt-cinq épreuves et six copies, dont une due à Israhel Van Meckenem. Il s'agit vraisemblablement d'une image de dévotion où l'artiste dans sa maturité offre une composition simple et harmonieuse sur le thème si fréquemment représenté à la fin du Moyen Âge de la Vierge dans un jardin clos (cat. 11, 12, 13, 15, 16, 17, 18, 23, 25 et 85).

La gravure de la *Jeune femme tenant un écu à la licorne* participe d'un esprit bien différent : elle appartient à un ensemble de dix gravures profanes circulaires, ornées de personnages portant des armoiries. Une trentaine d'épreuves et trois copies en contrepartie sont conservées aujourd'hui de cette série, qui ne correspond probablement pas à une commande précise, mais plutôt à un ensemble de modèles destinés à être utilisés par divers artistes, orfèvres, peintres ou peintres-verriers. Leur forme circulaire correspond en effet tout particulièrement à celle des vitraux armoriés qui se développent à cette période, avec l'apparition de vitraux civils dans les intérieurs (cat. 39). Sur la gravure, une jeune femme élégamment vêtue, assise sur un banc de verdure, tient un écu armorié d'une licorne, meuble héraldique fréquent. De manière significative, c'est le seul personnage de la série à être assis sur une banquette de verdure évoquant un jardin : la jeune femme semble être dans un jardin d'amour courtois où elle domine calmement les passions d'un amant-licorne (cat. 38). Quoique la série des porteurs d'armoiries soit de caractère résolument profane, l'association de la jeune fille et de la licorne sur ses genoux ne peut manquer de rappeler, comme une sorte de clin d'œil, le thème de la chasse mystique à la licorne (cat. 12, 13, 14 et 15). La jeune femme tient d'ailleurs de l'autre main une tige de compagnon blanc (*Silene alba*) qui, comme bien des fleurs blanches, symbolise la virginité.

Sur ces deux gravures, les banquettes sont formées d'une assise en bois, ce qui est habituel dans les pays germaniques. Martin Schongauer a très rarement fait figurer ces banquettes dans son œuvre gravé. Elles jouent ici un rôle fort, tant dans la structure des œuvres, inscrivant le centre de la composition dans un triangle isocèle et lui donnant un caractère monumental, que dans leur signification symbolique, en évoquant de manière immédiate dans un cas *l'hortus conclusus*, dans l'autre le jardin raffiné de l'amour courtois.

É. A.

cat. 83

cat. 84

85 | Vierge à l'Enfant dans un jardin clos

Livre d'heures à l'usage de Rome
Jean Le Tavernier, Pays-Bas du Sud, vers 1450
ou peu après
Peinture sur parchemin
H. : 16,2 ; l. : 11,5 ; 130 f[os]
Paris, Bibliothèque nationale de France, département
des Manuscrits, ms. nouv. acq. lat. 3225, f° 24

Bibliographie : AVRIL, 1999, p. 9-22, fig. 1, p. 10.

Placée au début de la messe de Notre Dame, cette peinture due au pinceau vif et subtil de l'enlumineur flamand Jean Le Tavernier (cat. 4 et 94) évoque le Paradis. La scène se détache sur un fond de tenture vieux rose au-delà duquel le motif de quadrillage suggère une impression d'infini et d'intemporalité. Comme pour la scène du songe de Jessé dans le *Bréviaire d'Hiver de Philippe le Bon* (cat. 4), le peintre a délimité sa composition par une banquette* de verdure au soubassement de brique, ici ombragée par deux arbres. Ces banquettes de brique sont un motif obligé des jardins flamands de la fin du XVe siècle, qu'elles apparaissent dans un contexte profane ou religieux. Devant la banquette la Vierge est assise sur l'herbe où se répandent en plis souples les pans de son manteau d'azur. Debout sur ses genoux, l'Enfant tend les mains pour saisir des friandises (?) dans une corbeille que lui présente un ange. À gauche, un second ange, en position symétrique du précédent, joue de la harpe.

Le fait que l'espace de ce jardinet soit totalement occupé par le groupe au sein duquel la figure de Marie tient une place prépondérante semble être une allusion implicite au thème de l'*hortus conclusus* du Cantique des cantiques, le jardin fermé mais fertile, image traditionnellement appliquée à Notre Dame (cat. 11, 12, 13, 14, 15, 16, 17, 18, 21, 22, 23, 24 et 25). Mais la rigueur de la pensée exégétique s'efface ici pour s'humaniser dans l'expression rayonnante de la tendresse maternelle. M.-T. G.

cat. 85

L'AMOUR DES JARDINS

86 | Oriande la belle et l'enchanteur Maugis

Renaut de Montauban
Loyset Liédet, Bruges, 1468
Peinture sur parchemin
H. : 37,5 ; l. : 26,5 ; 395 f⁰ˢ
Paris, bibliothèque de l'Arsenal, ms. 5072, f⁰ 71v⁰

Bibliographie : Martin, Lauer, 1929, p. 49-50 et pl. LXII ; Paris, 1980, n⁰ 71, p. 41 ; Dogaer, 1987, p. 106-113 ; Gousset, Fleurier, 2001, p. 30 et pl. 59, p. 88-89.

Le *Renaut de Montauban* provenant de la librairie des ducs de Bourgogne est un manuscrit extrêmement bien documenté : copié par le calligraphe-éditeur David Aubert pour Philippe le Bon, il fut enluminé après la mort de celui-ci par Loyset Liédet. Le peintre est payé en 1468 pour les cinquante-trois enluminures qui ornent le premier des cinq volumes présenté ici, consacré à l'histoire de l'enchanteur Maugis. Artiste prolixe, Loyset Liédet enlumina pour Philippe le Bon, puis pour Charles le Téméraire, nombre d'ouvrages profanes, traités historiques, didactiques et moraux ou romans chevaleresques comme l'histoire de Renaut de Montauban. Son œuvre reflète la vie à la cour de Bourgogne durant le troisième quart du XVᵉ siècle.

L'enluminure mettant en scène les amants Maugis et Oriande est caractéristique de l'esthétique des jardins d'agrément de cette période, tout en figurant un archétype du jardin d'amour. Le jardin est délimité par une barrière basse en bois aux motifs de treillis* losangés, si souvent cités dans les comptes du XIVᵉ siècle (cat. 78). On observe cependant au XVᵉ siècle une tendance à des structures plus architecturées qu'au siècle précédent : on est passé des fragiles treillages d'osier à des barrières de menuiserie plus stables et plus durables (peut-être est-ce ce type de barrières que l'on trouve citées dans les comptes de René d'Anjou sous le nom d'« accoudoirs »).

Les deux amants, assis dans l'herbe, s'adossent à une banquette* de verdure en briques (cat. 82 et 85). La simplicité de ce préau* est rehaussée par la présence de la fontaine ainsi que par les élégants pots de fleurs, probablement en faïence (cat. 70, 90, 103 et 104), qui abritent respectivement un arbuste taillé en estrade* (cat. 87) et des œillets rouges soutenus par des tuteurs. L'œillet est fréquemment figuré dans les jardins courtois (cat. 34, 40 et 95) ou sur les portraits de fiançailles. L'épisode célèbre de la première rencontre entre Maximilien et Marguerite d'Autriche en 1477 témoigne de la symbolique amoureuse, voire érotique attachée à la fleur : selon les chroniqueurs, Maximilien devait trouver l'œillet que sa fiancée portait caché sur son cœur.

Le jardin d'amour forme une parenthèse dans le cycle enluminé de Maugis, constitué essentiellement de scènes de combats et de batailles. Il correspond à un tournant dans l'histoire de Maugis, l'enfant de la duchesse d'Aigremont trouvé dans la lande par la fée Oriande. Élevé par Oriande et éduqué par le frère de celle-ci, le magicien Baudry, Maugis devient un beau jeune homme. Oriande la belle l'aime tant « quelle en fist son ami si privement quelle lui apprit le jeu dont vrais amoureux sont […] desireux de continuer et maintenir plaisamment ». Or « ung jour advint que Oriande et Maugis se trouvèrent en ung jardin pour eulx esbatre et deviser […]. Et quant ilz se furent promenez et esbatus se couchèrent sur la belle herbe menue et verde […] ensemble estans bras a bras acolez et bouche a bouche rians lun alautre par grant amour. » L'enlumineur s'est montré plus sage que le texte pour figurer cette scène où Oriande va révéler à Maugis l'origine de sa naissance. Se sachant de noble lignage, Maugis quitte alors Oriande la belle pour accomplir des exploits chevaleresques et retrouver ses parents. Dans ce jardin s'achève l'amour de Maugis et d'Oriande.

É. A.

87 | Quatre saintes femmes

Pays-Bas du Sud, vers 1510
Peinture sur parchemin
H. : 22,2 ; l. : 15,2
New York, The Pierpont Morgan Library, MS G. 46

Bibliographie : Lawrence/Washington DC, 1983, n° 33, p. 160-161 ;
BRINKMANN, 1987-1988, p. 123-161 ; Cambridge, 1993, p. 86.

Cette enluminure appartient à un groupe de onze feuillets attribué à un artiste anonyme et au Maître de la Bible de Lubeck, enlumineur flamand qui participa à une des œuvres majeures de l'enluminure ganto-brugeoise, les *Heures Spinola* (Santa Monica, The Getty Museum). Ces feuillets, qui faisaient probablement partie du décor d'un retable, sont reconnaissables à leur style et à leur composition quadripartite, avec des bustes de saints insérés dans des compositions architecturales de fantaisie.

Sur cette enluminure apparaissent sainte Anne (avec la Vierge Marie en son sein), sainte Marie Jacobi, sainte Marie Salomé et sainte Hélène, à l'intérieur d'une architecture qui semble plaquée comme une tenture ou une toile de fond, tant les palis* du cadre la découpent de façon artificielle. L'enlumineur a en effet inséré ces figures féminines dans le cadre d'un jardin clos, dont il décline les structures caractéristiques : banquette* de brique couverte de gazon, palis sur lequel grimpent des roses et dont il a accentué la perspective, donnant à l'image une profondeur inattendue, et enfin, magnifique arbuste taillé en plateau*, qui structure tant la composition qu'il en semble le personnage principal.

À côté des clôtures, de l'architecture de verdure et des banquettes de gazon, les arbres taillés en plateau sont en effet un des éléments spécifiques des jardins de la fin du Moyen Âge. Ces arbustes sont un motif favori des jardins d'agrément représentés dans l'enluminure flamande (cat. 12, 24, 41, 86, 88, 89, 90 et 94). La taille en plateau, appelée aussi en estrade*, à degrés* ou à gradins*, était exécutée sur des arbustes plantés dans des pots de céramique ou des paniers d'osier tressé comme celui figuré ici, mais aussi parfois sur des arbres de grande taille, ainsi que le montre une page enluminée de l'*Épître d'Othéa* (fig. N), dont les paysages s'inspirent du parc des ducs de Bourgogne à Hesdin (cat. 95) : pour célébrer Bacchus, deux personnages assis sur une banquette de gazon circulaire ont fait apporter une table et boivent joyeusement à l'ombre d'un grand arbre taillé en plateau.

La forme spécifique de ces arbres était obtenue grâce à de grands cercles métalliques ou en bois, dont les rayons sont bien visibles sur les cat. 89 et 90. Les espèces ainsi conduites* étaient variées : if, romarin, ou buis comme sur ce feuillet. Cette taille, qui semble typique des domaines bourguignons, se retrouve pourtant aussi en Italie : à grande échelle, ce sont les pins qui sont taillés en superposition de plateaux, tandis qu'à petite échelle ce sont souvent les buis, tels ceux du domaine de Giovanni Ruccellai à Quaracchi, qu'il décrit ainsi dans son *Zibaldone*, dans le troisième quart du XVᵉ siècle : « [...] il y a un buis qui a quinze degrés l'un au-dessus de l'autre, ronds et séparés les uns des autres, de sorte que l'œil y prend grand plaisir [...] ». Le goût pour ces formes est encore vivant au XVIᵉ siècle en Flandre, ainsi que l'atteste un paiement de 1547-1548 pour les jardins de Marie de Hongrie au château de Binche : « Item pour avoir pinct de vert les cercles de deux romarins estant ou jardin desoubz la salle. » D'autres formes de conduite pouvaient être mises en œuvre, comme le montre l'illustration du livre VIII du *Livre de Rustican des prouffiz ruraulx* de Pierre de Crescens (cat. 93).

Si les inscriptions en espagnol et les saints représentés suggèrent un commanditaire espagnol pour ces feuillets enluminés, leur peintre quant à lui appartient au milieu flamand : en témoigne son goût pour les détails anecdotiques, comme celui du chien aboyant devant un crapaud placide, et pour la représentation minutieuse de la nature, roses écloses ou en bouton, et papillons voletant. É. A.

cat. 87

cat. 88

88 | Saint Augustin recevant l'inspiration divine

Traités mystiques
Entourage de Guillaume Vrelant, Bruges, vers 1470
Peinture sur parchemin
H. : 38 ; l. : 27 ; 116 fᵒˢ
Bruxelles, Bibliothèque royale Albert Iᵉʳ,
ms. KBR 9297-9302, fᵒ 5

Bibliographie : *La Librairie de Bourgogne*, 1967, nᵒ 35, p. 41 ; DOGAER, 1987, p. 105 ; LYNA, VAN DEN BERGEN-PANTENS, 1989, II, 1ʳᵉ partie, nᵒ 324, p. 324-326.

Ce manuscrit, de même que le *Rustican* aujourd'hui conservé à la bibliothèque de l'Arsenal (cat. 91), a été enluminé pour Antoine de Bourgogne, dit le Grand Bâtard, fils naturel de Philippe le Bon et de Jeanne de Presles. Ses armoiries, entourées du collier de la Toison d'or, ainsi que ses emblèmes (la barbacane et les initiales N. E. réunies par un lacs d'amour) figurent dans les marges du feuillet présenté ici. Le volume, qui rassemble plusieurs traités de dévotion et de méditation, contient seulement deux enluminures en demi-page : la première, au folio 5, illustre le début des *Méditations* ou *Soliloques*, texte mystique attribué à saint Augustin.

À gauche, l'évêque d'Hippone est représenté en prière dans sa chambre, recevant l'inspiration divine. De sa chambre, trois marches permettent d'accéder à un jardin qui occupe la partie droite de l'enluminure. Faut-il y voir une représentation de l'âme dévote, plantée de vertus ? Dans ce jardin clos de murs cré-nelés, l'atmosphère est à la fois paisible et joyeuse. L'artiste y décrit fidèlement un jardin urbain flamand du dernier quart du XVᵉ siècle, avec son ordonnance strictement géométrique et ses parterres carrés rehaussés sur des briques roses. D'une superficie relativement petite, le jardin apparaît ici comme un véritable prolongement de la demeure : le sol en est en effet entièrement carrelé. Cet élément de luxe apparaît dans certains jardins particulièrement sophistiqués et de surface réduite, sur des miniatures flamandes (cat. 89 et 94). Ici l'alternance des motifs bleu, blanc, vert et brun des carreaux (les mêmes que ceux que l'on aperçoit à l'intérieur de la demeure du *Livre des prouffis champestres et ruraux* de la Pierpont Morgan Library, cat. 92) donne à la scène son atmosphère gaie et colorée. En dehors des arbres taillés en estrade*, la végétation des plates-bandes n'est guère identifiable ; en revanche, dans les marges apparaissent muguets bleu et rouge, roses et œillets rouges, pâquerettes, fraises et mûres.

Le jardin est habité : deux promeneurs s'y interpellent joyeusement et, au premier plan, deux magnifiques paons, dont l'un se pavane en faisant la roue, semblent leur faire écho. La représentation de paons dans les jardins de la fin du Moyen Âge est fréquente. Elle a deux fonctions : descriptive puisque, selon les comptes, les paons, par la beauté de leur plumage, font partie des oiseaux que l'on se plaît à contempler dans les jardins (cat. 96 et fig. 96a) ; et symbolique, le paon évoquant depuis l'Antiquité chrétienne la résurrection et l'immortalité de l'âme. É. A.

89 | Le consul Corvinus bêchant dans son jardin

Valère Maxime, *Dits et faits mémorables* (traduction française de Simon de Hesdin et Nicolas de Gonesse)
Entourage de Guillaume Vrelant, Bruges, troisième quart du XVe siècle
Peinture sur parchemin
H. : 45,4 ; l. : 33 ; 446 f^os
Paris, bibliothèque de l'Arsenal, ms. 5196, f° 357v°

Bibliographie : MARTIN, 1889, V, p. 117-118 ; MARTIN, LAUER, 1929, p. 45-46 et pl. VI ; DOGAER, 1987, p. 1 ; GOUSSET, FLEURIER, 2001, p. 29 et pl. 58, p. 87.

Pour illustrer les vertus de la vieillesse, Valère Maxime cite dans ses *Dits et faits mémorables* l'exemple du consul Marcus Valerius Corvinus qui, sur ses vieux jours, ne s'occupait pas seulement de la chose publique, « mais en labourage et de vignes et de terres, qui est chose moult delectable comme temoigne Virgile en la Georgique ». L'enlumineur a représenté Corvinus sous les traits d'un vieillard vivace bêchant avec entrain son jardin.

Le jardin est divisé en deux parties. À gauche, délimité par une clôture en bois, le jardinet où travaille le consul est constitué de plates-bandes rectangulaires et entouré d'une bordure de fleurs. On y verrait volontiers un jardin de plantes médicinales ou un potager, si l'enlumineur n'avait peint des plates-bandes fleuries comme découpées dans une tapisserie mille fleurs (cat. 29). À droite s'étend un jardin sophistiqué, rigoureusement ordonné. Bordé de part et d'autre par des banquettes* de verdure sur des assises de briques, il comprend quatre carreaux* également rehaussés sur des briques. Plantés dans les carreaux, deux arbustes taillés en estrade* commencent leur croissance autour de cercles. À l'arrière-plan, sur une étagère en bois fixée au mur, deux petits arbustes en pot, taillés en plateaux*, sont posés comme sur un rebord de fenêtre.

Le jardin, entièrement pavé de carreaux de couleurs, ressemble à une cour qui s'inscrit sans solution de continuité dans le prolongement de la demeure. Quoique ce jardin soit encore entouré d'un mur crénelé, il ne forme plus un espace distinct de cette dernière, qui s'ouvre sur l'extérieur par une galerie à colonnes et de larges baies donnant sur le jardin.   É. A.

cat. 89

90 | Gilbert de Lannoy,
L'Instruction d'un jeune prince

Jean Hennecart, Pays-Bas du Sud, vers 1468-1470
Peinture sur parchemin
H. : 26,8 ; l. : 18,5 ; 85 f^{os}
Paris, bibliothèque de l'Arsenal, ms. 5104, f° 14

Bibliographie : MARTIN, LAUER, 1929, p. 51 ; Paris, 1980, n° 112, p. 64 ; DOGAER, 1987, p. 85-86 ; SMEYERS, 1998, p. 364-365.

cat. 90

Le peintre Jean Hennecart a beaucoup travaillé pour Charles le Téméraire. Il est davantage connu par les sources écrites que par ses œuvres, dont beaucoup étaient éphémères. Il participa notamment à la réalisation du décor du fameux «Banquet du faisan» à Lille en 1454, et peignit armoiries et bannières en d'autres occasions du même type. Un des rares manuscrits qui lui soit attribué avec certitude est cette *Instruction d'un jeune prince*, dont il enlumina deux copies identiques pour lesquelles il fut payé en 1470.

L'exemplaire conservé à la bibliothèque de l'Arsenal, qui porte les initiales de Charles le Téméraire et de sa troisième épouse, Marguerite d'York, ne contient que trois enluminures. Au folio 14, le peintre a figuré la scène traditionnelle de la présentation du livre à son commanditaire ; il renouvelle cependant le genre en plaçant le groupe dans un jardin alors que la scène est habituellement représentée dans un intérieur.

Familier de la cour bourguignonne et de ses festivités, Jean Hennecart peint un jardin d'agrément tel que l'on pouvait en voir dans les palais ou les châteaux des ducs. Il y reproduit les structures habituelles des jardins d'agrément de l'époque : la banquette* de gazon sur une assise de briques roses, les parterres carrés ou carreaux* rehaussés et entourés de briques. Au premier plan apparaissent une ancolie et des violettes, sur la banquette de verdure des pensées et des fraisiers, dans un des carreaux, probablement des œillets. Dans un pot de faïence à décor bleu (cat. 70 et 86), un arbuste grimpant est conduit* sur un plateau*. Plus exceptionnel, le pavillon ouvrant par une loggia sur le jardin montre le caractère princier de ce jardin. En cette fin du XVe siècle, seuls les grands seigneurs peuvent en effet se permettre de goûter les plaisirs de leur jardin en y faisant construire des édifices spécifiques, où venir s'asseoir, deviser, manger, tout en jouissant de la vue de la nature.

Un siècle plus tôt, Marguerite de Flandre avait fait installer une «table de pique-nique» dans ses jardins de Rouvres, comme celle que représente Jean Hennecart devant une banquette de verdure au fond du jardin : «Une pierre ronde que lon a mise ou preaul, devant la chambre de Madame, assise sur un piller de pierre fait de bonne taille. Et y est ycelle pierre faite pour mettre la vaisselle, toutes et quantes fois que Monseigneur ou Madame vouldront digner ou souper oudit preaul.» Plus fastueux, son époux Philippe le Hardi faisait porter «vaisselle à souper» dans les pavillons du parc d'Hesdin (cat. 95), où «souper aux fontaines dans le parc» était une de ses distractions favorites.

Au cours du XVe siècle, outre les pavillons de verdure, les princes firent aménager des édifices plus pérennes comme ces loggias qui mirent progressivement fin à la séparation entre le jardin et le château, les deux espaces s'interpénétrant. René d'Anjou multiplia ces bâtiments dans ses jardins d'Aix-en-Provence, où il passait la belle saison (cat. 94). Plus modestement, pour les jardins du château des Ponts-de-Cé en Anjou, il demandait en 1459 que l'on construise «ung petit logeis à cheminée du cousté de devers le pont, pour drecer et tenir viande quant y vouldrions manger, et qu'il y eust une petite fenestre à treilliz qui regardast au long du pont».

É. A.

L'AMOUR DES JARDINS

91 | Jardin d'herbes*

Pierre de Crescens, *Rustican*
Maître du livre d'heures Fitzwilliam 268,
Bruges, vers 1470-1475
H. : 42,5 ; l. : 32 ; 305 f^{os}
Paris, bibliothèque de l'Arsenal, ms. 5064, f° 151v°

Bibliographie : NAÏS, 1957, n° 4, p. 105 ; Paris, 1980, n° 73, p. 42 ;
MANE, 1985 ; CALKINS, 1986, p. 162 et suiv., fig. 13, 14 et 19 ;
DOGAER, 1987, p. 123 ; BRINKMANN, 1997, t. 1, p. 164-169,
271-274 et 399.

cat. 91

Avant d'être un « best-seller » des incunables (cat. 49, 53 et 82), la version manuscrite de l'ouvrage de Pierre de Crescens avait déjà connu un énorme succès. Les cent quarante et un manuscrits conservés aujourd'hui témoignent de la vaste diffusion de cette œuvre ; trente-cinq datent du XIVe siècle, quatre-vingt-dix-sept du XVe siècle (dont quinze en français), et neuf seulement du XVIe siècle, l'impression prenant alors le relais. Charles V avait inclus l'*Opus ruralium commodorum* dans son projet de traduction en langue vulgaire d'encyclopédies et de traités fondamentaux, afin de constituer une sorte de bibliothèque idéale en français. L'ouvrage fut donc traduit en 1373 sous le titre *Rustican* ou *Livre des prouffits champestres,* non pas comme on l'a parfois écrit par Jean Corbechon, mais par un traducteur resté anonyme, probablement originaire de la France du Nord. Ce « povre petit et humble orateur », ainsi qu'il se désigne lui-même dans la dédicace de la traduction, était d'ailleurs un médiocre traducteur, qui coupa les passages qu'il ne savait pas traduire, rendant le texte français lacunaire, voire parfois incompréhensible. Pour fautif qu'il fût, le texte constituait néanmoins le premier ouvrage en français sur l'art des jardins.

Cette traduction ne connut pourtant de véritable succès que dans la seconde moitié du XVe siècle. Le contexte peu favorable de la guerre de Cent Ans explique sans doute ce manque d'intérêt pour un traité d'agronomie. En revanche, à partir des années 1460, au moment de la « reconstruction » des campagnes, les manuscrits du *Rustican* se mettent à fleurir, témoignant de l'intérêt des grands pour leurs domaines et, par conséquent, pour leurs jardins. L'*Opus ruralium commodorum,* traduit ou dans sa version latine originale, fait partie de toutes les «librairies» princières. Jean, duc de Berry, possédait un manuscrit latin (Bibliothèque nationale de France, ms. lat. 9328); le roi d'Angleterre Édouard IV, puis ses fils, avaient un exemplaire français, copié en Flandre entre 1473 et 1483 (Londres, The British Library, Ms Royal 14 E VI).

Le *Rustican* figurait aussi en bonne place dans la bibliothèque des ducs de Bourgogne, dont l'intérêt pour les jardins de leurs diverses résidences (cat. 95) est manifeste. Philippe le Bon avait un exemplaire traduit en français non illustré (Bruxelles, Bibliothèque royale Albert Ier, ms. 10227), et son fils naturel Antoine, dit le Grand Bâtard de Bourgogne, possédait l'exemplaire présenté ici; le manuscrit de la Pierpont Morgan Library (cat. 92), qui suit le même modèle et provient du même atelier, a appartenu aussi à un membre de la famille de Bourgogne. Sur les manuscrits latins, l'illustration est en général réduite aux initiales. Sur les manuscrits traduits en français et enluminés en Flandre, chacun des douze livres débute par une enluminure en demi-page illustrant le propos traité.

Au folio 151v^o de ce manuscrit débute le livre VI, consacré aux «jardins d'herbes*», c'est-à-dire à la fois potagers et jardins de plantes médicinales. S'y inspirant largement du *Livre des simples médecines* (cat. 100) et d'Albert le Grand, Pierre de Crescens y énumère les vertus de cent vingt plantes, comme il l'explique au début du livre : «J'ay entencion de parler des jardins et de lart de leur labourage et de toutes les herbes qui y sont semees pour nourriture de corps humain […]. Et en dyrai la vertu qui puet aydier et nuire au corps. Car ce vault par especial a ceulx qui demeurent aux champs qui ne peuent avoir medicines composees a leurs plaisirs. »

L'auteur y donne aussi des conseils pratiques de jardinage : il recommande ainsi de diviser le terrain du jardin en carrés, afin de regrouper les plantes mises en terre à la même époque, ce qu'a illustré l'enlumineur. Le jardin forme donc une sorte de damier de couleurs, dont certains carrés sont plantés tandis que d'autres sont en préparation. Chaque carré, surélevé sur un lit de planches, est entouré d'une clôture de treillis* losangés. Les arbustes et les œillets sont entourés de tuteurs, tandis que des vignes courent sur la clôture extérieure du jardin. Un jardinier est en train de semer des graines.   É. A.

92 | Jardin d'herbes*

Pierre de Crescens, *Le Livre des prouffis champestres et ruraux*
Maître du livre d'heures Fitzwilliam 268,
Bruges, vers 1470-1475
Peinture sur parchemin
H. : 42; l. : 33; 304 f^{os}
New York, The Pierpont Morgan Library,
MS M 232, f° 157

Bibliographie : NAÏS, 1957, n° 13, p. 108-109; Lawrence/Washington DC, 1983, n° 28, p. 150-152; MANE, 1985; CALKINS, 1986, p. 163 et suiv., fig. 3, 7, 12, 18 et 20; DOGAER, 1987, p. 123; BRINKMANN, 1997, t. 1, p. 164-169, 271-274 et 399.

Ce manuscrit est très proche stylistiquement du précédent (cat. 91), attribué au Maître du livre d'heures Fitzwilliam 268, et semble avoir suivi le même modèle. Les douze enluminures en demi-page, illustrant chacune le début d'un livre, reposent sur une composition similaire : chaque scène figure, à gauche l'univers élégant du propriétaire et de son intendant, à droite le monde des humbles tâches champêtres et jardinières, séparés par une clôture parfois invisible mais toujours présente dans la composition de l'image.

Sur l'enluminure illustrant le livre VI, la dame assise à sa fenêtre en train de tresser un chapel* de fleurs et les couleurs chatoyantes des vêtements du maître et de son intendant forment un contrepoint raffiné à la mosaïque de verts printaniers du jardin d'herbes.

Le peintre n'a pas représenté de façon détaillée les différentes espèces figurant dans le jardin, seules les nuances variées de vert les distinguent. En revanche, la structure du jardin et les travaux des jardiniers sont bien visibles. Cet exemplaire semble avoir été préparé à l'avance (les armes de Bourgogne apparaissent au folio 77, mais plusieurs emplacements réservés aux armoiries dans les marges sont restés vides) et certaines enluminures ne paraissent pas tout à fait achevées : à plusieurs reprises, la clôture et les branches grimpant dessus sont esquissées, mais non peintes.

Le jardin est divisé en carrés (quatorze sont visibles sur l'enluminure) où apparaissent différents stades de culture. Chaque carré est délimité et surélevé par une bordure de planches, afin d'assurer un meilleur drainage des plantations. Sur ceux du fond, la terre est

cat. 92

encore nue. Au premier plan, un jardinier est en train de retourner la terre pour préparer de nouvelles plantations : sa bêche, au manche en tau, a une lame presque entièrement métallique. Posés à terre devant lui, un râteau en bois et ce qui semble être les graines préparées dans des cornets en papier. Derrière lui, un autre jardinier met en terre de jeunes plantes qu'il a apportées dans un pot. Au fond, deux jardiniers exécutent une des tâches primordiales du jardinier médiéval : créer ou réparer des clôtures (cat. 78) ; ils entourent d'une petite clôture basse d'osier les carrés nouvellement mis en culture, tandis qu'un peu plus loin, un autre jardinier met en place une clôture plus haute, constituée de branches d'osier entrelacées en forme de losanges. Un siècle plus tôt, les comptes de Charles V mentionnent fréquemment la fabrication ou la réparation de «haies lozangiées», apparemment fragiles, dans ses jardins.

É. A.

93 | Un « petit verger* d'herbes »

Pierre de Crescens, *Le Livre de Rustican*
des prouffiz ruraulx
Pays-Bas du Sud, vers 1485
Peinture sur parchemin
H. : 48 ; l. : 36 ; 310 f^os
Londres, The British Library, Add. Ms 19720, f° 214

Bibliographie : NAÏS, 1957, n° 11, p. 108 ; MANE, 1985 ; CALKINS, 1986, p. 164 et suiv., fig. 1, 6, 8 et 11.

Le style et l'iconographie de ce manuscrit de provenance inconnue le situent sans hésitation possible dans les Pays-Bas bourguignons de la fin du XVe siècle, comme les deux manuscrits précédents (cat. 91 et 92). Au folio 214 s'ouvre le livre VIII intitulé « des vergers et des choses délectables des petits arbres et herbes et de leur fruit [...] ».

L'auteur y distingue, selon le statut social de leur propriétaire, trois types de vergers ou jardins d'agrément : les « petits vergers d'herbes », les vergers « des moyennes personnes », et enfin les vergers des personnes royales et « autres nobles puissants et riches seigneurs ».

Outre les fleurs et les herbes de « suave odeur », et la banquette* de gazon ombragée d'une treille, l'attrait principal du jardin de plaisance vient des arbres, de leur ombrage, et du plaisir que procure à l'œil la variété des greffes et des formes (cat. 59). Le degré de sophistication de cet art de l'ente* et de la conduite* va croissant avec le rang du propriétaire.

Le peintre de ce manuscrit, plus attaché que celui du précédent à l'observation réaliste des espèces et des structures du jardin, a mis l'accent sur cette variété. Au feuillet 165, sur l'enluminure illustrant le jardin d'herbes*, on reconnaît très bien des carrés différents de violettes, pensées, ciboulette, ancolies, fraisiers, estragon, consoudes, œillets rouges, romarin, ainsi que des plates-bandes de fenouil, jasmin et bouillon blanc (fig. 93a).

Plusieurs formes d'arbres sont visibles ici : au centre, une jeune femme soigne un arbuste taillé en plateau* sur des cintres métalliques, taille la plus répandue dans les jardins de la fin du XVe siècle (cat. 87). Au premier plan, le maître et son intendant discutent devant un arbuste à la forme plus originale : une structure en bois peinte en rouge lui donne l'allure d'une nef à deux ponts ; une petite échelle de perroquet grimpe vers le sommet de l'arbuste où se trouve le « poste de vigie ». Au deuxième plan, les tiges d'œillets rouges sont enserrées dans une structure en forme de clocher surmontée d'une croix.

Les sources écrites décrivent des végétaux aux formes extraordinaires dans les jardins, mais ceux-ci sont rarement représentés. Dans le *Zibaldone*, écrit vers 1467, Giovanni Ruccellai évoque les jardins de sa villa de Quaracchi et leurs buis « taillés de diverses manières, en forme de géants, de centaures, à degrés* et en vases de plusieurs façons ». À la lumière de ce manuscrit du *Rustican*, qui suit de près l'esprit de Pierre de Crescens, il semble que ces formes n'étaient pas obtenues par la taille dans la masse végétale, selon l'art topiaire* à proprement parler, mais plutôt par la conduite des arbres sur des supports qui permettaient de leur donner des formes décoratives de fantaisie. Tout l'art des jardins de la fin du Moyen Âge repose en effet sur cette « conduite » de végétaux, pour créer des clôtures (cat. 78), des architectures de verdure (cat. 81) ou des arbres décoratifs : un art fait de lignes plus que de volumes. É. A.

cat. 93

Fig. 93a
Jardin d'herbes*, Pierre
de Crescent, *Le Livre de Rustican
des prouffiz ruraulx*, cat. 93.
Londres, The British Library,
Add. Ms 19720, f° 165

94 | René d'Anjou dans son étude

René d'Anjou, *Le Mortifiement de vaine plaisance*
Jean Le Tavernier, Pays-Bas du Sud, vers 1458
Peinture sur parchemin
H. : 28 ; l. : 20 ; 210 f^{os}
Bruxelles, Bibliothèque royale Albert Ier,
ms. KBR 10308, f° 1

Bibliographie : LYNA, 1926, p. XLIV-LXVII ; Bruxelles, 1967, n° 60 ;
Bruxelles, 1984, n° 4, p. 91 ; DOGAER, 1987, p. 71-76 ; LYNA,
VAN DEN BERGEN-PANTENS, 1989, n° 320, p. 311-317 ; Bruxelles,
1991, n° 8, p. 106-107 ; AVRIL, 1999, p. 13-14 et note 25 p. 21.

Le manuscrit original du *Mortifiement de vaine plaisance*,
traité mystique écrit par René d'Anjou vers 1455, est
perdu, mais plusieurs copies furent réalisées peu après
son achèvement, et celle présentée ici s'inspirerait de
l'original perdu. D'après les armoiries et les devises
figurant dans les marges, cet exemplaire, enluminé
vers 1458, semble avoir été offert à Philippe le Bon
par sa troisième épouse, Isabelle de Portugal. Peint à
une période où la duchesse avait quitté son époux
pour fonder un couvent dans la forêt de Nieppe, le
jardin qui orne la première enluminure du manuscrit
évoque peut-être le jardin clos de l'âme dévote.

Mais cette représentation, sur le premier feuillet de
l'ouvrage, du roi René écrivant dans son étude avec
un jardin à l'arrière-plan renvoie aussi au goût bien
réel de René d'Anjou pour les jardins et la botanique.
Comme les rois de France dans leurs résidences parisiennes ou les ducs de Bourgogne dans leurs châteaux
et leurs palais (cat. 95), René d'Anjou multiplia les
jardins dans ses différentes résidences, dans le Barrois,
en Anjou et en Provence. Les archives conservées permettent de voir l'intérêt passionné que portait René
d'Anjou à ses jardins. Les comptes font état des accrois-
sements, des embellissements constants dont ils firent
l'objet, et, dans certains cas, d'une création totale.

La correspondance du roi montre qu'il attachait
autant d'importance à ses jardins qu'aux bâtiments de
ses différentes résidences. Lorsqu'il se déplace d'une
de ses terres à l'autre, il s'enquiert toujours de l'état
des jardins qu'il a laissés ; ainsi, avant son retour en
Anjou pour Pâques en 1454, le roi ordonne qu'on
visite « nos ouvraiges, jardinaiges et mesnaiges, tant du
chasteau que de Chauzé, le Pont de Sée, la Menistré et

cat. 94

Launay» et «que tout soit mis à point, et que les treilles des jardins et tout ce que besoin y sera soient bien faictes et ordonnées, et nos ouvraiges parfaiz et accompliz ainsi que autrefois les devisasmes». En mars, il écrit encore qu'il faut que le petit jardin du château d'Angers soit «le mieulx et le plus gentement fait que faire se pourra». Dans certains cas, les jardins semblent même l'emporter sur la demeure : ainsi à Aix-en-Provence, le roi ne se soucia guère d'engager des travaux de rénovation des bâtiments du palais, en revanche il y créa de vastes jardins. Au cours de ses pérégrinations, René retrouvait toujours un ou des jardins dans ses résidences : dans le Barrois (Louppy, Keures), en Anjou (Angers, Baugé, La Baumette, Chauzé, Épluchart, Les Ponts-de-Cé, Reculée), en Provence (Aix, Gardanne, Pérignane, Peyrolles, Tarascon). Celui qu'il créa à Aix à la fin des années 1440 semble avoir eu sa prédilection.

En effet, la correspondance royale des années 1450-1460 est souvent datée et signée «du jardin d'Aix» ou du «verger d'Aix». C'est que René d'Anjou, non content d'y installer les pavillons de verdure que l'on trouve dans tous les jardins princiers de l'époque, y avait fait construire de véritables logis servant de résidences d'été. Un inventaire de 1461 fait apparaître cinq maisons différentes dans les jardins : le «logis de Monseigneur de Calabre», l'«oustel de la vigne», la «maison de monseigneur le Sénéchal», la «maison du concierge» et enfin la «maison du jardin» ou celle du roi. Cette dernière est la plus importante, avec quatorze chambres, des pièces de services (cuisine, saucerie, fruiterie, panetterie, bouteillerie) et trois appartements dont celui du roi. Les pièces sont meublées de lits, tables, escabeaux, dressoirs, etc. L'appartement du roi comprend trois pièces dont une écritoire.

Ainsi, à distance, Jean Le Tavernier (cat. 4 et 85) a composé une image fidèle du roi René : fidèle dans le réalisme de la description du visage du roi, très vraisemblablement exécuté d'après un de ses portraits, et fidèle dans la représentation du roi écrivant dans son étude toute proche du jardin. Le jardin, quant à lui, est une sorte d'image-type où sont rassemblées les structures caractéristiques qui font un jardin : cerné de murs crénelés, entièrement pavé de carreaux bleus et blancs, les carrés de fleurs y sont rehaussés et entourés de murets de brique. Un arbre taillé en estrade* y trône (cat. 87), tandis qu'à l'angle, une banquette* de gazon entoure une fontaine. Les végétaux, stylisés, ne peuvent être identifiés.

Pour avoir une image plus précise d'un des jardins de René, il faut analyser la belle enluminure de la *Théséide* de Boccace représentant *Émilie dans son jardin* (fig. L), attribuée à Barthélemy d'Eyck, l'un des peintres favoris du roi. Selon l'étude de Marie-Thérèse Gousset (voir p. 93), l'artiste y a très vraisemblablement peint un des jardins provençaux de René d'Anjou à la belle saison : aloès, chêne liège et aubriéties ajoutent une touche provençale à la végétation habituelle de roses, œillets, ancolies, pâquerettes ou roses trémières. Le témoignage d'Hans von Waltheyn, pèlerin allemand qui visita les jardins d'Aix en 1474, apporte d'autres éléments. Dans son journal, il note que le roi a fait construire dans le jardin une maison à son usage et une à celui de la reine, de plaisants «palais d'été» («*lustige pallas und summerhusere*»). Entourées d'arbres fruitiers, ces résidences jouissent de la présence d'un «jardin d'oiseaux», une grande cage grillagée où se trouvent les oiseaux «les plus étranges» que le roi se puisse procurer.

Comme ses travaux dans ses jardins et le contenu de sa bibliothèque en témoignent, René d'Anjou était passionné de botanique. La tradition a retenu cet aspect de la personnalité du roi, et lui attribue généreusement l'acclimatation de la rose de Provins (*Rosa gallica*) en Anjou, ce qui semble bien tardif, ainsi que celle de l'œillet double ou œillet des fleuristes, ce qui est plus vraisemblable, sa culture se répandant en Occident dans le dernier quart du XVe siècle (cat. 48). Si le jardin d'Émilie est bien un des jardins provençaux de René, on peut dès lors lui attribuer aussi l'acclimatation en Provence de l'aubriétie, sans doute venue d'Italie, et jusqu'alors inconnue en France. É. A.

cat. 95

L'AMOUR DES JARDINS

95 | Fête champêtre à la cour de Philippe le Bon, dans le parc d'Hesdin

Anvers, vers 1550?, d'après un original du XVe siècle
Peinture sur toile contrecollée sur bois
H. : 164 ; l. : 120
Versailles, musée national du Château, inv. MV 5423

Bibliographie : CHARAGEAT, 1950-1951 ; BRUNET, 1971 ; CONSTANS, 1980, n° 1996, p. 142 ; HAGOPIAN VAN BUREN, 1985 ; HAGOPIAN VAN BUREN, 1986 ; CONSTANS, 1995, n° 5591, p. 999.

Cette scène célèbre, connue par deux tableaux (celui présenté ici et une copie du XVIIe siècle conservée au musée des Beaux-Arts de Dijon) peints d'après un original perdu, est généralement interprétée comme une représentation du duc de Bourgogne Philippe le Bon (le personnage accoudé à la table au centre de la composition) et de sa cour dans le fameux parc du château d'Hesdin. Le jeune couple situé au premier plan sous un arbre pourrait permettre de dater la création de la composition originale : l'œillet rouge que tient la jeune femme évoque un mariage (cat. 86), peut-être celui d'André de Toulongeon, écuyer de Philippe le Bon, et de Jacqueline de la Trémoille, demoiselle de compagnie de la duchesse, qui donna lieu à des fêtes dans le parc d'Hesdin en juin 1431.

Si elle renvoie à un épisode historique précis, la scène emprunte les conventions de l'évocation du jardin d'amour. Répartie en petits groupes, l'élégante société vêtue de blanc compose un parfait tableau des activités courtoises dans le jardin d'amour : chasse (cat. 42), danse (cat. 28 et 31), chant (cat. 27 et 35) et collation (cat. 38, 39, 42 et 43). Au centre, derrière le couple ducal, se trouve la table hexagonale dressée pour la collation. Autour du duc, un groupe est en train de chanter, accompagné par les quatre musiciens figurés sur la gauche de la composition. Le personnage au col noir tient un feuillet sur lequel figurent quelques mesures de la chanson *Filles à marier* de Gilles Binchois : peut-être s'agit-il du compositeur lui-même ? Sur cet accompagnement musical, quatre couples exécutent une danse dans la partie basse de la composition, tandis qu'arrive un groupe à cheval venant de chasser au faucon.

Au milieu de cette assemblée raffinée, la laideur brutale du personnage vêtu de rouge détonne : dans ce bossu tonsuré à la silhouette contrefaite on a reconnu « le sot du bon duc Philippe de Bourgogne ». Isolé des occupations courtoises, le fou va son chemin, qui est de dénoncer la folie du monde, et tout particulièrement celle de l'amour. La composition de la gravure du *Grand Jardin d'amour* (cat. 38) est très proche de cette peinture, mais le personnage sarcastique du fou en a disparu ; on le retrouve dans les compositions plus tardives du Maître E. S. (cat. 44 et 45). Toute cette partie du tableau, avec la disposition des personnages en frises sinueuses, évoque la peinture murale : l'original était-il une tapisserie dans l'esprit des *Personnages dans un jardin de roses* (cat. 30) ou une peinture murale réalisée dans une des résidences de Philippe le Bon, peut-être à Hesdin même ?

Si le peintre du XVIe siècle a copié fidèlement la scène de cour du XVe siècle (à l'exception du col d'une des dames, qui reflète la mode du XVIe siècle), en revanche, le paysage de l'autre côté de la rive est dans le style des paysages peints par l'école anversoise au milieu du XVIe siècle.

Malgré les questions qu'elle continue de poser, cette peinture est considérée comme un des rares témoignages figurés sur le parc favori des ducs de Bourgogne, détruit, avec le château, par les troupes de Charles Quint en 1553. Si les ducs de Bourgogne se sont visiblement souciés de tous les jardins de leurs palais et châteaux en Bourgogne et aux Pays-Bas (Rouvres, Germolles, Bruges, Bruxelles, Gand, Lille), leur favori était l'extraordinaire parc du château d'Hesdin, domaine de cent quarante hectares créé à la fin du XIIIe siècle par Robert II comte d'Artois. La particularité de ce parc, un *unicum* dans l'Europe du Nord, venait de la présence de prouesses techniques – jeux hydrauliques et automates –, témoignant peut-être de l'influence des jardins islamiques sur Robert d'Artois pendant son séjour à Palerme et à Naples. Dans le parc, outre des préaux* et des jardins clos comme le « petit Paradis », se trouvaient des fontaines, des jeux d'eaux, une volière (la « gaïole »), un labyrinthe de verdure (la « maison de Dédale », premier labyrinthe de verdure attesté par des sources fiables), un cadran solaire monumental supporté par six hommes sauvages et six lions assis, enfin un étang artificiel navigable, le vivier. Plusieurs pavillons et galeries y avaient été construits, dont le «pavillon des engins» où se trouvaient des miroirs déformants et des animaux empaillés. Le pont qui y menait était orné d'automates faits de singes empaillés (que l'on restaurera en 1336 avec des peaux de blaireaux…). Les ducs de Bourgogne qui, à la mort de Mahaut d'Artois, héritent du domaine, l'entretiennent tout au long du XIVe siècle : ainsi, Melchior Broederlam, plus connu pour sa participation au décor de la chartreuse de Champmol avec les volets peints du retable de la Crucifixion (Dijon, musée des Beaux-Arts), redécore les murs des galeries en 1391-1393 pour Philippe le Hardi.

Cependant, Hesdin souffrit de la guerre de Cent Ans, et c'est du temps de Philippe le Bon, qui y séjourna beaucoup et entreprit de le restaurer, que le parc connut ses heures de gloire. Philippe le Bon fit en particulier restaurer par un de ses peintres et valets de chambre, Colard le Voleur, tous les «ouvrages ingénieux et de joyeuseté et de plaisance». Il fit visiblement ajouter beaucoup d'«ouvrages ingénieux» à ceux qui existaient précédemment, comme en témoigne le paiement accordé au peintre en février 1432, qui énumère les travaux accomplis. Si la scène de fête champêtre représente bien le mariage d'André de Toulongeon et de Jacqueline de la Trémoille en 1431, ce document en est donc immédiatement contemporain. Soit les engins n'avaient pas encore été restaurés par Colard le Voleur en 1431, soit les courtisans n'étaient pas passés par la «galerie des engins», car ils n'auraient pu y conserver leurs beaux vêtements immaculés… Voici en effet le sort qui attendait les visiteurs dans la galerie : à l'entrée, un engin les frappait au visage et les couvrait de blanc (farine?) ou de noir (charbon?); un autre arrosait les dames par en dessous. Si les visiteurs croyaient se réfugier dans la salle, ils y recevaient de l'eau, des sacs de plume ou de la farine. Des conduites d'eau passaient sous le pavement et dans le plafond pour alimenter ces engins. Des farces et attrapes multiples attendaient les visiteurs : un livre qui aspergeait de noir et d'eau quand on le lisait, un miroir qui couvrait

de farine ceux qui essayaient de mettre de l'ordre dans leur costume déjà passablement défait. Au milieu de la salle, un automate intimait de par le duc de quitter la galerie : les malheureux visiteurs tombaient alors sur des automates à l'apparence de fous et de folles qui les battaient. Auraient-ils cherché leur salut en ouvrant la fenêtre, ils seraient tombés sur un autre automate qui les aurait arrosés de nouveau et leur aurait refermé la fenêtre au nez. Déjà trempés, ils passaient enfin sur un pont qui s'ouvrait sous leurs pas… et tombaient dans l'eau !

La galerie contenait d'autres curiosités, plus inoffensives mais non moins extraordinaires : un ermite «qui fait plouvoir tout par tout comme l'eau qui vient du ciel, et aussi tonner et néger et aussi esclitrer comme se on le veoit ou ciel», «un ermite de bois pour parler aux gens», et un hibou «lequel fait plusieurs contenances en regardant les gens et fait baillier response de tout ce que on lui veult demander». Mis à part ces engins impertinents, Philippe le Bon apporta quelques ajouts aux aménagements de ses prédécesseurs. Précurseur génial du «mobil-home», il fit construire une galerie de bois sur roue qui lui servait de salle à manger de réception, orientable au gré des invités et de la lumière du soleil; l'effet sur ses premiers invités en 1463, des ambassadeurs anglais, fut immédiat, et aboutit à la signature d'un traité entre la Bourgogne et l'Angleterre. Moins ostentatoire et plus poétique, le duc fit édifier une fontaine à la lisière des bois de sorte qu'il puisse, de sa fenêtre, y regarder les daims venir boire à la tombée du jour.

En dehors de la *Fête champêtre*, peu de peintures malheureusement représentent ce parc détruit au XVIe siècle. Beaucoup de scènes de l'*Épître d'Othéa*, enluminée sous la direction de Jean Miélot pour Philippe le Bon entre 1455 et 1461 (fig. N), prennent place dans des jardins ou dans un parc : elles semblent avoir été inspirées aux peintres par le parc d'Hesdin, où Miélot séjourna lui-même.   É. A.

96 | Bassin pour nourrir les oiseaux

Région d'Uzès (trouvé à Avignon, jardins du palais des Papes), dernier tiers du XIVᵉ siècle
Céramique réfractaire glaçurée
H. : 12,3 ; d. max. : 40,6
Avignon, Service archéologique de Vaucluse, inv. AVI. JPP. 94.1024

Bibliographie : SCHÄFER, III, 1937, p. 623-680 ; GAGNIÈRE, 1988, p. 103-109 ; CARRU, 1997, p. 487-495.

Les jardins pontificaux d'Avignon s'étendent au pied du palais des Papes, en bordure de sa façade orientale, au cœur de la ville médiévale. Ils occupent deux étroites terrasses, d'une centaine de mètres de long pour vingt mètres de large à peine, encloses dans des enceintes couronnées de galeries. Ces espaces ont été gagnés sur des quartiers densément urbanisés et furent, pour l'essentiel, aménagés sous les pontificats de Benoît XII (vers 1334-1342) et d'Urbain V (1362-1370). Le couvert végétal et l'entretien de ces jardins sont remarquablement bien connus par la très riche documentation héritée de la comptabilité apostolique.

Ainsi, nous savons que des espaces distincts étaient dévolus au potager (choux, épinards, blettes, poireaux, persil), aux vignes montées sur treilles et disposées le long des murs où couraient des tonnelles, aux fleurs d'agrément (rosiers, violettes), aux arbres (dont des orangers) et enfin à un grand pré central où s'ébattaient les animaux de la ménagerie. Celle-ci, dont la présence est attestée dès 1335, date à laquelle le comte Robert de Provence, roi de Naples, offre un lion au souverain pontife, comprendra des félins (un chat sauvage, une lionne qui survit une dizaine d'années sous Clément VI), des animaux sauvages (ours, sangliers), des cerfs et de nombreux oiseaux, dont des paons. On ne relève aucune mention de fauconnerie, de bassin ou de vivier, alors que la ménagerie, en raison également du manque d'espace, sera plusieurs fois transportée dans les vastes parcs des villégiatures d'été que les papes fréquentaient sur le pourtour de la ville (à Pont-de-Sorgues et Villeneuve-lès-Avignon).

En 1994, des sondages archéologiques visant à reconnaître les sols de ce jardin et à en restituer l'aménagement original ont mis au jour des latrines, comblées dans la première décennie du XVᵉ siècle. Il s'agissait des latrines des jardiniers, bâties en 1371, que les comptes décrivent avec précision. La fosse recelait un remarquable ensemble d'objets jetés à la hâte (éléments d'orfèvrerie, mitre, vases en cristal

cat. 96

de roche et en jaspe, poteries syriennes et valenti-
noises), ainsi qu'un dépôt d'utilisation caractéristique.
Ce niveau comportait une faune d'ovicapridés (moutons) déchiquetée et hachée, qui correspond peut-être
à des déchets alimentaires de carnassiers. Ce même
contexte a également offert une cinquantaine de
bassins en terre cuite, appartenant à une production
couramment diffusée à Avignon au XIVᵉ siècle et
fabriquée dans la région d'Uzès (poteries réfractaires
oxydantes à glaçure plombifère). La nature de cette
fosse nous avait tout d'abord orientés vers l'identification de ces pièces comme vases hygiéniques. Toutefois, ces poteries, connues également sur des sites
d'habitat contemporain où elles figurent en petit
nombre dans le vaisselier culinaire, n'avaient jamais
été découvertes dans des fosses d'aisance. Différentes
mentions livrées par les comptes de la chambre pontificale permettent de proposer une autre hypothèse :
celle d'une utilisation de ces bassins comme man-
geoire ou réservoir à eau pour les oiseaux. Nous
savons en effet qu'un marchand du nom de Pierre
de Saint-Quentin (de Saint-Quentin-la-Poterie dans
l'Uzège) fournit en 1370 une centaine de godets de
noria pour le puits à roue du jardin.

Parallèlement à cette source d'approvisionnement
en ustensiles, de tels bassins apparaissent à de multiples reprises dans les comptes relatifs à la solde des
jardiniers. Les mentions sont fréquentes sous le pon-
tificat de Grégoire XI, dans les années 1374-1378. On
relève ainsi un paiement simultané, le 15 juin 1374,
pour l'achat de deux autruches («*pro duabus avibus
vocatis strutis*») et de récipients destinés à la nourriture des tourterelles («*pro ollis et vasis terreis et fusteis
emptis pro dictis ambobus ad potandum millo empto pro
turturibus*»). Nous savons qu'il s'agissait de tourterelles blanches («*milio empto pro turturellis albis*», indi-
qué en septembre). L'année suivante, au mois d'avril,
les comptes indiquent l'acquisition de marmites servant à cuire les choux pour les oiseaux et, surtout, de
grandes écuelles de terre pour qu'ils y boivent («*pro
ollis in quibus coquinantur caules pro dictis avibus et
magnis scutellis terre in quibus bibunt dicte aves*»). Plus
tard, en novembre 1375, on retrouve mention de
l'achat de vases similaires, dont deux autres bassins
en terre cuite («*pro quadam olla et duobus basinis terre
pro dictis avibus*»). D. C.

Fig. 96a
Mars, calendrier
du *Livre d'heures
Hennessy*,
Simon Bening,
Bruges, vers 1530,
peinture
sur parchemin.
Bruxelles,
Bibliothèque
royale de Belgique,
Ms. II 158, fᵒ 3vᵒ

Fig. 96b
Nichoirs à oiseaux
sur la tour
d'une demeure,
Pierre de Crescens,
*Le Livre des prouffis
champestres et ruraux*,
fᵒ 205vᵒ du cat. 92

97 | Recueil de traités médicaux

Angleterre, fin du XIVe siècle
Dessin à l'encre sur parchemin
H. : 32,5 ; l. : 24
Londres, The British Library, Add. Ms 29301,
fᵒˢ 53vᵒ-54

Bibliographie : *Catalogue of the Additions to the Manuscripts in the British Museum in the years 1854-1875*, 1875, II, p. 620-621 ; TALBOT, HAMMOND, 1965, p. 111-112 ; HARVEY, 1987, 2, p. 82 et note 9 p. 92 ; HARVEY, 1992, p. 100-101.

Au Moyen Âge, le terme d'herbier* (*herbarium*) désigne un livre de botanique, le plus souvent illustré, décrivant les propriétés curatives des plantes, et non comme aujourd'hui un album où de véritables plantes sont séchées, collées et inventoriées. Il faut attendre les toutes dernières années du XVe siècle pour que les herbiers soient illustrés de plantes d'après nature, et non selon d'anciens modèles recopiés (cat. 101). Le goût manifeste des artistes et de leurs commanditaires pour la représentation botanique fidèle des plantes dans les manuscrits (cat. 48, 81 et 99) à cette période semble avoir précédé le même intérêt dans un cadre scientifique.

Les connaissances médicales au Moyen Âge reposent en premier lieu sur l'héritage de l'Antiquité, en particulier sur le *De materia medica* de Dioscoride, dont la présentation, de systématique à l'origine, devint alphabétique dès le IIe siècle après J.-C. Au XIIe siècle, un médecin de Salerne, Matthaeus (?) Platearius, rédige une nouvelle compilation botanique, le *De simplici medicina* ou *Circa instans*, qui devint la base de toute la pharmacopée médiévale (cat. 100). Le *De simplici medicina* ou *Livre des simples médecines* fut diffusé au XIVe siècle dans des versions plus ou moins longues, notamment en français.

La traduction et la diffusion en Angleterre du *De simplici medicina* s'accompagnent de la rédaction de nombreux traités de médecine et de chirurgie, ainsi que d'une connaissance très pratique des plantes et du jardinage. Les plantes qui figurent ici font partie d'un recueil de traités tout à fait représentatif des connaissances médicales et pharmaceutiques de l'Angleterre du XIVe siècle. S'y trouvent rassemblés :

– deux traités, dont celui sur la fistule du célèbre chirurgien John Arderne (1307-1378) qui, après avoir servi le duc Henri de Lancastre et le Prince Noir, fut à la fin de sa vie membre de l'infirmerie de l'abbaye de Westminster ;

– un recueil anonyme de pharmacopée ;

– sur quatre feuillets consécutifs, les dessins à l'encre de soixante-huit plantes sauvages poussant toutes en Angleterre (« De toutes les variétés d'herbes qui ont trait aux remèdes »), avec leurs noms anglais ou latins. Aux folios 53vᵒ-54, les plantes sont identifiées en latin – *Fraga [sic]* (fraise), *Umbilicus veneris* (nombril de Vénus), *Edera terrestris* (lierre terrestre) –, ou en langue vernaculaire, mêlant anglais et français – *Cerflange* (langue de cerf ou scolopendre), *Quintefoile* (quintefeuille ou potentille rampante), *Wildersauge* (sauge sauvage) ;

– la traduction en anglais du *De simplici medicina*, non illustrée ;

– le *Governayl of Helthe* par Jean de Bordeaux ;

– quelques recettes de pharmacopée ;

– un traité sur la culture du romarin, rédigé pour la comtesse de Hainaut puis envoyé à sa fille, la reine d'Angleterre Philippa.

Ainsi, mis à part quelques dessins dans les marges du traité de John Arderne sur la fistule, les dessins de plantes sont les seules illustrations de ce volume. La fonction de ces planches est essentiellement pratique : reconnaître les plantes les plus répandues et les identifier par un nom courant. La volonté d'établir un savoir en langue vulgaire se lit également dans un document contemporain, une longue liste de noms de plantes en latin avec leurs synonymes français et anglais établie par John Bray († 1381), un des médecins d'Édouard III puis de Richard II. Ces différents textes seraient à rapprocher de ceux d'Henry Daniel (vers 1315-1320, † après 1385), médecin et botaniste qui, dans son jardin de Stepney, près de la City, avait constitué sans doute la première collection botanique en Angleterre, avec deux cent cinquante-deux espèces différentes cultivées. Entré à la fin de sa vie dans l'ordre dominicain, il rédigea un herbier, l'*Aaron Danielis*, ainsi qu'une monographie sur la culture du romarin, et traduisit en anglais le *Circa instans* dans les années 1380. Dans ces traités anglais du XIVe siècle, la connaissance des plantes et de leurs vertus passe encore davantage par le langage que par l'image.

É. A.

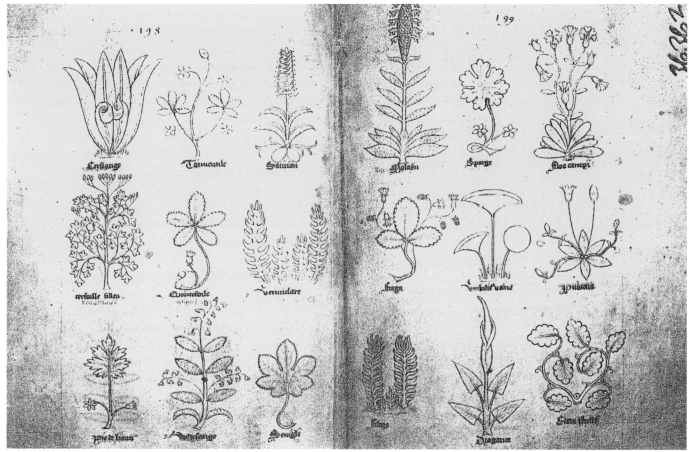

cat. 97

Herbarius
Imprimé par Peter Schöffer à Mayence, 1484
Incunable, encre noire sur papier
H. : 21,5 ; l. : 16
Paris, bibliothèque du Muséum d'Histoire naturelle,
8° Res. 112, f° 74

Bibliographie : SCHREIBER, 1891-1911, V, n° 4024, p. 282-283 ;
HIND, 1935, II, p. 348-352 ; SCHRAMM, 1920-1943, XIV, pl. 9-25
(reproduction des illustrations d'une autre impression de 1484,
avec deux figures interverties) ; ANDERSON, 1977, p. 82-88.

Les herbiers* comptent parmi les ouvrages à succès des débuts de l'imprimerie. Vers 1481-1483, Philippe de Lignamine, médecin de Sixte IV, faisait imprimer à Rome un herbier reproduisant le contenu d'un manuscrit du Ve siècle, l'herbier du Pseudo-Apulée. Mais c'est avec l'*Herbarius* imprimé à Mayence en 1484 par Peter Schöffer, ancien associé de Gutenberg, que débute véritablement le succès des herbiers imprimés.

L'*Herbarius* a vraisemblablement été compilé par un médecin de Francfort, Johann Wonnecken von Cube, de même que le *Gart der Gesundheit* publié un an plus tard par Schöffer. Il s'adresse, de toute évidence, à un public allemand : les cent cinquante plantes qu'il recense poussent toutes en Allemagne. Elles sont répertoriées par ordre alphabétique latin, avec la traduction de leur nom en allemand vernaculaire. L'imprimeur présente en effet son ouvrage comme un petit traité pratique de pharmacopée accessible à tous (*aggregator praticus de simplicibus*), permettant de préparer des remèdes simples sans avoir besoin de recourir à un apothicaire. Les textes sont dans la tradition des manuscrits du *Circa instans* (cat. 100). Chaque plante est illustrée, souvent de façon schématique, parfois d'une manière plus réaliste. On y trouve toutes les catégories de plantes, sauvages ou cultivées, utilisées dans la pharmacopée médiévale : simples (absinthe, camomille, hysope, mélisse, menthe, rue, sauge), légumes «aériens» (blette, épinard, laitue) ou «souterrains» (radis, rave, oignon, ail), mais aussi arbres (sureau, saule, peuplier, pin), fougères (polypode, cheveux de Vénus) ou fleurs d'ornement (lis, rose, pivoine, pavot, violette, iris).

L'iris est une des fleurs associées à la Vierge dans la peinture religieuse. Appelé communément iris-glaive

cat. 98

(*Schwertlilie* en allemand) en raison de la forme de ses feuilles, l'iris est un symbole des sept glaives ou douleurs qui ont percé le cœur de la Vierge. La description que propose l'*Herbarius* est plus prosaïque ; citant Platearius, elle énumère les vertus du rhizome : diurétique, antiseptique, antispasmodique et efficace en collyre pour les yeux. On utilisait aussi la poudre du rhizome pour empeser le linge et le parfumer.

L'*Herbarius* de Peter Schöffer connut immédiatement un grand succès et fut très vite repris par d'autres imprimeurs : dix éditions furent imprimées entre 1484 et 1499, apportant des variantes de traduction en néerlandais, en flamand, ou dans différents dialectes allemands ; il fut également imprimé en Italie, ainsi qu'à Paris, où Jean Bonhomme (cat. 53) l'édita en 1485 sous le titre d'*Aggregator practicus de simplicibus*.

Peter Schöffer ne réédita pas lui-même ce succès de librairie : il avait déjà d'autres projets. Dès 1485, il

publiait *Der Gart der Gesundheit*, appelé aussi *Herbarius zu Teutsch*, herbier beaucoup plus ambitieux, illustré intégralement de nouvelles planches et qui, en quatre cent trente-cinq chapitres, présentait les propriétés de trois cent soixante-neuf plantes. L'ouvrage fut extrêmement populaire, et édité treize fois entre 1486 et 1499 par d'autres imprimeurs. Il est notamment la source des premiers herbiers français imprimés, l'*Arbolayre* imprimé à Besançon vers 1487-1488 et le *Grand Herbier en français* imprimé à Paris entre 1495 et 1500.

L'*Herbarius* de Peter Schöffer servit pendant des siècles de pharmacopée et de livre de botanique ; la graphie des annotations marginales en latin et en allemand portées sur l'exemplaire conservé au Muséum témoigne de son utilisation à l'époque moderne. L'ex-libris partiellement illisible, «Coll. Societ. Jesu 1615», ne permet malheureusement pas de déterminer à quel collège de la Société de Jésus il a appartenu.   É. A.

99 | Livre d'heures dit du Maître aux fleurs

Collaboration entre plusieurs artistes : Maître du Livre de prières de Dresde, Maître des livres de prières d'environ 1500 et un artiste gantois anonyme, Bruges et Gand ?, vers 1480-1485
Peinture sur parchemin
H. : 22,3 ; l. : 15,4 ; 116 fᵒˢ
Paris, bibliothèque de l'Arsenal, ms. 638, fᵒˢ 10vᵒ-11

Bibliographie : Gand, 1960, nᵒ 187, p. 147 ; Paris, 1980, nᵒ 107, p. 62 ; BRINKMANN, 1997, I, p. 305-308 et nᵒ 37, p. 392, II, ill. 308-310.

L'extraordinaire décoration florale de ce manuscrit l'a fait connaître sous le nom de *Livre d'heures du Maître aux fleurs*. Avec les *Heures Flora* (ainsi dénommées pour les mêmes raisons), les *Heures Huth* (cat. 48), les *Heures Louth* et le *Bréviaire Grimani*, c'est un des chefs-d'œuvre de la peinture ganto-brugeoise de la fin du Moyen Âge.

L'hypothétique «Maître aux fleurs» correspond en réalité à l'association de plusieurs peintres : le Maître du Livre de prières de Dresde (cat. 50) pour

les médaillons du calendrier, et le Maître des livres de prières d'environ 1500 (cat. 27), associé à un artiste gantois, pour les enluminures en demi-page. L'ensemble est caractéristique de la révolution introduite vers 1475 dans l'enluminure flamande par le Maître de Marie de Bourgogne. Avec cet artiste (particulièrement dans son œuvre éponyme, le *Livre d'heures de Marie de Bourgogne*), les recherches d'illusionnisme menées d'abord dans la peinture de chevalet, puis dans les enluminures centrales des manuscrits, atteignent les marges des manuscrits : tout l'espace de la page peinte devient tridimensionnel. Le décor illusionniste est le plus souvent composé de fleurs coupées qui semblent jetées sur les marges, créant des effets de trompe-l'œil par leur ombre portée sur la surface du velin. Ce nouveau style est immédiatement adopté et diffusé par les peintres de Gand et de Bruges, en particulier dans la production des livres d'heures.

Le calendrier du *Livre d'heures dit du Maître aux fleurs* montre la richesse de décor de ces livres d'heures à son sommet : en bas de page, des médaillons illustrent les travaux des mois et les signes du zodiaque (ici

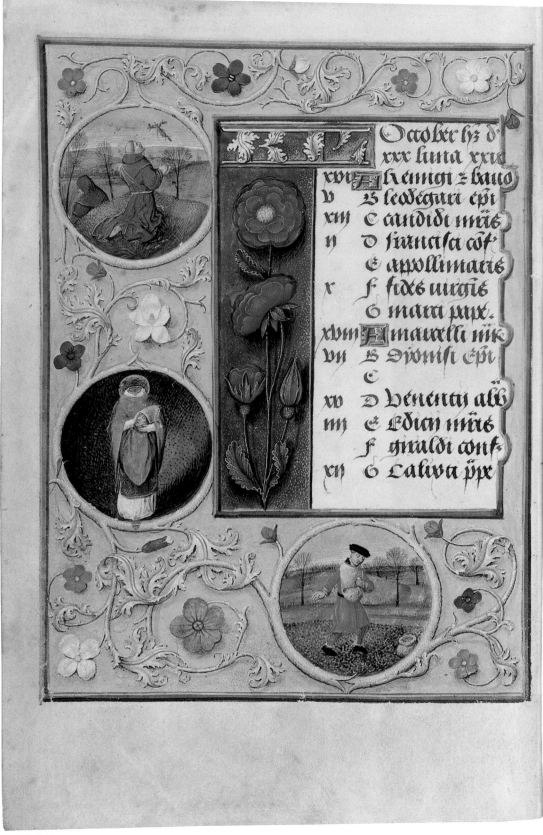

cat. 99, f° 11

octobre, les semailles et le scorpion) ; dans les marges extérieures, des saints du calendrier sont figurés dans des médaillons (saint François recevant les stigmates, saint Denis, saint Luc, saint Simon et saint Jude). Le décor floral occupe tout le fond des marges selon des modes variés. Au verso du feuillet 10, les rinceaux d'acanthes ont la part belle : quelques modestes fleurs de mouron (bleu et rouge) et de géranium éclosent au bout de rinceaux qui structurent la page et encadrent les médaillons. Cette ornementation se rattache au décor de rinceaux de la génération précédente. En revanche, sur le feuillet 11 se déploie le style de l'«école ganto-brugeoise» dans toute sa splendeur. Des fleurs coupées, épanouies ou en bouton occupent tout l'espace entre les médaillons. Un papillon jaune pâle venu se poser sur l'une des fleurs, tel un étourneau sur les raisins de Zeuxis, accentue l'effet de trompe-l'œil. Visiblement peintes d'après nature, les fleurs sont représentées avec un réalisme étonnant, jusque dans le détail de leur carnation ou les nuances de leur coloris. Dans ces marges se trouve donc la flore qui environnait quotidiennement les artistes, fleurs des jardins, des champs ou des chemins. Sur le feuillet 11 sont figurés iris, pâquerettes, giroflées (?) et roses rouges. Ce sont, avec l'ancolie, le lis, les violettes, les pensées, l'œillet, la pervenche et le chardon, les fleurs les plus fréquemment reproduites dans les marges ganto-brugeoises.

Le *Livre d'heures dit du Maître aux fleurs* présente une particularité par rapport au décor habituel des manuscrits ganto-brugeois de la même période : une sorte de deuxième marge a été créée le long du calendrier des saints où, sur fond d'or, se détache une tige entière de fleur, qui semble presque plantée, à la différence de ses voisines. Ici apparaissent sur le feuillet de gauche une branche de rosier rouge, sur le feuillet de droite des fleurs de pois. Cette présentation, presque botanique, est fort rare dans les marges ganto-brugeoises. C'est celle qu'adoptera Jean Bourdichon pour les célèbres *Grandes Heures d'Anne de Bretagne* et les manuscrits qui en dérivent (cat. 102), et qui fera la renommée des peintres de la Loire jusque dans les années 1520.

L'ornementation des marges par des fleurs coupées peintes de manière réaliste n'est qu'un des aspects des recherches illusionnistes menées par les artistes ganto-brugeois, qui connurent un énorme succès : au tournant entre le XVᵉ et le XVIᵉ siècle, tous les grands d'Europe faisaient enluminer leurs livres d'heures par ces artistes.

La diffusion de ces nouvelles formes visuelles est à rapprocher de l'évolution que l'on observe dans l'illustration scientifique au cours des années 1480-1490. C'est en 1485 que Peter Schöffer révolutionne la conception des herbiers* en publiant le *Gart der Gesundheit*, dont la plupart des illustrations de plantes ont été gravées d'après nature et non en copiant des modèles anciens. Le même phénomène s'observe dans les herbiers peints (cat. 101), où des peintures d'après nature remplacent progressivement des illustrations schématiques. Dans cette évolution, il semble que la révolution artistique ait précédé la révolution scientifique.

Cette «éclosion» de fleurs naturalistes ne se manifeste pas seulement dans la peinture, mais aussi dans les tapisseries mille fleurs tissées dans les centres flamands. L'évolution est la même dans le temps : une génération plus tôt, dans le troisième quart du XVᵉ siècle, les marges sont occupées par des rinceaux où éclosent quelques fleurs, dont beaucoup sont stylisées ; sur les tapisseries mille fleurs ou à personnages (cat. 30), les fleurs, même abondantes, sont fort schématiques, souvent difficilement identifiables. Dans les années 1480-1500, tandis que les fleurs coupées se multiplient dans les marges ganto-brugeoises, sont produites les plus belles tapisseries mille fleurs, telles le *Narcisse à la fontaine* (cat. 29), la tenture de la *Dame à la licorne* (Paris, musée national du Moyen Âge) ou celle de la *Chasse à la licorne* (New York, The Cloisters), où les mêmes fleurs sont représentées avec un aussi grand souci de réalisme.

Partant d'«ingrédients» identiques, peintres et liciers aboutissent cependant à des résultats diamétralement opposés : tandis que la tapisserie mille fleurs reste dans le plan, l'enluminure crée l'illusion de la troisième dimension. Mais dans un cas comme dans l'autre, cette profusion de fleurs est la marque d'un intérêt passionné pour la nature, et particulièrement pour les plantes.

É. A.

100 | Platearius, *Livre des simples médecines*

Deux artistes anonymes travaillant d'après
un modèle peint par Robinet Testart, peintre
de Charles d'Angoulême et de Louise de Savoie,
France, vers 1520-1530
Peinture sur parchemin
H. : 34 ; l. : 25,8 ; 186 f⁰ˢ
Paris, Bibliothèque nationale de France, département
des Manuscrits, ms. fr. 12322, f⁰ˢ 138v⁰-139

Bibliographie : BAUMANN, 1974, p. 111 ; Paris, 1982, n° 60, p. 77 ;
PLATEARIUS (AVRIL, LIEUTAGHI éd.), 1986.

C'est entre 1130 et 1160 que Matthaeus (?) Platearius,
appartenant à une célèbre lignée de médecins ensei-
gnant à Salerne, écrivit le *Liber de simplici medicina*,
parfois désigné par les premiers mots de son prologue :
Circa instans. L'ouvrage connut une large diffusion,
tant en latin que dans sa traduction française. Ces nombreuses copies offrent des versions souvent amplifiées
au fil du temps. Tel est le cas du présent exemplaire
qui est tardif. Destiné aux médecins et aux apothi-
caires, le *Livre des simples médecines* a été pour les
praticiens une œuvre de référence donnant la description des plantes et autres substances, leur origine,
leurs propriétés et parfois le mode de préparation des
remèdes. Chaque plante ou presque a fait l'objet d'une
illustration. Ici, plusieurs d'entre elles sont disposées
sur une même page suivant un système de planches
hors-texte. Bien que la qualité scientifique de ces
images soit variable et que bon nombre d'entre elles
se réduisent encore à des formes schématiques issues
de la tradition iconographique des herbiers* (cat. 98
et 101), ou relèvent d'une fantaisie de l'imagination,
on perçoit dans ce manuscrit un réalisme qui suppose
une observation directe de la nature. Sans doute faut-
il en attribuer le mérite à Robinet Testart, l'auteur du
modèle, qui manifeste le même intérêt dans l'ensemble
de ses œuvres, qu'il s'agisse des personnes, des animaux, de la végétation ou des objets.

La double page constituée par les feuillets 138v⁰-
139 présente des plantes familières qu'il est aisé
d'observer au bord des chemins ou dans les jardins.
Chacune est accompagnée de son nom. Au folio 138v⁰ :
Celidonia, la chélidoine grande éclaire, avec son feuillage décoratif, *Morelle*, la morelle douce-amère bien

connue pour sa toxicité, *Aaro*, l'arum ou pied-de-veau
dont la racine se déploie dans la marge. Au folio 139
figurent des fleurs printanières souvent représentées
dans les marges de manuscrits. Dans la partie inférieure, *Marguerites*, les pâquerettes aux pétales délicatement ourlés de rose, et *Borrago*, la bourrache
aux feuilles velues, accompagnée d'un escargot ; dans
la partie supérieure, *Provinca*, la pervenche, dont
Platearius indique qu'on en fait des couronnes, et
Primula veris, la primevère officinale communément
appelée coucou, dont l'auteur donne l'étymologie :
« La primevère, que certains appellent herbe à Saint-
Pierre et d'autres herbe à la paralysie, doit son nom
de *prime-ver* ou printemps, à ce qu'elle porte, la première, des fleurs au printemps. »   M.-T. G.

101 | Sauge

Herbier
Italie, fin du XVᵉ siècle
Peinture, aquarelle, encre et pierre noire sur papier
H. : 32 ; l. : 23 ; 116 f⁰ˢ
Paris, bibliothèque du Muséum d'Histoire naturelle,
Ms 326, f⁰ 19 [53]

Bibliographie : inédit.

Les herbiers* du Moyen Âge, véritables pharmacopées
illustrées, se présentent généralement comme une
succession de figures de plantes accompagnées d'une
notice définissant leur nature selon la théorie des
éléments d'Hippocrate (chaud, froid, sec, humide)
et explicitant leurs propriétés thérapeutiques. Pendant des siècles, les peintres qui les ont illustrés se
sont inspirés de leurs prédécesseurs plutôt que de
plantes prises sur le vif, et ces illustrations sont res-
tées figées dans la tradition. Cependant, les *Tacuina*
réalisés en Italie du Nord à la fin du XIVᵉ siècle apportent une vision nouvelle de la nature, et certaines
plantes y sont figurées de manière réaliste (cat. 79).
À leur suite, durant le XVᵉ siècle, se côtoient dans les
herbiers des plantes peintes d'après nature et d'autres
représentées de façon schématique, voire fantaisiste.
Les premiers herbiers imprimés (cat. 98) relèvent du
même univers figuratif.

Celidonia

Morelle

Baro

cat. 100, f° 138v°

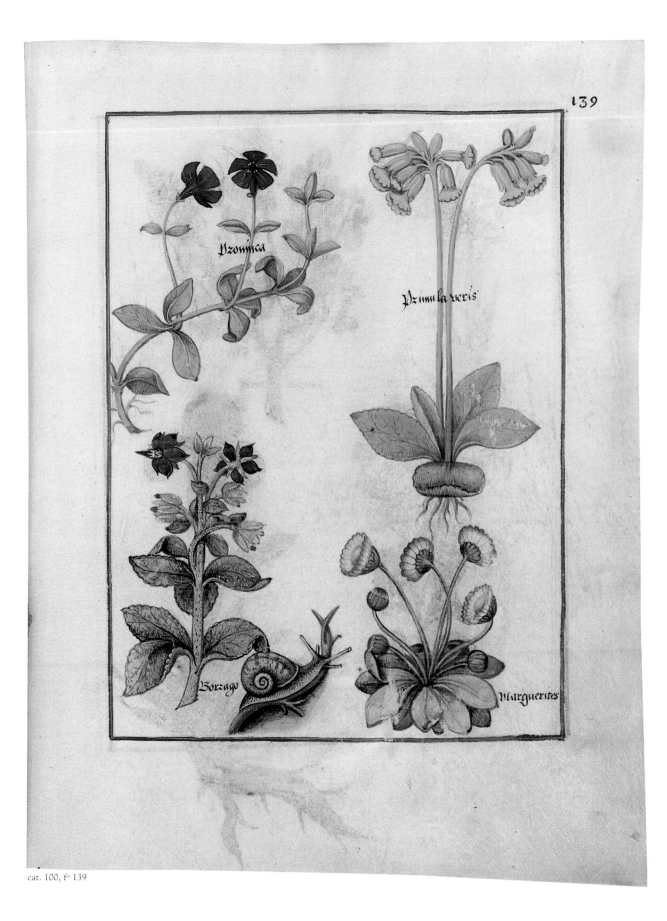

Bzomfica

Bzimula veris

Borago

Marguerites

cat. 100, f° 139

Saluie. 19 53

Saluia

cat. 101

Cet herbier, peint en Italie à la fin du XVe siècle (une mention en tête du manuscrit indique qu'il a été commencé le 19 avril 1487), offre un résumé de la tradition picturale des herbiers médiévaux, tout en amorçant l'évolution vers les herbiers au sens moderne du terme, présentant les plantes elles-mêmes et non leur figuration (le plus ancien herbier conservé de ce type, l'herbier Cibo, date de 1532). Incomplet (le manuscrit débute au folio 34), inachevé (quelques peintures sont inachevées, d'autres n'ont pas reçu le nom de la plante), il n'a de classification ni alphabétique ni systématique. Sa présentation est hétéroclite : nombre de feuillets figurent la plante en pleine page, sans commentaire, avec son nom commun italien en haut de la page ; sur d'autres, un texte est ajouté en bas de page, précisant les vertus de la plante, en général en italien, parfois en latin, quelquefois en alternant l'un et l'autre. Très rarement apparaît une référence explicite à Dioscoride ou à Platearius (cat. 100). Plusieurs mains se sont succédées au cours du temps dans l'annotation du manuscrit, ajoutant en bas de page le nom latin de la plante, parfois aussi son nom grec.

L'homogénéité du manuscrit repose sur la matière traitée : seules des plantes y figurent, à la différence du *Livre des simples medecines* (cat. 100) ou des *Tacuina* (cat. 79), où d'autres substances (corail, ambre, huile de castor, etc.) sont présentées.

Deux cent vingt-neuf peintures de plantes ornent ce manuscrit selon des techniques variées : une peinture épaisse et granuleuse, l'aquarelle, l'encre pour cerner les contours et, surtout à la fin du volume, la pierre noire pour esquisser l'allure générale de la plante. En matière d'illustration, des mains et des modes de figuration divers se sont aussi succédés dans tout le manuscrit, où des styles très différents coexistent à l'intérieur d'un même cahier. Certaines plantes sont visiblement copiées sur des modèles très anciens : peintes en aplats de couleurs vives, elles sont figurées de manière parfaitement symétrique et restent très abstraites. D'autres sont croquées à la plume avec vivacité. Des représentations très maladroites voisinent avec des peintures gracieuses et poétiques, comme la magnifique violette du feuillet 16, issue de la tradition du Dioscoride de Vienne.

L'illustration de cet herbier paraît avoir été un champ d'expérimentations continu, et l'on y découvre avec surprise des effets de trompe-l'œil : sur certaines pages, la plante semble avoir été collée sur le papier. Il s'agit en réalité d'empreintes de feuilles, une technique qui n'avait pas été utilisée jusqu'alors dans les herbiers médiévaux. Ces empreintes, présentes surtout dans la première partie du volume, ont été réalisées selon plusieurs méthodes : soit en peignant d'abord la forme de la plante en vert clair et en imprimant par-dessus l'empreinte de feuilles passées dans une encre noire ou une peinture sombre, soit, à l'inverse, en commençant par réaliser l'empreinte de la plante à l'encre puis en appliquant par-dessus une peinture verte, soit, enfin, en enduisant tout simplement la plante de peinture verte et en la pressant sur le papier, comme ce fut le cas pour cette magnifique représentation de la sauge au feuillet 19 [53].

La sauge apparaît dans toute sa beauté, avec son feuillage gris-vert au fin réseau de nervures. Le peintre a ajouté au pinceau les tiges et quelques feuilles, pour étoffer son bouquet. La sauge méritait bien ce traitement d'une grande délicatesse : c'est en effet la reine des plantes médicinales, le remède souverain en vertu de son nom latin, *Salvia*, la plante qui sauve. « Pourquoi mourrait un homme dans le jardin duquel pousse la sauge ? », dit un dicton de l'école salernitaine. On la trouve donc dans tous les jardins. La plante est représentée ici sans commentaire, mais si l'on recourt à l'*Herbarius* de Peter Schöffer (cat. 98), contemporain de celui-ci, on y trouve l'énumération des vertus de cette plante à la fois diurétique, apéritive, emménagogue, abortive, antiseptique et efficace contre la paralysie.

Avec ses empreintes de plantes, cet herbier est un jalon important dans l'évolution de l'illustration botanique à la fin du XVe siècle vers une recherche d'illusionnisme et de naturalisme. Il annonce la transformation des herbiers médiévaux abstraits en herbiers modernes, recueils d'un savoir expérimental. Dans la pliure du manuscrit, entre certaines pages, subsistent des fragments de feuilles séchées : ont-elles servi de modèle au(x) peintre(s), ou n'ont-elles été glissées qu'ultérieurement dans le manuscrit ? Les artistes ayant illustré cet herbier sont inconnus ; en revanche, en pressant les plantes peintes pour les imprimer sur le papier, ils y ont parfois laissé leurs empreintes digitales...

É. A.

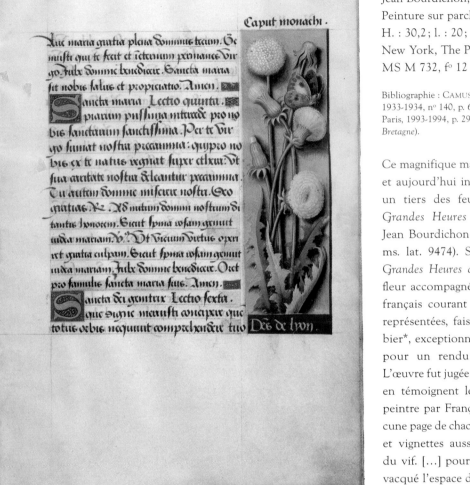

cat. 102

102 | Pissenlit

Livre d'heures à l'usage de Rome
Jean Bourdichon, Tours, vers 1515
Peinture sur parchemin
H. : 30,2 ; l. : 20 ; 62 f[os]
New York, The Pierpont Morgan Library,
MS M 732, f° 12

Bibliographie : CAMUS, 1894 ; DELISLE, 1913, p. 3-19 ; New York, 1933-1934, n° 140, p. 66 ; *In August Company*, 1993, n° 30, p. 107 ; Paris, 1993-1994, p. 297-300 (sur les *Grandes Heures d'Anne de Bretagne*).

Ce magnifique manuscrit offre une version simplifiée et aujourd'hui incomplète (il manque probablement un tiers des feuillets du manuscrit original) des *Grandes Heures d'Anne de Bretagne* peintes par Jean Bourdichon (Bibliothèque nationale de France, ms. lat. 9474). Sur chaque marge des feuillets des *Grandes Heures d'Anne de Bretagne* se détache une fleur accompagnée de son nom latin et de son nom français courant : plus de trois cents espèces sont représentées, faisant de ces heures un véritable herbier*, exceptionnel par l'intérêt manifeste du peintre pour un rendu réaliste des différentes espèces. L'œuvre fut jugée extraordinaire en son temps, comme en témoignent les termes du paiement accordé au peintre par François Ier – « il a enrichies [...] en chacune page de chacun feuillet de très riches fleurs, arbres et vignettes aussi, toutes différentes et approchant du vif. [...] pour lesquelles hystorier et enrichir il a vacqué l'espace de plus de quatre ans entier » –, ainsi que la somme accordée en conséquence, six cents écus d'or (soit le prix payé à la même époque par Jules II pour le groupe du *Laocoon* qu'on venait de découvrir à Rome). Trois livres d'heures (Londres, The British Library, Add. 1885 ; Waddesdon Manor, Ms 20) attribués à Jean Bourdichon ou à son atelier ont repris plus ou moins complètement les bordures de fleurs du manuscrit royal.

Celui de la Pierpont Morgan Library comprend aujourd'hui quatre-vingt-seize peintures de fleurs également accompagnées de leurs noms latins et français, disposées dans un ordre différent de celles des heures d'Anne de Bretagne. Toute la palette des jardins de la fin du Moyen Âge y est représentée : fleurs (lis, rose, giroflée, jasmin, violettes, pivoine, souci), arbustes (aubépines, chèvrefeuille, sureau), arbres fruitiers (pommier, cerisier, noisetier, poirier, prunier, néflier, sorbier), petits fruits (framboises, fraises), herbes médicinales (hysope, plantain, bourrache, lavande, bétoine, aigremoine, sauge, tanaisie) et plantes potagères (cardon, moutarde, ail, oignon, échalote, concombre). Pour les rapprocher encore davantage du «vif», Bourdichon a mêlé aux fleurs les habitants ordinaires des jardins : escargots, chenilles, libellules aux ailes diaprées, papillons, coccinelles, hannetons, mouches et insectes divers.

Si l'intérêt pour la nature et le rendu réaliste des plantes est commun avec les enluminures de l'école ganto-brugeoise (cat. 48, 81 et 99), la manière de Bourdichon est bien différente : alors que dans les marges ganto-brugeoises se mêlent différentes espèces de fleurs coupées, Bourdichon présente une espèce végétale par marge, la plante toute entière se détachant sur un fond d'or. Ce type de composition, ainsi que le souci d'identification des plantes, rapprochent ces bordures des herbiers (cat. 97, 98, 100 et 101). Il devait avoir une postérité parmi les enlumineurs de la région de la Loire, qui s'en firent une spécialité, très appréciée jusque dans les années 1520.

Le superbe pissenlit peint au folio 12 offre une des représentations les plus accomplies du manuscrit ; l'observation de la nature y est rendue avec des effets d'illusionnisme parfaitement achevés : ombres portées des fleurs sur le fond, rendu du velouté des feuilles, figuration des fleurs à différents stades de leur éclosion, et surtout délicatesse et légèreté de leurs boules duveteuses.

Le pissenlit était utilisé en décoction pour traiter les affections des yeux. Le nom latin donné ici par Bourdichon, *caput monachi* (tête de moine), correspond aux appellations populaires que l'on retrouve en allemand *(Münchkopf)* ou en anglais *(Monk's head)*, la corolle ébouriffée du pissenlit évoquant la tonsure plutôt mal entretenue d'un moine. Cette appellation était aussi donnée au souci, pour les mêmes raisons.

En revanche, le nom français *Dens de lyon* vient directement du nom botanique latin, *dens leonis* (aujourd'hui *Taraxacum Dens leonis*), passé également en allemand *(Löwenzahn)* et en anglais *(Dendelion)*, et dérive probablement de la forme des feuilles du pissenlit. Le nom de la plante explique aussi que l'on trouve souvent des pissenlits figurés au pied de la Crucifixion, comme une évocation du lion de la tribu de Juda dont descend le Christ.

Parfois appelé *flos campi* (notamment chez Albert le Grand), le pissenlit est aussi un symbole du caractère éphémère de la vie humaine, car ses pistils se dispersent au souffle du vent. Ainsi, sur une épitaphe du musée de l'Œuvre Notre-Dame à Strasbourg ornée d'un pissenlit, se lit l'inscription «Ô homme fragile, songe à la destinée des fleurs. Priez pour lui», inspirée du psaume 90 (89)

Face au pissenlit, au folio 11v° (fig. 102a), figure une giroflée violette ; les pages suivantes en montrent une pourpre (folio 13) et une jaune (folio 13v°). Les giroflées étaient extrêmement répandues comme plantes d'ornement (mais aussi médicinales) dans les jardins du Moyen Âge. Leur odeur poivrée était très appréciée, ainsi qu'en témoigne Pierre de Crescens dans l'*Opus ruralium commodorum* : «Et on l'appelle gariofilee pour ce qu'elle a odeur semblable aux cloux de girofle, ou la saveur, ou la vertu et l'effet.» Le nom latin *species keyri* vient du nom arabe des giroflées, *khari*. L'appellation française *Guiroflée* dérive de l'assimilation entre cette fleur et le clou de girofle, *caryophyllum*, devenu en bas latin *gariofilum*, puis *gilofera* ou *girofria*, enfin *guiroflée*. Mais les giroflées sont souvent aussi désignées par le terme vague de violier, fréquemment mentionné dans les comptes, qui regroupait diverses fleurs de couleur pourpre ou violette, dont certaines giroflées. En réalité, la terminologie botanique n'est pas encore bien déterminée : violier, violette, giroflée sont souvent employés indifféremment ; ainsi, dans les *Grandes Heures d'Anne de Bretagne*, apparaissent successivement la «violette guiroflée» (folio 156) et la «violette cramoisie», correspondant toutes deux à l'appellation *species keyri*. É. A.

Fig. 102a
Giroflée, détail de la marge du *Livre d'heures à l'usage de Rome*, cat. 102. New York, The Pierpont Morgan Library, Ms M 732, f° 11v°

cat. 103

cat. 104

103 | Pot à fleurs

Région d'Avignon (trouvé dans les jardins de l'hôtel de Brion), seconde moitié du XIVe siècle
Céramique à glaçure monochrome verte
H. : 22,5 ; d. max. : 20
Avignon, collection de Brion, musée du Petit Palais, inv. 483

104 | Pot à bulbes

Atelier de l'Uzège (trouvé dans les jardins de l'hôtel de Brion), seconde moitié du XIVe siècle
Faïence à couverte monochrome verte
H. : 24 ; d. max. : 23
Avignon, collection de Brion, musée du Petit Palais

Bibliographie
103 : DÉMIANS D'ARCHIMBAUD *et alii*, 1980, p. 64-67 et fig. 22 p. 62 ; *Aujourd'hui le Moyen Âge*, 1981, n° 483, p. 99.
104 : DÉMIANS D'ARCHIMBAUD *et alii*, 1980, p. 111, fig. 44.12 p. 106 et fig. 46 p. 110 ; *Aujourd'hui le Moyen Âge*, 1981, n° 292, p. 75 ; Avignon, 1989-1990 ; Marseille, 1995, n° 277, p. 223.

Parmi l'important matériel de céramique émaillée régionale mis au jour au cours des fouilles dans les jardins de l'hôtel de Brion, figurent des pots de fleurs aux formes élaborées. À la différence des pots de fleurs de forme courante (cat. 73, 74 et 75), ces pots à l'allure de vases étaient vraisemblablement destinés à orner l'intérieur de la demeure.

La plupart de ces pots ou fleuriers ont une forme bulbeuse, le fond percé d'un trou et sont montés sur un large pied. Seul leur extérieur est recouvert d'une glaçure verte. Le pot à bulbes (cat. 104) offre une forme plus exceptionnelle : sa panse globulaire montée sur un haut pied est percée de six trous pour permettre le passage des tiges de fleurs. Cette faïence, probablement produite dans les ateliers de l'Uzège, est d'une plus grande qualité que les céramiques en pâte calcaire de la région avignonnaise (cat. 73, 74, 75 et 103).

Ces deux pots aux formes élégantes témoignent du souci de décorer les intérieurs avec des fleurs de manière pérenne : le jardin fait son entrée dans la maison par le biais des fleuriers. Des textes illustrent cette pratique au XIVe siècle, notamment, dans le *Décaméron* (Quatrième journée, cinquième nouvelle), l'histoire macabre d'Elisabetta, qui cache dans sa chambre la tête de son amant tranchée par ses frères jaloux, dans le pot de basilic qu'elle arrose tous les jours de ses larmes. Ce n'est qu'au début du XVe siècle, notamment dans la peinture parisienne, que commencent à être figurés des pots de fleurs dans des intérieurs. Le Maître de Boucicaut et les peintres de son entourage affectionnent tout particulièrement, dans leur souci du détail descriptif, les représentations de jardinières et de pots sur les appuis de fenêtre. Des fleuriers de même type que celui reproduit ici apparaissent souvent dans leurs miniatures (cat. 107).   É. A.

cat. 105

105 | Pot de fleurs

Région d'Avignon (trouvé à Avignon, place de
la Principale), deuxième quart du XIVe siècle
Céramique calcaire émaillée
H. : 11 ; d. max. de chacun des pots : 11,4
Avignon, Service archéologique de Vaucluse,
Inv. AVI PRI. 96. 522

Bibliographie : inédit.

Ce vase a été recueilli lors de fouilles urbaines
conduites dans un quartier du centre-ville d'Avignon,
densément bâti au Moyen Âge. Il avait été abandonné
dans une petite fosse-dépotoir ouverte dans la cour
intérieure de deux immeubles riverains, avec d'autres
poteries brisées de qualité assez modeste. Les éléments
exhumés assurent une datation antérieure à 1350,
ce que confirme la nature même de cette poterie.
Elle appartient, en effet, à une catégorie de céramique
très abondante localement, fabriquée dans des ateliers régionaux (Beaucaire, Avignon). Il s'agit d'une
véritable faïence, à pâte calcaire oxydante, recouverte
d'émail stannifère décoré de brun manganèse et de
vert cuivre.

La forme est toutefois originale : elle comprenait à
l'origine trois récipients globulaires, chacun pourvu
d'une base en piédouche, d'un col large et d'un bec
verseur tubulaire. Leurs parois extérieures portaient
un décor semblable, composé de panneaux encadrés
de bandes vertes cernées de noir, remplis d'un champ

de spirales et de volutes. Ces trois vases opposés
étaient soudés sur leur face arrière par une communication permettant aux liquides de s'écouler de l'un à
l'autre des pots. Une sorte de poignée massive façon-
née au niveau du centre de gravité unissait également
ces vases et permettait une préhension verticale par le
haut. L'on versait donc le liquide contenu en abais-
sant la pièce d'un côté ou de l'autre, ce qui offrait un
véritable jeu de circulation de ce liquide (sans doute
du vin) entre les pots, qui s'échappait ensuite par le
bec le plus incliné. Cette forme originale s'apparente
aux curiosités et facéties destinées au service de la table
dans la tradition médiévale, les convives étant alors
friands de ce genre de jeu. Elle peut être comparée
avec celle de quelques aquamaniles à becs verseurs
affrontés en forme de tête d'oiseau, également exhumés dans la ville pontificale.

L'intérêt de cette pièce remarquable, sans doute
brisée accidentellement, est d'avoir été remployée
en pot de fleurs : la cassure du pot manquant a été
retaillée et égalisée. Le fond des deux récipients res-
tants, impropres désormais à recevoir des liquides en
raison de leur communication latérale, a été percé d'un
petit trou d'écoulement. Il est possible que cette pièce
ait été plaquée contre un mur, en masquant sa face
arrière accidentée et en présentant le côté intact. Il est
tentant d'imaginer qu'elle ait été accrochée ou liée (la
poignée brisée permettant d'introduire une ficelle) à un
balcon ou à un appui de fenêtre, hypothèse renforcée
par l'absence de jardin dans ce quartier.   D. C.

cat. 106   cat. 106 (restitution)

106 | Pot de fleurs à suspensions

Valenciennes (trouvé à Valenciennes, place du
Marché, fouilles de 1999-2002), seconde moitié du
XIVᵉ siècle
Céramique à pâte rouge et dégraissant sableux
H. : 15,9 ; d. max. : 27
Valenciennes, Service archéologique de Valenciennes,
inv. 127-S. 32/6708/

Bibliographie : inédit.

De même que les autres pots de fleurs médiévaux
découverts à Valenciennes, cet objet se présente sous
la forme d'un récipient très ouvert, à profil tronco-
nique et caréné à mi-hauteur. La lèvre plate est percée
à distance régulière de trois trous qui permettaient
de suspendre l'objet, sans doute par un système de
chaînettes. La base légèrement évasée reposait sur
un fond plat ou faiblement concave qui n'a pas été
conservé, on ne sait donc si celui-ci était percé comme
sur les autres exemplaires valenciennois. Toutefois, il
semble que ce détail ne concernait que les pots destinés à être posés.

Ce modèle se distingue par son décor original,
encore inédit sur ce type de forme. Trois visages
d'hommes barbus, dont l'un est manquant, prennent
place dans la moitié supérieure du pot et sont séparés
les uns des autres par des «rubans» obliques appli-
qués à l'aide d'un engobe blanc. Ces visages ont été
réalisés par modelage directement sur l'objet. Dans un
premier temps, le potier modelait le front bombé et
les joues rondes par simple repoussage de la paroi du
pot de l'intérieur vers l'extérieur, alors que la pâte
était encore fraîche. Puis les éléments du visage étaient
rapportés. Il en va ainsi des yeux en amande, du nez et
de la barbe dont les détails ont été obtenus par incision. Enfin, trois pastilles rondes en pâte blanche ont
été collées sur le sommet du front. L'artisan procédait
ensuite à la pose de la glaçure. Grâce au jeu des engobes
et des pâtes blanches, la glaçure verte prend une teinte
jaunâtre sur la barbe, les yeux, les pastilles et les
rubans, offrant ainsi une polychromie du plus bel effet.

Le thème iconographique de l'homme barbu est
récurrent dans la céramique médiévale. Il apparaît
avec la céramique dite «très décorée» dans l'Europe
du Nord-Ouest au XIIIᵉ siècle, où il prend place sur le
col du pichet, à l'opposé de l'anse (ce sont les *faces
on front jugs* anglais). On le retrouve aux XVIᵉ et
XVIIᵉ siècles sur des pichets en grès, notamment dans
les productions de Bouffioux et de Raeren.   P. K.

107 | Annonciation

Livre d'heures à l'usage de Chartres
Maître des heures de Guise, Paris, vers 1420-1425
Peinture sur parchemin
H. : 18,8 ; l. : 13,5 ; 198 f^os
Paris, musée national du Moyen Âge – thermes
de Cluny, inv. Cl. 21532, f° 32

Bibliographie : Avignon, 1997, n° 53, p. 102.

L'enlumineur parisien qui a peint cette Annonciation
y a mêlé avec fraîcheur symbolisme et réalisme. La
scène prend place dans une architecture gothique, dont
la représentation spatiale est par ailleurs mal dominée
par le peintre : Erwin Panofsky a montré comment la
figuration des édifices gothiques symbolise, dans la
peinture flamande, l'entrée dans le Nouveau Testament,
la Nouvelle Loi, avec la venue du Christ, par opposition aux édifices romans, où se déroulent les scènes
de l'Ancien Testament, l'Ancienne Loi.

Dans cette architecture toute empreinte de symbolisme, un détail cependant se réfère à la réalité quotidienne que connaissait le peintre : les deux pots de
fleurs placés sur le rebord de la baie géminée ouvrant
sur l'extérieur. Ils encadrent les lis symboliques de la
chasteté de la Vierge qui, au lieu d'être disposés de
façon traditionnelle dans un vase aux pieds de Marie,
surgissent de façon surnaturelle de la colonnette centrale, dessinant comme un fleuron géant avec l'écoin-
çon de la baie. Dans les deux pots en terre cuite (l'un
en forme de coupe, l'autre haut et tubulaire), sont
plantés de petits arbustes dont l'artiste n'a pas rendu
avec précision le feuillage : ils n'ont vraisemblablement pas de fonction symbolique dans cette enluminure. La représentation de fleurs ou de petits arbustes
en pot sur les appuis des fenêtres se multiplie dans la
peinture parisienne des années 1410, tout particulièrement dans les nombreuses œuvres attribuées au
Maître de Boucicaut et au Maître de la Mazarine.
Ainsi, on retrouve précisément le motif de ces deux
pots de fleurs dans deux des œuvres majeures attribuées à ce dernier, les *Lamentations de Pierre Salmon*

Fig. 107a
Lamentations de Pierre Salmon (détail), Maître de la Mazarine,
Paris, vers 1410-1414, peinture sur parchemin.
Paris, Bibliothèque nationale de France, ms. fr. 23279, f° 53

(fig. 107a) et les *Heures dites de Joseph Bonaparte*
(Bibliothèque nationale de France, ms. lat. 10 538,
f° 116, vers 1413-1416).

Ces nombreuses représentations traduisent une
pratique réelle des Parisiens, qui agrémentaient de
ces jardins miniatures les fenêtres de leur demeure.
Le *Journal d'un bourgeois de Paris*, contemporain de
ces enluminures, rapporte qu'en 1416, en pleine lutte
entre Armagnacs et Bourguignons, les Armagnacs
avaient fait crier dans Paris « que nul ne fust si hardy
d'avoir à sa fenêtre coffre, ne pot, ne hotte, ne coste
en jardin, ne bouteille à vin aigre à sa fenestre qui fust
sur rue, sous peine de perdre corps et biens ».

Les pots étaient un moyen de faire entrer les jardins
et leurs fleurs dans l'intérieur des demeures, de façon
plus pérenne que par les jonchées d'herbe et de fleurs
au sol, et plus modeste que par le décor des tapisseries

mille fleurs (cat. 29) ou des draps brodés. Pots (cat. 103, 104, 105 et 106) et vases (cat. 108 et 109) traduisent ce goût de mieux en mieux attesté pour les fleurs ou pour les plantes en général, tandis que la séparation entre le jardin et la demeure tend à s'estomper : si l'architecture se prolonge dans le jardin par le biais des galeries ou des loggias, le jardin s'installe dans la demeure par le biais des plantes en pot.

Les mentions portées aux derniers folios de ce livre d'heures par sa propriétaire permettent de le dater d'avant 1425 ; utilisant les pages laissées blanches comme un livre de raison, elle y a mentionné la mort de son mari, Guillaume Dubreuil, le 4 août 1425, et la naissance de son fils Jacques, le 5 décembre de la même année.   É. A.

cat. 108

108 | Vase

Angleterre (trouvé dans Fleet Street, Londres),
XVe siècle
Céramique à glaçure jaune et brune
H. : 15,5 ; d. : 14
Paris, musée national du Moyen Âge – thermes de
Cluny (dépôt du musée du Louvre), inv. L.O.A. 9348

Bibliographie : inédit.

Les pots de fleurs en bois ou en céramique de la fin du Moyen Âge ont souvent adopté des formes aux bords crénelés. Ce vase les reproduit en miniature : de production modeste, il présente cependant une certaine recherche dans le décor. Sur sa panse cintrée, les motifs en creux ont été enfoncés au doigt, de même que les motifs crénelés abattus.

De petits vases apparaissent dans la peinture flamande de la même époque : représentés dans un contexte religieux, ils prennent plus souvent la forme d'un gobelet de verre à la transparence symbolique (cat. 109). Ce vase montre la présence de petits bouquets de fleurs dans une réalité plus quotidienne.

                                                É. A.

109 | Vase de fleurs dans une niche

Jan Provoost, Bruges, vers 1510
Peinture sur bois
H. : 27,1 ; l. : 18,1
Plaisance, Galleria Alberoni

Bibliographie : ARISI, MEZZADRI, 1990, n° 22, p. 177.

À l'intérieur d'une niche, un gobelet de verre abrite un délicat bouquet formé de roses blanches, d'œillets rouges et de pâquerettes. Ce petit tableau formait à l'origine le revers de la *Vierge à la fontaine* (cat. 23), dont il a été séparé avant 1735. Le symbolisme des fleurs lui donne sa signification, complémentaire de la représentation sur sa face de la Vierge dans un jardin clos. La rose blanche, sans épines, figure la Vierge, sa chasteté et sa pureté. L'œillet rouge, symbole d'amour, est aussi dans la peinture flamande une allusion à la Passion du Christ, en raison de sa couleur rouge et de son nom, *Nelke*, qui signifie clou. La pâquerette, fleur printanière, évoque la Résurrection. Trois fleurs dans un vase suffisent ainsi à résumer le cycle de l'Incarnation et du Salut. Le vase de verre figure, de façon traditionnelle, la chasteté de la Vierge, comme l'exprime une hymne de la Nativité :

«Comme à travers le verre,
le rayon passe sans le briser,
Ainsi de la Vierge Mère,
Vierge elle était et Vierge elle est demeurée. »

Métaphore de la Vierge et de l'Incarnation, le tableau est aussi une merveilleuse nature morte de fleurs, une des premières connues dans la peinture flamande, avec le vase de fleurs peint par Hans Memling vers 1490 au revers d'un portrait de donateur (Barcelone, collection Thyssen). Jan Provoost y manie les teintes subtiles, du gris de la niche au gris-vert des feuilles en passant par la tonalité ivoire de la rose, et s'y révèle maître de l'illusionnisme, tant dans l'effet de transparence du verre que dans l'ombre portée des fleurs et le trompe-l'œil de la niche. Il s'inscrit dans la continuité des recherches illusionnistes menées dans l'enluminure ganto-brugeoise (cat. 48, 81 et 99); les motifs de vases de fleurs transparents dans les niches feintes, entre autres effets illusionnistes, apparaissent pour la première fois dans l'œuvre pionnière du Maître de Marie de Bourgogne, en particulier dans le livre d'heures d'Engelbert de Nassau (Oxford, Bodleian Library). Des marges des manuscrits, ces motifs passent progressivement dans de petits panneaux qui en sont proches par le format. Illusionnisme, trompe-l'œil, réalisme botanique se conjuguent pour créer un nouveau regard sur la nature, désormais présente à l'intérieur des demeures.

É. A.

cat. 109

L'amour des jardins

Glossaire des termes du jardin

Banquette (de gazon, d'herbe, de verdure) : siège présent dans les jardins d'agrément. Il est formé d'une assise de bois, de brique ou de pierre remplie de terre et tapissée au sommet de plaques de gazon. Albert le Grand, puis Pierre de Crescens en recommandent la construction dans les vergers. Typique du jardin médiéval, cette structure disparaîtra ensuite.

Carreau : plate-bande de forme carrée, plantée de fleurs, d'herbes ou de légumes.

Chantepleure : récipient à col fin destiné à l'arrosage des plantes. Son fond est percé de petits trous. On le remplit par immersion, puis on bouche l'ouverture du col avec le pouce : l'eau est alors maintenue par pression. Lorsque l'on retire le pouce, l'eau s'écoule par le fond, en «chantant et pleurant». La forme plus commode de l'arrosoir avec une anse et une pomme n'apparaît qu'au XVIᵉ siècle.

Chapel (de fleurs) : fleurs tressées en couronne ou chapelet, souvent offertes en gage d'amour à son bien-aimé, à sa bien-aimée ou à la Vierge. Tresser des chapels de fleurs est l'occupation printanière et courtoise par excellence. On tresse des chapels (ou chapeaux) de roses, d'œillets, de soucis, de pervenches, mais aussi d'herbes odoriférantes comme la menthe, l'armoise ou la rue.

Claie : treillage en osier ou en bois servant de clôture, souvent couvert de plantes grimpantes. Voir aussi palis.

Conduite : art de guider la croissance des arbres en les taillant et en les attachant à des structures en bois. Associé à l'art de la greffe et à l'art topiaire, l'art de la conduite fait tout le raffinement d'un jardin.

Courtil : jardin vivrier attenant à une maison modeste, urbaine ou paysanne.

Degrés (taille en) : voir Plateau.

Ente : de enter, greffer. Désigne la greffe, le greffon ou l'arbre greffé. Parfois aussi orthographiée «ante». Les «entes merveilleuses» font partie des curiosités recherchées dans le jardin d'agrément.

Estrade (taille en) : voir Plateau.

Gradins (taille en) : voir Plateau.

Herbes : voir Jardin d'herbes.

Herbier : le terme désigne au Moyen Âge un ouvrage de pharmacopée, illustré ou non. Les rubriques y sont classées par ordre alphabétique des plantes. Chaque plante est décrite selon sa nature (sèche, humide, chaude, froide) et ses vertus thérapeutiques. Au cours du XVIᵉ siècle, l'herbier se transforme en un recueil de plantes «herborisées», cueillies dans la nature, séchées, collées dans l'album et identifiées.

Jardin d'herbes : *herbarium* ou *herbularius*; jardin formé de carreaux de plantes médicinales ou potagères.

Palis (palissage, palisser) : clôture légère à claire-voie formée de pieux et de lattes assemblés à angle droit, souvent couverte de plantes grimpantes, en particulier de roses.

Plateau/x (taille en) : c'est la taille des arbres la plus fréquemment représentée à la fin du Moyen Âge. Les branches sont conduites sur les rayons de cercles de bois ou de métal de taille décroissante : le feuillage de l'arbre se développe alors en plateaux, appelés aussi degrés ou gradins. Dénommé également taille en estrade, ce type de conduite s'applique autant à des arbustes en pot qu'à de grands arbres en pleine terre.

Plessis : clôture formée de branchages entrelacés, le plus souvent d'osier, de châtaignier ou de coudrier.

Préau : de l'ancien français *prael*, petit pré. Prairie fleurie faisant partie des aménagements du verger. Le terme désigne d'abord la pelouse fleurie puis, de manière plus large, le jardin d'agrément lui-même, formé de plusieurs carreaux ou d'un préau entouré de plates-bandes fleuries.

Topiaire (art) : art de la taille décorative des arbres. Au Moyen Âge, l'art de la conduite semble plus fréquent que celui de la taille dans le volume des feuillages.

Treillage (treillis) : clôture formée de tiges de bois entrecroisées. Les inventaires comme l'iconographie évoquent fréquemment les clôtures de «treillis losangés», où les tiges sont donc croisées en forme de losanges; celles-ci sont souvent en osier.

Verger : ou *viridarium* (de *viridis*, vert). Le terme désigne au Moyen Âge le jardin d'agrément planté d'herbes, de fleurs et d'arbres, et non, comme aujourd'hui, un champ planté d'arbres fruitiers de rapport. Le verger est l'équivalent médiéval du *locus amœnus*, le lieu par excellence du jardin d'amour.

Index des noms de plantes

Index des noms de lieux et de personnes

INDEX DES NOMS DE LIEUX ET DE PERSONNES

Bibliographie

Ouvrages et périodiques

Albert le Grand
De vegetabilibus, Lib. VII, Historia naturalis, pars XVII, E. Meyer, C. Jessen (éd.), Berlin, 1867; reprint Francfort, 1982, p. 636-638

Albrecht (M. R.), 1964
«La flore des tapisseries de l'Apocalypse», *L'Information scientifique*, 19, p. 196-205

Alexander (E. J.), Woodward (C. J.), 1941
«The Flora of the Unicorn Tapestries», *Journal of the New York Botanical Garden*; 2ᵉ éd., The New York Botanical Garden, 1974

Amherst (A.), 1894
«A Fifteenth Century Treatise on Gardening. By "Mayster Ion Gardener"», *Archaeologia*, 51, p 157-172

Amherst (A.), 1895
A History of Gardening in England, Quarritch, 2ᵉ éd., 1896; reprint Detroit, 1969

Anderson (F. J.), 1977
An Illustrated History of Herbals, New York

Anderson (F. J.), 1983-1984
Herbals through 1500. The Illustrated Bartsch, 90, New York

Antoine (É.), 2000
Le Jardin médiéval, Paris

Antoine (É.), 2001
«Jardins de plaisance», *Paris et Charles V*, p. 151-165, Paris

Anzelewsky (F.), 1957
«À propos de la topographie du parc de Bruxelles et du quai de l'Escaut à Anvers de Dürer», *Bulletin des Musées royaux des Beaux-Arts de Belgique*, 6, p. 87-107

Arber (A.), 1938
Herbals: Their Origin and Evolution, Cambridge, 3ᵉ éd.

L'Arbre. Histoire naturelle et symbolique de l'arbre, du bois et du fruit au Moyen Âge, Cahiers du Léopard d'or, 2, Paris, 1993

Arens (F.), 1971
«Die ursprüngliche Verwendung gotischer Stein-und Tonmodel», *Mainzer Zeitschrift*, 66, p. 106-131

Arisi (F.), Mezzadri (L.), 1990
La Galleria Alberoni di Piacenza, Plaisance

Arnaud d'Agnel (G.), abbé, 1908-1910
Les Comptes du roi René, Paris

Aujourd'hui le Moyen Âge. Archéologie et vie quotidienne
Aix-en-Provence, 1981

Avril (F.), 1999
«Jean Le Tavernier, un nouveau livre d'heures», *Revue de l'art*, 126, p. 9-22

Avril (F.), Reynaud (N.), 1993-1994
Les Manuscrits à peintures en France, 1440-1520, cat. exp., Paris

Azzi Visentini (M.) éd., 1999
L'arte dei giardini. Scritti teorici e pratici dal XIV al XV secolo, Milan

Baumann (F. A.), 1974
Das Erbario Cararese und die Bildtradition des Tractatus de herbis, Berne

Bayard (T.), 1985
Sweet Herbs and Sundry Flowers. Medieval Gardens and the Gardens of the Cloisters, New York; 2ᵉ éd. 1997

Beaune (C.), 1995
«Le langage symbolique des jardins médiévaux», *Jardins du Moyen Âge*, p. 63-75, Paris

Beck (C.) et (P.), 1993
«La nature aménagée. Le parc du château d'Aisey-sur-Seine (Bourgogne, XIVᵉ-XVIᵉ siècle)», *L'Homme et la nature au Moyen Âge. Actes du Vᵉ Congrès international d'archéologie médiévale*, p. 22-29, Grenoble

Behling (L.), 1965
«Betrachtungen zu einigen Dürer-Pflanzen», *Panthéon*, XXIII, p. 279-291

Behling (L.), 1966
«Das italienische Pflanzenbild um 1400, Zum Wesen des pflanzlichen Dekors auf dem Epiphaniasbild des Gentile da Fabriano in den Uffizien», *Panthéon*, XXIV, p. 347-359

Behling (L.), 1967
Die Pflanze in der mittelalterlichen Tafelmalerei, Cologne, 2ᵉ éd.

Bénétière (M.-H.), 2000
Jardin. Vocabulaire typologique et technique, Paris

Benoît (F.), 1947
Histoire de l'outillage rural et artisanal, Paris

Berenson (B.), James (M. R.), 1926
Speculum humanae salvationis, Oxford

Berlin, 1994
Das Berliner Kupferstichkabinett. Ein Handbuch zur Sammlung, Kupferstichkabinett der Staatlichen Museen zu Berlin – Preussischer Kulturbesitz

Bertaud (É.), 1969
«Hortus, Hortulus, jardin spirituel», *Dictionnaire de spiritualité ascétique et mystique*, VII, col. 766-784, Paris

Berty (A.), Legrand (H.), 1868-1886
Topographie historique du Vieux Paris. I, Le Louvre et les Tuileries, p. 181-199

Bevers (H.), 1994
Meister E. S. Der Grosse Liebesgarten, Francfort

Beylier (H.), 1993
Treillages de jardin du XIVᵉ au XXᵉ siècle, Paris

Bibliothèque nationale, 1982
Catalogue des incunables, II, fascicule 2, Paris

Bibliothèque nationale, 1992
Catalogue des incunables, I, fascicule 1, Paris

Bilimoff (M.), 2001
Promenade dans des jardins disparus. Les plantes au Moyen Âge d'après les Grandes Heures d'Anne de Bretagne, Rennes

Blangy (A.), comte de, 1889
Journal des fouilles de Saint-Vaast, siège de 1356, Caen

Bliss (D. P.), 1928
«Love Gardens in the Early German Engravings and Woodcuts», *The Print Collector's Quaterly*, 15, p. 90-109

Blunt (W.), Raphael (S.), 1979
The Illustrated Herbal, Londres

Bon (P.), 1997
«Les jardins du duc de Berry et les préaux de Mehun-sur-Yèvre», *Flore et jardins*, P.-G. Girault (dir.), p. 39-50

Bosqued Lacambra (P.), 1989
Flora y vegetacion en los tapices de la Seo, Saragosse

Bourreux (C.), 2001
Les Plantes de la Bible et leur symbolique, Paris

Bourgeois-Cornu (L.), 1999
Les Bonnes Herbes du Moyen Âge, Paris

Bousmanne (B.), 1997
Item a Guillaume Wyelant, aussi enlumineur. Willem Vrelant. Un aspect de l'enluminure dans les Pays-Bas méridionaux sous le mécénat des ducs de Bourgogne Philippe le Bon et Charles le Téméraire, Bruxelles

Bouvet (F.) éd., 1961
Le Cantique des cantiques. Canticum Canticorum, Paris

Bouvier (J.-C.), 1990
«Ort et jardin dans la littérature médiévale d'oc», *Vergers et jardins dans le monde médiéval*, p. 41-51

Bozzolo (C.), 1973
Manuscrits des traductions françaises de Boccace, XVᵉ siècle, Padoue

Branca (V.) dir., 1999
Boccaccio visualizzato. Narrare per parole e per immagini fra Medioevo e Rinascinamento, III, Turin

Bresc (H.), 1972
«Les jardins de Palerme (1290-1460)», *Mélanges de l'École française de Rome. Moyen Âge et Temps modernes*, 84, p. 55-127

Bresc (H.), 1989
«Genèse du jardin méridional. Sicile et Italie du Sud, XIIᵉ-XIIIᵉ siècles», *Jardins et vergers en Europe occidentale (VIIIᵉ-XVIIIᵉ siècle)*, p. 97-113

Bresc (H.), 1994
«Les jardins royaux de Palerme», *Mélanges de l'École française de Rome. Moyen Âge et Temps modernes*, 106, p. 239-258

Brinkmann (B.), 1987-1988
«Neues vom Meister der Lubecker Bibel», *Jahrbuch der berliner Museen*, 29-30, p. 123-161

Brinkmann (B.), 1997
Die Flämische Buchmalerei am Ende des Burgunderreichs, Turnhout

Brownlow (M.), 1963
Herbs and the Fragrant Garden, Londres, 2ᵉ éd.

Brunet (M.), 1971
«Le parc d'attraction des ducs de Bourgogne à Hesdin», *Gazette des beaux-arts*, 78, p. 331-342

Brut (C.), Lagarde (F.), 1993
«Une fosse du Bas Moyen Âge au 4, rue de la Collégiale à Paris. Étude du matériel», *Cahiers de la Rotonde*, 14, p. 91-120

Byvanck (A. W.), 1937
La Miniature dans les Pays-Bas septentrionaux, Paris

Calkins (R. G.), 1986
«Piero de' Crescenzi and the Medieval Garden», *Medieval Gardens*, É. Mac Dougall (dir.), p. 156-173

Cambornac (M.), 1988
Plantes et jardins médiévaux, Fontevraud

Camille (M.), 2000
L'Art de l'amour au Moyen Âge. Objets et sujets du désir, Cologne

Camus (J.), 1886
«L'opera salernitana *Circa instans* ed il testo primitivo del "Grant herbier en françoys" secundo due codici del secolo XV», *Memorie della Reale Accademia di scienze, lettere ed arti di Modena, Sezione di lettere*, 4, 2ᵉ série, Modène

Camus (J.), 1894
Les Noms de plantes du Livre d'heures d'Anne de Bretagne, Paris (extrait du *Journal de botanique*, 8, nᵒ 19 à 23)

Candolle (A. de), 1984
Origine des plantes cultivées, Marseille, Laffitte *reprints*; 1ʳᵉ éd. 1883

Cardini (F.), 1994
«Il giardino del cavaliere, il giardino del mercante. La cultura del giardino nella toscana tre-quattrocentesca», *Mélanges de l'École française de Rome. Moyen Âge et Temps modernes*, 1, p. 259-273

Carru (D.), 1997
«La vaisselle consommée à Avignon à la fin du Moyen Âge : mutations, influences et sources d'approvisionnement», *La Céramique médiévale en Méditerranée*. Actes du VIᵉ Congrès, Aix-en-Provence, 1995, p. 487-495, Aix-en-Provence

Cassagnes-Brouquet (S.), 1988
Le Livre d'heures de Katherine de Rochechouart-Mortemart, mémoire de maîtrise en histoire de l'art (dactylographié), université Blaise-Pascal, Clermont-Ferrand

Catalogue général des manuscrits des bibliothèques publiques de France. Départements, IX, Saint-Germain-en-Laye, Paris, 1888

Catalogue général des manuscrits des bibliothèques publiques de France. Départements, LVI, Colmar, Paris, 1969

Catalogue général des manuscrits français de la Bibliothèque nationale, I, Paris, 1868

Catalogue général des manuscrits français de la Bibliothèque nationale. Anciens petits fonds, II, Paris, 1902

Catalogue of the Additions to the Manuscripts in the British Museum in the years 1854-1875, Londres, 1875

Cavallo (A. S.), 1993
Medieval Tapestries in the Metropolitan Museum of Art, New York

Census-Catalogue of Manuscript Sources of Polyphonic Music 1400-1550, 1984
American Institute of Musicology, Stuttgart

Charageat (M.), 1950-1951
«Le parc d'Hesdin, création monumentale du XIIIᵉ siècle», *Bulletin de la Société de l'histoire de l'art français*, p. 94-106

Charageat (M.), 1955
«De la maison Dedalus aux labyrinthes», *Actes du XVIIᵉ Congrès d'histoire de l'art*, p. 345-350, La Haye

Charron (P.), 2001
«Quelques bibliophiles de la cour de Bourgogne et le maître du *Champion des dames* (ca 1465-1475)», *L'Artiste et le commanditaire aux derniers siècles du Moyen Âge, XIVᵉ-XVIᵉ siècles*, F. Joubert (dir.), p. 191-207, Paris

Cherry (J.), 1982
«The Talbot Casket and Related Medieval Leather Caskets», *Archaeologia*, CVII, p. 131-140

Christianson (C. P.), à paraître
«Tools from the Medieval Garden», *Garden History*

Christine de Pizan
Le Livre de la Cité des dames, E. Hicks, T. Moreau (éd.), Paris, 1986

Clark (J.), 1986
«Bill Hooks», *Tools and Trades History Society Newsletter*, 12, p. 41-43

Cogliati Arano (L.), 1976
The Medieval Health Handbook. Tacuinum sanitatis, New York

Colardelle (M.) dir., 1996
L'Homme et la nature au Moyen Âge. Actes du Vᵉ Congrès international d'archéologie médiévale, Grenoble, 1993, Paris

Collins (M.), 2000
Medieval Herbals. The Illustrative Traditions, Londres

Colvin (H. M.), 1986
«Royal Gardens in Medieval England», *Medieval Gardens*, É. Mac Dougall (dir.), p. 7-21

Comet (G.), 1979
«Les calendriers médiévaux, quelques questions», *Iconographie et histoire des mentalités*, Paris, p. 170-174

Comet (G.), 1983
«Le temps agricole d'après les calendriers illustrés», *Temps, mémoire, tradition au Moyen Âge*, p. 9-22, Aix-en-Provence

Comet (G.), 1992
Le Paysan et son outil. Essai d'histoire technique des céréales. France VIIIᵉ-XVᵉ siècle, Paris/Rome

Commeaux (C.), 1979
La Vie quotidienne en Bourgogne au temps des ducs de Valois, 1364-1477, Paris

Constans (C.), 1980
Musée national du château de Versailles. Catalogue des peintures, Paris

Constans (C.), 1995
Musée national du château de Versailles. Les Peintures II, Paris

Corley (B.), 2000
Painting and Patronage in Cologne, 1300-1500, Turnhout

Coulet (N.), 1967
«Pour une histoire du jardin. Vergers et potagers à Aix-en-Provence : 1350-1450», *Le Moyen Âge*, p. 230-270

Coulet (N.), 1990
«Jardins et jardiniers du roi René à Aix», *Annales du Midi*, CII, p. 275-288

Crisp (F.), 1924
Mediaeval Gardens, Londres; 2ᵉ éd. New York, 1966

Crossley-Holland (N.), 1996
Living and Dining in Medieval Paris. The Household of a Fourteenth Century Knight, Cardiff

Curtius (R.), 1956
La Littérature européenne et le Moyen Âge latin, Paris

Daley (B. E.), 1986
«The "Closed Garden" and the "Sealed Fountain" : Songs of Songs 4:12 in the Late Medieval Iconography of Mary», *Medieval Gardens*, É. Mac Dougall (dir.), p. 253-278

Dalton (O. M.), 1906
«On a set of table knives in the British Museum», *Archaeologia*, 60, p. 423-430

Dami (L.), 1920
«Il giardino italiano nel Quattrocento»,
Dedalo, 1, p. 368-391

Dami (L.), 1924
Il giardino italiano, Milan

Dehaisnes (C.), 1886
*Documents et extraits divers concernant l'histoire
de l'art dans les Flandres, l'Artois, et le Hainaut
avant le XVe siècle*, Lille

De Jonge (Kr.), 1999
«L'environnement du château dans les Pays-
Bas méridionaux au XVIe siècle et au début
du XVIIe siècle», *Architecture, jardin, paysage*,
J. Guillaume (dir.), p. 185-206

Delgrange (D.), 2000
«Répertoire des insignes et couleurs de
livrées au XVe siècle», *Héraldique et
sigillographie des Pays-Bas français*, 13

Delisle (L.), 1896
«*Tacuinum sanitatis in medicina*», *Journal
des savants*, p. 518-540

Delisle (L.), 1903
*Études sur la condition de la classe agricole
et l'état de l'agriculture en Normandie au
Moyen Âge*, Paris ; *reprint* New York, [1969?]

Delisle (L.), 1913
*Les Grandes Heures de la reine Anne de
Bretagne et l'atelier de Jean Bourdichon*, Paris

Delumeau (J.), 1992
Une histoire du paradis. Le jardin des délices,
Paris

Démians d'Archimbaud (G.) dir., 1980
*Céramiques d'Avignon, les fouilles de l'hôtel
de Brion et leur matériel*, Mémoires de
l'Académie de Vaucluse, 7e série, I

Dictionnaire des lettres françaises., *Le Moyen
Âge*, 2e éd. revue et mise à jour, Paris, 1992

Dion (R.), 1959
*Histoire de la vigne et du vin en France, des
origines au XIXe siècle*, Paris ; rééd. 1977

Dogaer (G.), 1987
*Flemish Miniature Painting in the 15th and
16th centuries*, Amsterdam

Dorveaux (P.), 1913
*Le Livre des simples médecines. Traduction du
Liber de simplici medicina dictu circa instans
de Platearius, tirée d'un manuscrit du XIIIe siècle*,
Paris

Du Sommerard (E.), 1883
*Musée des thermes et de l'hôtel de Cluny.
Catalogue et description des objets d'art de
l'Antiquité, du Moyen Âge et de la Renaissance
exposés au musée*, Paris

Duval (A.), 1988
«Rosaire», *Dictionnaire de spiritualité
ascétique et mystique*, Paris, XIII, col. 937-980

Dyer (C.), 1989
«Jardins et vergers en Angleterre au Moyen
Âge», *Jardins et vergers en Europe occidentale
(VIIIe-XVIIIe siècle)*, p. 145-164

Einhorn (J. W.), 1976
*Spiritualis Unicornis. Das Einhorn als
Bedeutungsträger in Literatur und Kunst des
Mittelalters*, Munich

Erlande-Brandenburg (A.), Le Pogam (P.-Y.),
Sandron (D.), 1993
*Musée national du Moyen Âge – thermes de
Cluny. Guide des collections*, Paris

Ferre (M.), 1986
«Les jardins du Louvre d'après les vestiges
botaniques», *Dossiers Histoire et Archéologie*,
110, p. 72-77

Finkenstaedt (T.), 1966
«Der Garten des Königs», *Wandlungen
des Paradiesischen und Utopischen. Studien
zum Bild eines Ideals. Probleme des
Kunstwissenschaft*, 2e vol., Berlin

Fischer (H.), 1929
Mittelalterliche Pflanzenkunde, Munich ;
reprint Hildesheim, 1967

Flint (V. I. J.), 1974
«The Commentaries of Honorius
Augustodunensis on the *Song of Songs*»,
Revue bénédictine, LXXXIV, 1-2, p. 196-211

Fontaine (M.-M.), 1999
«La vie autour du château : témoignages
littéraires», *Architecture, jardin, paysage*,
J. Guillaume (dir.), p. 259-294

Forti (A.), 1920
«Studi sulla flora della pittura classica
veronese», *Madonna Verona*, 14, p. 57-228

Fowler (J.), 1873
«On Mediaeval Representations of the
Months and Seasons», *Archaeologia*, 44,
p. 177-224

Franz (G.) dir., 1984
*Geschichte des deutschen Gartenbaues.
Deutsche Agrargeschichte*, VI, Stuttgart/Ulm

Frati (L.), 1933
«Bibliografia dei manoscritti», *Pier de
Crescenzi. Studi e documenti*, p. 259-306

Frauenfelder (R.), 1936
«Die Symbolik des Gobelins "Mystischer
Garten Mariae" vom Jahre 1480 im
Schweizerischen Landesmuseum», *Anzeiger
für Schweizerische Altertumskunde*, 38,
p. 133-136

Freedberg (D.), 1981
«The Origins and Rise of the Flemish
Madonnas in Flower Garlands : Decoration
and Devotion», *Münchner Jahrbuch der
Bildenden Kunst*, 32, p. 115-150

Freeman (M.), 1979
Herbs for the Medieval Household, New York

Freeman (M.), 1983
La Chasse à la licorne, Lausanne/Paris

Friedländer (M. J.), 1931
*Die altniederländische Malerei, IX, Joos van
Cleve, Jan Provost, Joachim Patinier*, Berlin

Friedländer (M. J.), 1963
*Landscape, Portrait, Still life : Their Origin and
Development*, New York

Fritz (K.), 1986
Israhel Van Meckenem, T. Falk (éd.),
*Hollstein's German Engravings, Etchings and
Woodcuts*, Amsterdam

Fritz (R.), 1952
«Aquilegia : die symbolische Bedeutung
der Akelei», *Wallraf Richartz Jahrbuch*, 14,
p. 99-101

Fuhrman (J.), 1990
«Les différentes sources, caractéristiques
et fonctions des jardins monastiques au
Moyen Âge», *Vergers et jardins dans l'univers
médiéval*, p. 111-124

Gagnière (S.), 1988
«Les jardins et la ménagerie du palais des
Papes d'après les comptes de la chambre
apostolique», *Avignon au Moyen Âge. Textes
et documents*, p. 103-109, Avignon

Gall (G.), 1965
Leder in europäischen Kunsthandwerk,
Braunschweig

Geisberg (M.), 1923-1924
Die Kupferstiche des Meisters E. S., Berlin

Gesbert (É.), 2001
*Les Jardins du Moyen Âge : du XIe au début
du XIVe siècle*, mémoire de maîtrise en
archéologie (dactylographié), université
Paris-I Panthéon-Sorbonne, Paris

Gibault (G.), 1896
«Les couronnes de fleurs et les chapeaux de
roses dans l'Antiquité et au Moyen Âge»,
Revue horticole, p. 454-458

Gibault (G.), 1896
«L'ancienne corporation des maîtres
jardiniers de la ville de Paris», *Journal de la
Société nationale d'horticulture de France*, 18,
p. 153-174

Gibault (G.), 1898
«La condition et les salaires des anciens
jardiniers», *Journal de la Société nationale
d'horticulture de France*, 20, p. 65-82

Gibault (G.), 1898
«Les origines de la culture forcée», *Journal
de la Société nationale d'horticulture de France*,
20, p. 1109-1117

Gibault (G.), 1902
«Les fleurs et les couronnes de fleurs
naturelles aux funérailles», *Revue horticole*,
p. 509-513

Gibault (G.), 1902
«Les fleurs aux funérailles et la tradition
chrétienne», *Revue horticole*, p. 529-532

Gibault (G.), 1906
«Les fleurs, les fruits et les légumes dans
l'ancien Paris», *Revue horticole*, nouvelle
série, VI, p. 65-69

Gibault (G.), 1912
«Les anciennes lois relatives au jardinage»,
*Journal de la Société nationale d'horticulture de
France*, 13, p. 824-830

Girault (P.-G.) dir., 1997
*Flore et jardins. Usages, savoirs et représentations
du monde végétal au Moyen Âge, Cahiers du
Léopard d'or*, 6, Paris

Girault (P.-G.), 1997
«La fonction symbolique de la flore. Héritage
flamand et expression dynastique dans l'œuvre
du maître de saint Gilles», *Flore et jardins*,
P.-G. Girault (dir.), p. 145-176

Goody (J.), 1994
La Culture des fleurs, Paris

Gothein (M.-L.), 1914
Geschichte der Gartenkunst, I, Iéna; *reprint*
Londres/New York, 1928

Gousset (M.-T.), 1986
«Le jardin d'Émilie», *Revue de la Bibliothèque
nationale*, 22, 6ᵉ année, p. 7-24

Gousset (M.-T.), Fleurier (N.), 2001
*Éden. Le jardin médiéval à travers l'enluminure,
XIIIᵉ-XVIᵉ siècle*, Paris

Gratias (C.), 1997
«Le pavillon d'Anne de Bretagne et les jardins
du château de Blois», *Flore et jardins*,
P.-G. Girault (dir.), p. 131-144

Grieco (A.), 1993
«Réflexions sur l'histoire des fruits au Moyen
Âge», *L'Arbre. Histoire naturelle et symbolique
de l'arbre, du bois et du fruit au Moyen Âge*,
p. 145-153

Guillaume (J.) dir., 1999
*Architecture, jardin, paysage. L'environnement du
château et de la villa. Actes du colloque, Tours,
Centre d'études supérieures de la Renaissance,
1992, Paris*

Guillaume (J.), 1999
«Château, jardin, paysage en France du XVᵉ au
XVIIᵉ siècle», *Revue de l'art*, 124, 1999-2, p. 13-32

Guillaume (J.), 1999
«Le jardin mis en ordre. Jardin et château en
France du XVᵉ au XVIIᵉ siècle», *Architecture,
jardin, paysage*, J. Guillaume (dir.), p. 103-136

Guillaume de Lorris, Jean de Meun
Le Roman de la Rose, A. Lanly (éd.), Paris, 1971

Guillaume de Lorris, Jean de Meun
Le Roman de la Rose, A. Strubel (éd.), Paris, 1992

Gwilt (G.), 1850
«Proceedings May 30ᵗʰ 1849», *Journal of the
British Archaeological Association*, 5, p. 343-346

Hagopian van Buren (A.), 1985
«Un jardin d'amour de Philippe le Bon au parc
d'Hesdin», *Revue du Louvre*, 3, p. 185-192

Hagopian van Buren (A.), 1986
«Reality and Literary Romance in the Park of
Hesdin», *Medieval Gardens*, É. Mac Dougall
(dir.), p. 115-134

Halbout (P.), Pilet (C.), Vaudour (C.) dir., 1987
*Corpus des objets domestiques et des armes en fer
de Normandie. Du Iᵉʳ au XVᵉ siècle*, Caen

Hansen (W.), 1984
*Kalenderminiaturen der Stundenbücher :
mittelalterliches Leben im Jahreslauf*, Munich

Hartlaub (G. F.), 1947
«Das Paradiesgärtlein von einem ober-
rheinischen Meister um 1410», *Der Kunstbrief*,
18, Berlin

Harvey (J. H.), 1968
A Glastonbury Miscellany of the Fifteenth Century,
Oxford

Harvey (J. H.), 1972
Early Gardening Catalogues, Londres

Harvey (J. H.), 1972
«Mediaeval Plantsmanship in England :
the Culture of Rosemary», *Garden History*, I, 1,
p. 14-21

Harvey (J. H.), 1974
Early Nurserymen, Londres

Harvey (J. H.), 1978
«Gilliflower and Carnation», *Garden History*,
VI, 1, p. 46-57

Harvey (J. H.), 1981
Mediaeval Gardens, Londres; 2ᵉ éd. 1990

Harvey (J. H.), 1984
«Vegetables in the Middle Ages», *Garden
History*, XII, 2, p. 89-99

Harvey (J. H.), 1985
«The First English Garden Book. Mayster Jon
Gardener's treatise and its background»,
Garden History, XIII, 2, p. 83-101

Harvey (J. H.), 1986
«Medieval Gardens», *The Oxford Companion
to Gardens*, p. 362-367, Oxford

Harvey (J. H.), 1987
«The Square Garden of Henry the Poet»,
Garden History, XV, 1, p. 1-11

Harvey (J. H.), 1987
«Henry Daniel. A Scientific Gardener of the
14ᵗʰ Century», *Garden History*, XV, 2, p. 81-93

Harvey (J. H.), 1989
«Garden Plants of around 1525 : the Fromond
List», *Garden History*, XVII, 2, p. 122-134

Harvey (J. H.), 1992
«Westminster Abbey : the Infirmarer's
Garden», *Garden History*, XX, 2, p. 97-115

Hassals (W. O.), 1970
«Notes on Medieval Spades», *The Spade in
Northern and Atlantic Europe*, A. O. Gailey,
A. Fenton (éd.), p. 31-34, Belfast

Hauman (L.), 1953
«Étude de la végétation», P. Coremans (dir.),
*Les Primitifs flamands. III, Contributions à l'étude
des primitifs flamands. 2, L'Agneau mystique au
laboratoire*, p. 123-125, Anvers

Hébert (M.), 1982
*Inventaire des gravures des écoles du Nord
(1440-1550)*, 1, Paris

Heilmann (K. E.), 1966
Kräuterbücher in Bild und Geschichte, Munich

Heinz-Mohr (B.), Sommer (V.), 1986
Die Rose : Entfaltung eines Symbols, Munich

Hennebo (D.), 1962
Gärten des Mittelalters, Hambourg; 2ᵉ éd.
Munich, 1987

Higounet-Nadal (A.), 1989
«Les jardins urbains dans la France médiévale»,
*Jardins et vergers en Europe occidentale (VIIIᵉ-
XVIIIᵉ siècle)*, p. 115-144

Hillard (D.), 1989
*Catalogues régionaux des incunables des bibliothèques
publiques de France. VI, Bibliothèque Mazarine*,
Langres

Hind (A. M.), 1935
An Introduction to a History of Woodcut,
New York

Hind (A. M.), 1938
Early Italian Engravings, Londres

Hobhouse (P.), 1994
L'Histoire des plantes et des jardins, Paris

Hollstein (F. W. H.), 1949-2001
*Dutch and Flemish Etchings, Engravings and
Woodcuts, ca. 1450-1700*, 58 vol., Amsterdam

Hollstein (F. W. H.), 1954-1997
*German Engravings, Etchings and Woodcuts,
ca. 1400-1700*, 44 vol., Amsterdam

Hue (D.), 1990
«Reliure, clôture, culture : le contenu des
jardins», *Vergers et jardins dans l'univers
médiéval*, p. 155-175

Hunt (T. J.), 1959-1960
«A Thirteenth Century Garden at Rimpton»,
*Proceedings of the Somersetshire Archaeological
and Natural History*, 104, p. 91-95

Hutchison (J. C.), 1972
The Master of the Housebook, New York

Ile-de-France médiévale (L'), Paris, 2000

*In August Company. The Collections of The
Pierpont Morgan Library*, New York, 1993

James (F.-C.), 1991
«Images et faits perdus. Parcs et jardins anciens
en pays de la Loire», *Revue 303. Pays de la Loire*,
p. 32-45

Janssen (W.), 1990
«Gartenkultur im Mittelalter», *Wieviel Garten
braucht der Mensch*, G. Bittner, P. L. Weinacht
(éd.), p. 59-84, Wurtzbourg

Jardins du Moyen Âge, 1995
Centre de l'enluminure et de l'image médiévale
de Noirlac, Paris

Jardins et vergers en Europe occidentale (VIIIe-XVIIIe siècle), IXe Journées internationales d'histoire, 18-20 septembre 1987, Centre culturel de l'abbaye de Flaran, Auch, 1989

Jestaz (B.), 1999
«La villa de Giovanni Rucellai à Quaracchi et ses nouveautés», *Architecture, jardin, paysage*, J. Guillaume (dir.), p. 21-28

Joret (C.), 1892
La Rose dans l'Antiquité et au Moyen Âge, Paris ; Slatkine *reprints*, Genève/Paris, 1993

Joubert (F.), 1987
La Tapisserie médiévale au musée de Cluny, Paris ; 2e éd., 1994

Jourdan (J.-P.), 1996
«Le sixième sens et la théologie de l'amour», *Journal des savants*, p. 137-160

Kashnitz (R.), 1995
«Kleinod und Andachtsbild. Zum Bildprogramm des Goldenen Rössls», *Das Goldene Rössl. Ein Meisterwerk der Pariser Hofkunst um 1400*, cat. exp., p. 58-89, Bayerisches National Museum, Munich

Kaufmann (A.), 1892
Der Gartenbau im Mittelalter, Berlin

Keil (G.), 1986
«Hortus sanitatis, Gart der Gesundheit, Gaerde der Sunthede», *Medieval Gardens*, É. Mac Dougall (dir.), p. 55-68

Keil (I.), 1959-1960
«The Garden at Glastonbury Abbey : 1333-1334», *Proceedings of the Somersetshire Archaeological and Natural History*, 104, p. 96-100

Kenyon (F. G.), 1912
Catalogue of the Fifty Manuscripts and Printed Books Bequeathed to the British Museum by Alfred H. Huth, Londres

Kessels (L.), 1987
«The Brussels/Tournai-Partbooks : Structure, Illumination, and Flemish Repertory», *Tijdschrift van de Vereniging voor Nederlandse Muzickgeschiedenis*, XXXVII, p. 82-110

Kessler (E.), 1997
«Le jardin des délices et les fruits du mal», *Flore et jardins*, P.-G. Girault (dir.), p. 177-198

Kihm (F.), 1997
«Du jardin à la table en Allemagne au milieu du XIVe siècle : plantes, fleurs et fruits dans le plus ancien livre de cuisine allemand», *Flore et jardins*, P.-G. Girault (dir.), p. 75-86

Kihm (V.), 1996
Saveurs médiévales. Recueil de recettes, 2e éd., Poitiers, faculté des Sciences

Killermann (S.), 1910
A. Dürer Pflanzen- und Tierzeichnungen und ihre Bedeutung für die Naturgeschichte, Strasbourg

Kirschbaum (E.), 1990
«Garten», *Lexikon der christlichen Ikonographie*, II, col. 77-81, Rome/Fribourg/Bâle

Klebs (A.), 1925
Early Herbals, Lugano

Kleindienst (T.), 1963
«La topographie et l'exploitation des "Marais de Paris" du XIIe au XVIIe siècle», *Paris et Ile-de-France. Mémoires*, XIV, p. 7-167

Koch (R. A.), 1964
«Flower Symbolism in the Portinari Altar», *The Art Bulletin*, XLVI, 1, p. 70-77

Köhler (C.), 1896
Catalogue des manuscrits de la bibliothèque Sainte-Geneviève, Paris

Kohlhausen (H.), 1928
Minnekästchen im Mittelalter, Berlin

König (E.), 1982
Französische Buchmalerei um 1450. Der Jouvenel-Maler, der Maler des Genfer Boccaccio und die Anfänge Jean Fouquets, Berlin

Korteweg (A. S.), 1998
Boeken Van Oranje-Nassau : De Bibliotheek Van De Graven Van Nassau En Prinsen Van Oranje In De Vijft, La Haye

Kuhn (A.), 1911
Die Illustration des Rosenromans, Fribourg-en-Brisgau

Kühn (W.), 1948
«Grünewald Isenheimer Altar als Darstellung mittelalterlicher Heilkräuter», *Kosmos*, 12, p. 327 et suivantes

Kurth (B.), 1917
«Die Blütezeit der Bildwirker Kunst zu Tournai und der burgundische Hof», *Jahrbuch der Kunsthistorischen Sammlungen des allerhöchsten Kaiserhauses*, 34, p. 53-110, Vienne

Kuster (E.), 1919-1920
«Belgische Gärten des fünfzehnten Jahrhunderts», *Repertorium für Kunstwissenschaft*, XLI, p. 148-158

Laborde (A.), comte de, 1909
Les Manuscrits à peintures de la Cité de Dieu de saint Augustin, Paris

Laborde (L.), comte de, 1849-1852
Les Ducs de Bourgogne. Études sur les lettres, les arts et l'industrie pendant le XVe siècle et plus particulièrement dans les Pays-Bas et le duché de Bourgogne, Paris

La Bouillerie (Mgr de), 1864
Étude sur le symbolisme de la nature, interprété d'après l'Écriture sainte et les Pères, Paris

Lacroix (J.), 1990
«Les jardins de Boccace ou la fête florentine du récit», *Vergers et jardins dans l'univers médiéval*, p. 197-213

Lambert (A.), 1878
«The Ceremonial Use of Flowers», *The Nineteenth Century*, 4, p. 457-477

Lambert (A.), 1880
«The Ceremonial Use of Flowers : a Sequel», *The Nineteenth Century*, 7, p. 808-827

Landsberg (S.), 1995
The Medieval Garden, Londres

Landy (F.), 1979
«The *Song of Songs* and the Garden of Eden», *Journal of Biblical Literature*, 98, 4, p. 513-528

Langlois (E.), 1910
Les Manuscrits du Roman de la Rose, Lille/Paris

Leber (C.), 1839
Catalogue des livres composant la bibliothèque de M. C. Leber, Paris

Lechner (G. M.), 1978
«Die mystische Einhorn-Jagd als Allegorie der Verkündigung», *Jagd einst und jetzt*, cat. exp., p. 27-41, Marchegg, Vienne

Leclercq (H.), 1923
«Fleur de lis», *Dictionnaire d'archéologie chrétienne et de liturgie*, V, col. 1699-1708, Paris

Lecoy (F.), 1987-1993
La Vie des Pères, Paris

Lecoy de la Marche (A.), 1873
Extraits des comptes et mémoriaux du roi René pour servir à l'histoire des arts au XVe siècle, Paris

Lecoy de la Marche (A.), 1875
Le Roi René, Paris

Legros (V.), 2001
«Étude du mobilier métallique des fermes médiévales du "Bellé" à Neuilly-en-Thelle (Oise) (approche technique et fonctionnelle)», *Revue archéologique de Picardie*, p. 1-34

Lehrs (M.), 1900
«Der Meister der berliner Passion», *Jahrbuch der preussischen Kunstsammlungen*, XXI, p. 135-159

Lehrs (M.), 1908-1934
Geschichte und kritischer Katalog des deutschen, niederländischen und französischen Kupferstichs im XV. Jahrhundert, Vienne

Lemaître (J.-L.), 1987
Les Heures de Peyre de Bonetos, Ussel

Lemoisne (P. A.), 1927
Les Xylographies du XIVe et du XVe siècle au cabinet des Estampes, Paris/Bruxelles

Leroquais (V.), 1929
Le Bréviaire de Philippe le Bon. Bréviaire parisien du XVe siècle, Bruxelles

Le Sénécal (J.), 1921-1923
«Les occupations des mois dans l'iconographie du Moyen Âge», *Bulletin de la Société des antiquaires de Normandie*, 35, p. 1-218

Lespinasse (R. de), Bonnardot (F.), 1879-1897
Les Métiers et les corporations de la ville de Paris (Histoire générale de Paris). Histoire de l'industrie française et des gens de métier, Paris

Lesueur (P.), 1904
«Les jardins du château de Blois et leurs dépendances : étude architectonique», *Mémoires de la Société des sciences et lettres de Loir-et-Cher*, XVIII, p. 223-438

Levi d'Ancona (M.), 1977
*The Garden of the Renaissance. Botanical
Symbolism in Italian Painting*, Florence

*Librairie de Bourgogne et quelques acquisitions
récentes de la Bibliothèque royale Albert Ier (La)*,
1967, Bruxelles

Lieutaghi (P.), 1992
Jardin des savoirs, jardin d'histoire, Mane

London Museum, 1940
*London Museum Catalogues no 7 : Medieval
catalogue*, Londres

Lorcin (M.-T.), 1990
«Les "meschantes herbes des jardins"», *Vergers
et jardins dans l'univers médiéval*, p. 237-252

Lyna (F.), 1926
*Le Mortifiement de vaine plaisance de René
d'Anjou*, Paris

Lyna (F.), Van den Bergen-Pantens (C.), 1989
*Les Principaux Manuscrits à peintures de la
Bibliothèque royale de Bruxelles*, Bruxelles

Mac Dougall (É.) dir., 1986
*Medieval Gardens. Dumbarton Oaks Colloquium
on the History of Landscape Architecture IX*, 1983,
Washington DC

Mac Lean (T.), 1980
Medieval English Gardens, Londres

Mane (P.), 1985
«L'iconographie des manuscrits du traité
d'agriculture de Pier' de Crescenzi», *Mélanges
de l'École française de Rome. Moyen Âge et Temps
modernes*, 97, 2, p. 727-818

Marien Dugardin (A. M.), 1952
«Coffrets à Madone», *Bulletin des musées royaux
d'Art et d'Histoire*, XXIV, p. 101-110

Martin (H.), 1889
*Catalogue des manuscrits de la bibliothèque
de l'Arsenal*, Paris

Martin (H.), Lauer (P.), 1929
*Les Principaux Manuscrits à peintures de la
bibliothèque de l'Arsenal à Paris*, Paris

Martin Le Franc
Le Champion des dames, R. Deschaux (éd.),
5 vol., Paris, 1999

Masai (F.), Wittek (M.) dir., 1978
*Manuscrits datés conservés en Belgique. III, 1441-
1460. Manuscrits conservés à la Bibliothèque royale
Albert Ier*, Bruxelles/Gand

Masson-Voos (C.), 1997
«Les jardins objets d'attention au Moyen Âge»,
Flore et jardins, P.-G. Girault (dir.), p. 9-38

Mathon (C. C.), 1981
*Phytogéographie appliquée : l'origine des plantes
cultivées*, Paris, Muséum national d'Histoire
naturelle / Poitiers, faculté des Sciences
(non publié)

Mathon (C. C.), 1989
*Courtil et courtillage du bourgeois parisien pendant
la guerre de Cent Ans*, Paris, Muséum national
d'Histoire naturelle / Poitiers, faculté des
Sciences (non publié)

Mathon (C. C.), 1996
*Les Principales Plantes alimentaires du Moyen Âge
d'Europe occidentale*, Paris, Muséum national
d'Histoire naturelle / Poitiers, faculté des
Sciences (non publié)

Mathon (C. C.), Girault (P.-G.), 1997
«Des marais aux marchés. Usages et images des
plantes dans le *Journal d'un bourgeois de Paris*
(1405-1449)», *Flore et jardins*, P.-G. Girault (dir.),
p. 87-112

Maury (C.), 1963
«Un herbier français du XVe siècle : le livre des
simples médecines», *Position des thèses de l'École
des chartes*, p. 105-108, Paris

Meiss (M.), 1967
*French Painting in the Time of Jean de Berry.
I, The Late 14th Century and the Patronage of the
Duke*, New York

Meiss (M.), 1974
*French Painting in the Time of Jean de Berry.
III, The Limbourg and their Contemporaries*,
New York

Ménard (P.), 1989
«Jardins et vergers dans la littérature
médiévale», *Jardins et vergers en Europe
occidentale (VIIIe-XVIIIe siècle)*, p. 41-69

Mercier (F.), 1937
«La valeur symbolique de l'œillet dans la
peinture du Moyen Âge», *Revue de l'art ancien
et moderne*, année 41, 71, p. 233-236

Mérindol (C. de), 1993
«De l'emblématique et de la symbolique de
l'arbre à la fin du Moyen Âge», *L'Arbre. Histoire
naturelle et symbolique de l'arbre, du bois et du fruit
au Moyen Âge*, p. 105-125

Mesnagier de Paris (Le)
G. E. Brereton, M. Ferrier (éd.), Paris, 1994

Mesqui (J.), 1993
Châteaux et enceintes de la France médiévale, Paris

Meyvaert (P.), 1973
«The Medieval Monastic Claustrum», *Gesta*,
12, p. 53-59

Meyvaert (P.), 1986
«The Medieval Monastic Garden», *Medieval
Gardens*, É. Mac Dougall (dir.), p. 23-54

Michaud-Fréjaville (F.), 1995
«Images et réalités du jardin médiéval», *Jardins
du Moyen Âge*, p. 39-62, Paris

Miller (N.), 1986
«Paradise Regained : Medieval Garden
Fountains», *Medieval Gardens*, É. Mac
Dougall (dir.), p. 135-153

Minio (M.), 1952-1953
«Il quattrocentesco codice "Rinio"
integralmente rivendicato al medico Nicolo
Roccabonella», *Atti del Istituto Veneto di scienze

lettere ed arti. Classe di scienze morali e lettere*,
111, p. 49-64

Moly Mariotti (F.), 1993
«Contribution à la connaissance des *Tacuina
sanitatis* lombards», *Arte Lombarda*, 1, p. 32-40

*Le Monde végétal (XIIe-XVIIe siècle). Savoirs et
usages sociaux*, 1989
Actes du colloque de Florence, Saint-Denis

Montague (R. J.), 1912
*A descriptive catalog of the Mac Clean collection
of manuscripts in the Fitzwilliam Museum*,
Cambridge

Moorhouse (S.), 1991
«Ceramics in the medieval garden», *Garden
archaeology, Council for British Archaeology
Research Report*, 78, p. 100-117, Londres

Moxey (K. P. F.), 1980
«Meister E. S. and the Folly of Love», *Simiolus*,
II, 3-4, p. 125-148

Musper (H. T.), 1976
*Der Einblatt-Holzschnitt und die Blockbücher des
XV. Jahrhunderts*, Stuttgart

Naïs (H.), 1957
«Le *Rustican*. Notes sur la traduction française
du traité d'agriculture de Pierre de Crescens»,
Bibliothèque d'humanisme et de Renaissance, XIX,
p. 103-132

Nass (M.), 1994
*Meister E. S. Studien zu Werk und Wirkung,
Europaïsche Hochschulschriften, Kunstgeschichte*,
série XXVII, 220, Francfort

Nissen (C.), 1951-1956
Die Botanische Buchillustration, 2e vol. et
supplément, Stuttgart

Nolhac (P. de), 1887
«Pétrarque et son jardin d'après ses notes
inédites», *Giornale Storico della Letteratura
Italiana*, 9, p. 404-414

Notz (M. F.), 1978
«*Hortus conclusus*. Réflexions sur le rôle
symbolique de la clôture dans la description
romanesque du jardin», *Mélanges Jeanne Lods*,
p. 459-472, Paris

Notz (M. F.), 1980
«Le verger merveilleux : un mode original de la
description», *Études Jules Horrent*, p. 317-324,
Liège

Olivesi (F.J, 2001
*Marguerite en son jardin. Le jardin du château
de Rouvres dans la seconde moitié du XIVe siècle*,
mémoire de maîtrise en histoire (dactylographié),
université Paris-I Panthéon-Sorbonne, Paris

Omont (H.), 1888
*Catalogue général des manuscrits des bibliothèques
publiques de France. Départements, II, Rouen*,
Paris

Opsomer (C.), 1975
«Sur quelques plantes magiques ou légendaires
décrites dans des "herbiers" du Moyen Âge»,

Annales du XVIIe Congrès de la Fédération
des cercles d'archéologie et d'histoire de Belgique,
p. 491-496, Saint-Nicolas

Opsomer (C.) éd., 1980
Le Livre des simples médecines, Codex
Bruxellensis IV 1024, Anvers

Opsomer-Halleux (C.), 1986
« The Medieval Garden and Its Role
in Medicine », *Medieval Gardens*, É. Mac
Dougall (dir.), p. 93-113

Pächt (O.), 1950
« Early Italian Nature Studies and Early
Calendar Landscape », *Journal of the Warburg*
and Courtauld Institute, XIII, p. 13-47

Pastoureau (M.), 1993
« *Bonum, Malum, Pomum*. Une histoire symbolique de la pomme », *L'Arbre. Histoire naturelle*
et symbolique de l'arbre, du bois et du fruit au
Moyen Âge, p. 155-199

Pastoureau (M.), 1997
« Une fleur pour le roi. Jalons pour une histoire
de la fleur de lis au Moyen Âge », *Flore et*
jardins, P.-G. Girault (dir.), p. 113-130

Patrimoine des bibliothèques de France, 1995
Haute-Normandie, Basse-Normandie, 9, Paris

Paul-Sehl (M.), 1980
Recherches en vue d'une reconstitution matérielle du
jardin médiéval à l'aide de documents historiques,
thèse de 3e cycle en histoire (dactylographiée),
EHESS, Paris

Paulelin (M.), 1977
« Turf Seats in French Gardens of the Middle
Ages (12th-16th centuries) », *Garden History*, V, 1,
p. 3-14

Pearsall (D.), Salter (E.), 1973
Landscapes and Seasons of the Medieval World,
Londres

Pecqueur (M.), 1961
« Répertoire des manuscrits de la bibliothèque
Sainte-Geneviève peints aux armes de leurs
premiers possesseurs (XIIIe-XVIIIe siècles) »,
Bulletin d'information de l'Institut de recherche
et d'histoire des textes, 10

Pellerin (G.), 1996
Outils de jardin, Paris

Perrot (F.), 1977
Catalogue des vitraux religieux du musée de Cluny
à Paris, thèse de 3e cycle en histoire de l'art
(dactylographiée), université Paris-IV Sorbonne,
Paris

Picard (E.), 1894
« Les jardins du château de Rouvres au
XIVe siècle », *Mémoires de la société éduenne*,
nouvelle série, XXII, p. 157-179

Picard (E.), 1912
« Le château de Germolles et Marguerite de
Flandre », *Mémoires de la société éduenne*, XXXX,
p. 147-218

Pier de Crescenzi. Studi e documenti, Bologne,
1933

Piponnier (F.), 1994
« À la recherche des jardins perdus. Vestiges et
traces archéologiques des jardins médiévaux »,
Mélanges de l'École française de Rome. Moyen Âge
et Temps modernes, 106, 1, p. 229-238

Planche (A.), 1987
« La parure du chef : les chapeaux de fleurs »,
Le Corps paré : ornements et atours, Razo, Cahiers
du centre d'études médiévales de Nice, p. 133-144,
Nice

Platearius
Le Livre des simples médecines, F. Avril,
P. Lieutaghi, G. Malandin (éd.) d'après le
manuscrit français 12322 de la Bibliothèque
nationale de France, Paris, 1986

Polizzi (G.), 1990
« Le devenir du jardin médiéval ? Du verger de la
Rose à Cythère », *Vergers et jardins dans l'univers*
médiéval, p. 265-288

Porcher (J.), 1955
Les Manuscrits à peintures en France du XIIIe au
XVIe siècle, Paris

Poupeye (C.), 1911
« Les jardins clos et leurs rapports avec la
sculpture malinoise », *Bulletin du Cercle*
archéologique, littéraire et artistique de Malines,
XXI, p. 51-114

Prévenier (W.) dir., 1998
Le Prince et le peuple. La société au temps des ducs
de Bourgogne, Anvers

Rahir (E.), 1899
La Collection Dutuit, livres et manuscrits, Paris

Rapp (A.), 1976
Der Jungbrunnen in Literatur und bildender Kunst
des Mittelalters, Zurich

Rapp-Buri (A.), Stucky-Schürer (M.), 1993
Zahm und wild. Basler und Strassburger
Bildteppiche des XV. Jahrhunderts, Mayence ;
1re éd. Mayence, 1990

Raynaud (C.), 1990
« Les relations de l'homme et du jardin au
XVe siècle dans les livres religieux, derniers
échos du langage iconographique médiéval »,
Vergers et jardins dans l'univers médiéval,
p. 291-311

Reinach (S.), 1908
« Un manuscrit dérobé à la bibliothèque
municipale de Saint-Germain »,
Revue archéologique, I, p. 75-76 et pl. II, III

Reinitzer (H.), 1982
Der verschlossene Garten : Der Garten Marias im
Mittelalter, Wolfenbüteler Hefte, 12, Brunswick

Robb (D. M.), 1936
« The Iconography of the Annunciation in the
14th and 15th centuries », *The Art Bulletin*, 18,
p. 480-526

Robertson (D. W.), 1951
« The Doctrine of Charity in Mediaeval Literary
Gardens : a Topical Approach through
Symbolism and Allegory », *Speculum*, XXVI,
p. 24-49

Robin (F.), 1985
La Cour d'Anjou-Provence. La vie artistique sous
le règne de René, Paris

Rosteau (L.), 1995
« Herbier et potager d'un bourgeois de Paris »,
Jardins du Moyen Âge, p. 113-125, Paris

Ruas (M. P.), 1992
« Les plantes exploitées en France au Moyen
Âge d'après les semences archéologiques »,
Plantes et cultures nouvelles en Europe occidentale
au Moyen Âge et à l'époque moderne,
XIIe Journées internationales d'histoire, Centre
culturel de l'abbaye de Flaran, 11-13 septembre
1990, p. 9-35, Auch

Ruas (M. P.), 1992
« The Archaeobotanical Record of Cultivated
and Collected Plants of Economic Importance
from Medieval Sites in France », *Review of*
Palaeobotany and Palynology, 73, p. 301-314

Rytz (W.), 1961
« Der Tausendblumenteppich mit dem Wappen
Philips des Guten in Bern, seine Bedeutung
für die Geschichte des Pflanzenabbildung und
deren Auswertung », *Jahrbuch des Bernischen*
historischen Museums, p. 164-184

Schäfer (K.), 1914-1937
Die Ausgaben der apostolischen Kammer,
Paderborn

Schayes (A. G. B.), 1855
« Analectes archéologiques, historiques,
géographiques, etc. XXXIV : Travaux de
reconstruction et d'embellissement exécutés au
palais des ducs de Bourgogne à Bruges en 1445,
1446, 1449 », *Revue de l'Académie d'archéologie*
de Belgique, 12, p. 97-100

Schipperges (H.), 1985
Der Garten der Gesundheit, Medizin im
Mittelalter, Munich ; 2e éd. 1987

Schmidtke (D.), 1982
Studien zur dinglallegorischen Erbauungsliteratur des
Spätmittelalters : am Beispiel der Gartenallegorie,
Tübingen

Schramm (A.), 1920-1943
Der Bilderschmuck der Frühdrucke, 23 vol.,
Leipzig

Schreiber (W. L.), 1891-1911
Manuel de l'amateur de la gravure sur bois et sur
métal au XVe siècle, Berlin/Leipzig

Schreiber (W. L.), 1924
Die Kräuterbücher des XV. und
XVI. Jahrhunderts, Munich

Schüler (I.), 1932
Der Meister der Liebesgärten. Ein Beitrag zur
früh-holländischen Malerei, Amsterdam/Leipzig

Scully (T.), 1992
« Les saisons alimentaires du Ménagier de Paris »,
Du manuscrit à la table, p. 205-213, Paris

Smeyers (M.), 1998
L'Art de la miniature flamande du VIIIe au
XVIe siècle, Tournai

Smith-Favis (R.), 1974
The Garden of Love in Fifteenth Century Netherlandish and German Engravings. Some Studies in Secular Iconography in the Late Middle Ages and Early Renaissance, thèse de doctorat (dactylographiée), University of Pennsylvania, Philadelphie

Snyder (J.), 1976
«Jan van Eyck and Adam's Apple», *The Art Bulletin*, 58, p. 511 et suivantes

Sodigné-Costes (G.), 1990
«Les simples et les jardins», *Vergers et jardins dans l'univers médiéval*, p. 331-342

Sorbelli (A.), 1933
«Bibliografia delle edizioni», *Pier de Crescenzi. Studie e documenti*, p. 307-369

Speer (O.), 1980-1981
«Les jardins du paradis : les plantes dans les tableaux des primitifs du musée d'Unterlinden», *Annuaire de la Société d'histoire et d'archéologie de Colmar*, p. 27-47

Stammler (W.), 1962
«Der allegorische Garten», *Wort und Bild. Studien zu den Wechselbeziehungen zwischen Schriftum und Bildkunst im Mittelalter*, p. 106-116, Berlin

Stannard (J.), 1983
«Medieval Gardens and their Plants», *Gardens of the Middle Ages*, cat. exp., p. 37-69, Lawrence/Washington DC

Stannard (J.), 1986
«Alimentary and medicinal use of plants», *Medieval Gardens*, É. Mac Dougall (dir.), p. 69-91

Steane (J.), 1985
The Archaeology of Medieval England and Wales, Londres

Sterling (C.), 1952
La Nature morte de l'Antiquité à nos jours, Paris

Sterling (C.), 1990
La Peinture médiévale à Paris, 1300-1500, Paris

Stokstad (M.), 1983
«Gardens in Medieval Art», *Gardens of the Middle Ages*, cat. exp. p. 19-35, Lawrence/Washington DC

Stokstad (M.), 1986
«The Garden as Art», *Medieval Gardens*, É. Mac Dougall (dir.), p. 175-186

Stokstad (M.), Stannard (J.), 1983
Gardens of the Middle Ages, cat. exp., Lawrence/Washington DC

Strubel (A.), 1990
«L'allégorisation du verger courtois», *Vergers et jardins dans l'univers médiéval*, p. 343-358

Tabor (R.), 1985
«English Bill-Hook Patterns», *Tools and Trades History Society Newsletter*, 11, p. 4-17

Talbot (J. H.), Hammond (E. A.), 1965
The Medical Practitionners in Medieval England, Londres

Taylor (C.), 1983
The Archaeology of Gardens, Aylesbury/Bucks

Telesko (W.), 2001
The Wisdom of Nature. The Healing Powers and Symbolism of Plants and Animals in the Middle Ages, Londres/Munich/New York

Toni (E. De), 1919
«Il libro dei simplici di Benedetto Rinio», *Memorie della Pontificia Academia romana dei Nuovi Lincei*, 5, p. 171-279

Toni (E. De), 1924
«Il libro dei simplici di Benedetto Rinio» (suite), *Memorie della Pontificia Academia romana dei Nuovi Lincei*, 7, p. 275-398

Toni (E. De), 1925
«Il libro dei simplici di Benedetto Rinio» (fin), *Memorie della Pontificia Academia romana dei Nuovi Lincei*, 8, p. 123-264

Toubert (P.), 1984
«Pietro Di Crescenzi», *Dizionario biografico degli italiani*, Rome, XXX, col. 649-657

Tuinen in de Middeleeuwen, R. E. V. Stuip, C. Vellekoop (éd.), Hilversum, 1992

Vandenbroeck (P.), 1994
Le Jardin clos de l'âme. L'imaginaire des religieuses dans les Pays-Bas du Sud depuis le XIIIᵉ siècle, Bruxelles

Vergers et jardins dans l'univers médiéval, 1990
Actes du XVᵉ colloque du Centre universitaire d'études et de recherches médiévales d'Aix-en-Provence, *Sénéfiance*, 28, Aix-en-Provence

Vignau-Wilberg (T.), 1984
«Höfische Minne und Bürgermoral in der Grafik um 1500», H. Vekeman, J. Müller (dir.), *Wort und Bild in der niederländische Kunst und Literatur des XVI. und XVII. Jahrhunderts*, p. 43-52, Erfstadt

Vogellehner (D.), 1984
«Garten und Pflanzen im Mittelalter», G. Franz (dir.), *Geschichte des deutschen Gartenbaues, Deutsche Agrargeschichte*, VI, p. 69-98, Stuttgart/Ulm

Ward (H. L. D.), 1883
Catalogue of Romances in the Department of Manuscripts in the British Museum, I, Londres

Watson (P. F.), 1979
The Garden of Love in Tuscan Art of the Early Renaissance, Philadelphie

Welti (F. E.) éd., 1925
Die Pilgerfahrt des Hans von Waltheyn im Jahre 1474, Berne

Welzel (B.), 2001
«Der grosse Liebesgarten», *Als Albrecht Dürers Welt. Festschrift für Fejda Anzelewzky*, Turnhout, p. 123-127

Whitehouse (O. C.), 1901
«Garden», *Encyclopaedia Biblica*, II, col. 1640-1644

Whiteley (M.), 1999
«The Relationship between the Château, Garden and Park, 1300-1450», *Architecture, jardin, paysage*, J. Guillaume (dir.), p. 91-102

Wilkins (E.), 1969
The Rose Garden Game, New York

Winston-Allen (A.), 1997
Stories of the Rose. The Making of the Rosary in the Middle Ages, Philadelphie; 2ᵉ éd. 1998

Wirth (J.), 1988
«Le Jardin des délices de Jérôme Bosch», *Bibliothèque d'humanisme et de Renaissance*, 50, p. 545-585

Wolffardt (É.), 1953-1954
«Beiträge zur Pflanzensymbolik», *Zeitschrift für Kunstwissenschaft*, 8, p. 171 et suivantes

Woodbridge (K.), 1986
Princely Gardens. The Origins and Development of the French Formal Style, New York

Zadora-Rio (É.), 1982
«Hortus conclusus. Un jardin médiéval au Plessis-Grimoult», *Mélanges d'archéologie et d'histoire médiévale en l'honneur du doyen Michel de Boüard. Mémoires et documents publiés par la société de l'École des chartes*, p. 393-404, Genève/Paris

Zadora-Rio (É.), 1986
«Pour une archéologie des jardins médiévaux», *Monuments historiques*, 143, p. 4-7

Zehnder (F. G.), 1990
Katalog der altkölner Malerei. Bestandskataloge des Wallraf-Richartz-Museums, XI, Cologne

Catalogues d'exposition

1933-1934, New York
The Pierpont Morgan Library. Exhibition of Illuminated Manuscripts, New York Public Library

1936, Paris
Exposition rétrospective de la vigne et le vin dans l'art, musée des Arts décoratifs, Pavillon de Marsan, palais du Louvre

1955, Paris
Les Manuscrits à peintures en France du XIIIᵉ au XVIᵉ siècle, Bibliothèque nationale

1958, Milan
Arte lombarda dai Visconti agli Sforza, Palazzo Reale

1960, Bruges
Le Siècle des Primitifs flamands, musée Groeninge

1960, Detroit
Flanders in the Fifteenth Century : Art and Civilization. Exhibition Masterpieces of Flemish Art : Van Eyck to Bosch, The Detroit Institute of Art